D1246744

INSOUMISE

TOME 3 · LA DERNIÈRE FRONTIÈRE

MATHILDE SAINT-JEAN

INSOUMISE
TOME 3 · LA DERNIÈRE FRONTIÈRE

Guy Saint-Jean
ÉDITEUR

Guy Saint-Jean Éditeur
3440, boul. Industriel
Laval (Québec) Canada H7L 4R9
450 663-1777
info@saint-jeanediteur.com
www.saint-jeanediteur.com

• • • • • • • • • • • •

Catalogage avant publication de Bibliothèque et Archives nationales du Québec et Bibliothèque et Archives Canada
Saint-Jean, Mathilde, 1996-
Insoumise
Sommaire: t. 3. La dernière frontière.
Pour les jeunes.
ISBN 978-2-89455-913-0 (vol. 1)
I. Saint-Jean, Mathilde, 1996-   . Dernière frontière. II. Titre. III. Titre: Dernière frontière.
PS8637.A457I57 2015   jC843'.6   C2014-942740-9
PS9637.A457I57 2015

• • • • • • • • • • • •

Nous reconnaissons l'aide financière du gouvernement du Canada par l'entremise du Fonds du livre du Canada (FLC) ainsi que celle de la SODEC pour nos activités d'édition. Nous remercions le Conseil des Arts du Canada de l'aide accordée à notre programme de publication.

Financé par le gouvernement du Canada | **Canadä**   **SODEC** Québec   **Conseil des Arts du Canada**   **Canada Council for the Arts**

Gouvernement du Québec – Programme de crédit d'impôt pour l'édition de livres – Gestion SODEC

© Guy Saint-Jean Éditeur inc., 2016

Conception graphique de la couverture: Olivier Lasser
Infographie: Olivier Lasser
Révision: Eva Lavergne
Correction d'épreuves: Émilie Leclerc
Photos de la page couverture: Shutterstock-Aleshyn Andrei/Hitdelight/06photo

Dépôt légal — Bibliothèque et Archives nationales du Québec, Bibliothèque et Archives Canada, 2016

ISBN: 978-2-89758- 059-9
ISBN ePub: 978-2-89758-060-5
ISBN PDF: 978-2-89758-061-2

Imprimé et relié au Canada
1re impression: février 2016

ASSOCIATION NATIONALE DES ÉDITEURS DE LIVRES   Guy Saint-Jean Éditeur est membre de l'Association nationale des éditeurs de livres (ANEL).

Aux plus grandes femmes de ma vie,
Maud, maman et grand-maman.

Prologue

EXTRAIT D'UN LIVRE DÉFENDU

*Faisons en sorte que cette liberté nous appartienne,
qu'elle devienne le flambeau de notre société
plongée dans l'ombre.
Ne la réclamons pas. Prenons de front ce qui nous
revient de droit.
Ce qui, au fond, nous a toujours appartenu.
Quel qu'en soit le prix.*

MÉMOIRE D'UN INSOUMIS

*Les Insoumis causeront notre perte, détruiront
l'équilibre au nom d'un étendard qui porte
le nom d'Injustice.*

Pour les arrêter, c'est quelque chose en eux
qu'il nous faudra briser.
Ce quelque chose que nous tuerons d'abord :
l'Espoir.

Dirigeants de la République Supérieure

Première partie

Un

Oh non, s'il vous plaît, pas elle. Pas Effie. Pas ma petite sœur.

Ma sœur n'est pas une Insoumise, elle ne l'a jamais été et ne le sera jamais. Non, elle est le contraire de tout cela, de toute cette rébellion qui, bien malgré moi, fait frémir mes membres. Elle est le sujet parfait pour le gouvernement de ma République. Elle est exactement ce qu'ils veulent qu'elle soit: ils ont réussi.

Ma petite sœur est Asservie.

Tandis qu'elle me fixe et que dans ses yeux l'éclat de la peur prend lentement forme, je ne peux que la regarder en retour et espérer que rien de tout cela ne soit réel. Je me refuse à l'évidence. Je m'obstine en priant ciel et mer qu'elle se rappelle, que sur son visage le voile d'incompréhension cède place à un sourire compatissant, un sourire reconnaissant de me voir en vie, *ici*.

Je suis face à une glace vide.

— Tu ne dis pas bonjour à ta sœur? murmure doucement ma mère.

Ne tourne pas le fer dans la plaie, maman... J'ai à peine le temps d'y penser que ce que je redoutais se produit :

— Comment ça, « ma sœur » ? réplique-t-elle d'un ton qui n'a étonnamment rien de méchant.

C'est un ton irrité sans être acerbe. Elle ne comprend pas, pour la simple et bonne raison que ses souvenirs de moi, je suis la seule à les partager.

— Voyons, Effie, qu'est-ce que tu racontes, tu ne reconnais pas Emma ? lui répond ma mère, les sourcils haussés.

— Puisque je te dis que je ne sais pas qui c'est !

La panique. La même que j'ai constatée chez Caleb le soir où j'ai passé la frontière et qu'il ne m'a pas reconnu. Je revis cette scène de cauchemar sans savoir comment réagir. Inutile de me sauver comme la dernière fois, ici c'est chez moi et je n'ai nulle part ailleurs où aller.

— Maman, dis-moi ce qui se passe, lâche-t-elle les dents et les poings serrés.

— Effie, s'il te plaît, murmuré-je en avançant d'un pas.

— Ne t'approche pas de moi ! s'écrie-t-elle.

On vient de m'écorcher le corps en entier.

— Qu'est-ce qui te prend, ma chérie ? Emma est...

J'arrête mon père d'une main. Mes parents ne comprennent pas non plus. Alors que moi, je prends de plus en plus la mesure de son amnésie et désormais, c'est un mur non pas de verre, mais de briques, impénétrable, qui se trouve entre elle et moi, la rendant encore moins accessible que Noah peut l'être avec tout le monde.

Inutile de s'acharner. Ma mère monte quelques marches et entraîne Effie vers sa chambre, une main qui se veut réconfortante sur son épaule.

— Tu sais pourquoi Effie ne se souvient pas de toi, n'est-ce pas, Emma ? chuchote mon père en relevant mon visage vers le sien dans la lumière du salon.

J'acquiesce, difficilement.

— Ce n'est pas de sa faute, papa. Si seulement tu savais comme je m'en veux.

Je me prends la tête à deux mains, le visage clos pendant que des milliers de « si seulement » me martèlent l'esprit.

— Emma, regarde-moi, me demande mon père en posant ses mains sur mes poignets. Je sais que ce n'est pas ta faute.

Son pouce glisse sur ma pommette pour y retirer la larme qui a échappé à mon contrôle.

— Tu as changé, tellement changé en si peu de temps...

Je me laisse entraîner dans son étreinte.

Pendant un bref instant, j'arrive à comprendre comment il me voit maintenant. Je n'ai plus rien de cette innocence candide qui me faisait rêver jadis.

J'ai été brisée.

— Pourquoi Effie ne se souvient plus, Emma ?

Ma mère reparaît à ce moment au sommet des marches.

— Quelque chose en elle l'empêche de se souvenir, qui peut rendre quiconque amnésique, dis-je.

— Quoi donc ? demande-t-elle tout bas.

— Une puce... Un composé qui n'a rien de naturel et qu'on nous implante à la naissance. Disons seulement qu'il agit différemment en fonction du type de programme. C'est... compliqué.

— Mais pourquoi elle et pas nous ? frémit ma mère, la larme à l'œil.

— C'est un procédé aléatoire, dis-je en guignant mes mains tremblantes. Il n'y a rien à y comprendre.

Mes paupières recommencent à se fermer d'elles-mêmes.

— Nous parlerons demain, enchaîne-t-elle en voyant mon air. David, éteins vite la lumière avant que nous n'alertions la garde.

— Oui, bien sûr.

— Allons tous dormir maintenant ; toi particulièrement, Emma. Nous aurons tout notre temps demain.

— D'accord.

Mon père récupère gentiment mon manteau. Je lui tends mon foulard, qu'il enfouit dans la manche avant de l'accrocher au portemanteau avec les leurs. Je récupère mon sac en essayant de ne rien laisser paraître quant à ma cheville douloureuse.

En descendant du train qui m'emmenait ici, je doute que le saut hors du wagon m'ait épargné une entorse.

— Qu'est-il arrivé à ta cheville, Emma ?

— J'ai dû me la fouler en descendant du train...

Je gravis les marches une à une, les dents serrées pour maîtriser la douleur. À l'étage, j'avance à tâtons jusqu'à ma chambre. Je m'arrête sur le pas de la porte close. Effie sera là aussi, je ne peux pas dormir dans la chambre de ma sœur alors qu'elle ne se souvient même pas de mon nom.

— Va dormir dans la chambre d'Adam, me suggère aussitôt mon père. Cela fait longtemps que plus personne n'y dort; je préfère te prévenir si tu trouves qu'il y fait froid. Nous...

— Et Noah ? l'interromps-je.

Mon père n'a pas à se justifier, je comprends.

— Il dort dans la même chambre qu'Effie maintenant qu'Adam et toi êtes partis. Dormir seul le terrifie, m'informe-t-il tristement.

Je souhaite bonne nuit à mes parents et me retrouve seule dans une chambre vide. Ne pouvant allumer les lumières en raison du couvre-feu, j'ouvre les rideaux pour capter un rai de lune. Je pose mon sac sur un des deux lits et m'assois sur l'autre, les mains sur le visage.

Je suis de retour chez moi, sans me sentir à la maison.

De tous les scénarios que je me suis faits, aucun ne m'aura préparé à celui-ci, le pire entre tous. Comment suis-je censée convaincre une personne qui ne me connaît plus – et donc, qui se fait méfiante à mon égard – de me suivre là où rien ne lui sera familier ? Comment puis-je espérer qu'elle me fasse confiance si elle ignore qui je suis ?

Je passe mes paumes sur mes paupières closes afin d'en effacer les dernières traces de mélancolie.

Je m'allonge sur ma couche, prends toutes les couvertures à ma disposition pour me prémunir du froid. Je les presse contre ma poitrine dans l'espoir qu'elles remplissent un vide que seule la présence de Nayden pourrait combler.

Il m'a semblé vivre bien peu d'instants de bonheur durable, mais je les ai tous chéris. J'ai fini par m'extasier devant peu : j'ai compris la valeur de ces instants aussi courts soient-ils. Avec Nayden, j'ai enfin l'impression qu'une vie meilleure nous attend, tous, quelque part. Je dois à tout prix le déloger du parlement. Je ne peux pas le laisser là.

Je veux vivre du bonheur de sa présence, et l'alimenter comme je pourrai, tant que je pourrai. Je le promets.

Deux

Mes paupières palpitent sous les rayons du soleil. De son lit, mon petit frère fixe un point sur ma mâchoire ; je vois ses iris scintiller quand il remarque que je me réveille.

— Tu es dans mon lit, lâche-t-il de son habituel ton monocorde.

— Bonjour, Noah.

— Et moi, je suis dans ton lit maintenant.

— Drôle d'échange, tu ne trouves pas ? réponds-je en me redressant sur un coude.

— Drôle d'échange, répète-t-il. Il fait froid ici.

Il a raison. Il doit faire dix degrés dans cette pièce. Je m'assois sur le matelas, joignant mes mains glacées entre mes genoux, le visage tourné vers le soleil qui plombe la chambre. Il est plus tard que je pensais, ce qui signifie que j'ai dormi beaucoup plus longtemps que prévu.

— Pourquoi ta peau est pleine de couleurs ?

Je me retourne vers mon cadet.

— Quoi ?

— Ta peau. Elle est pleine de couleurs.

— Oh, ça.

Je baisse le regard sur ma peau à découvert et hausse les épaules en forçant un sourire. Comment puis-je lui expliquer qu'on m'a torturée ? Qu'on m'a fait du mal ?

— Ce n'est rien, soupiré-je en relevant les yeux vers lui, pour voir les siens me fuir aussitôt.

— Ce n'est pas rien si c'est là.

Je m'esclaffe. J'avais oublié à quel point tout pour Noah est rationnel et logique. Sa pensée est concrète et sans équivoque. Pour mon frère, il n'existe aucune question sans réponse. Que des réponses à des questions non encore posées. Je choisis donc de lui dire la vérité.

— Des gens m'ont fait du mal, Noah.

— Ah. Ce n'est pas gentil.

— Non, ce n'est pas gentil, tu as raison.

— Pourquoi ces gens n'ont pas été gentils avec toi ?

Je m'incline. Je ne veux pas lui jeter le blâme. Rien n'a jamais, ne serait-ce qu'un bref instant, été de sa faute.

— Parce que je protégeais des gens que j'aime.

— Ah.

Nous restons silencieux un moment. Je remarque qu'il tient toujours sa locomotive dans sa main droite, qu'il la tourne et la retourne entre ses doigts. Cette même locomotive que j'ai vue en rêve il n'y a pas si longtemps, cette fois couverte d'un liquide rouge écarlate. La voir intacte me réconforte plus que je l'aurais cru. Parce que si cette locomotive est intacte, mon petit frère l'est probablement aussi.

— J'ai attendu longtemps avant de pouvoir aller voir le train avec Emma, enchaîne mon frère.

— Oui, je sais.

— J'ai attendu.

— Je suis désolée.

— Attendu.

Son ton est presque accusateur, mais c'est involontaire. Il aurait aussi bien pu se moquer de moi en prononçant les mêmes mots, prendre un ton joyeux alors que cette attente n'avait rien eu de réjouissant, ou encore se mettre en colère. Mon frère ne distingue ni les intonations de voix ni ses propres émotions de celles des autres. Elles s'enchaînent toutes et se superposent en un tableau de couleurs si éclectiques que distinguer le bleu du rouge serait aussi difficile que séparer de l'huile et de l'eau à mains nues.

Il hoche de la tête à une, deux, trois, quatre reprises, tout en se balançant d'avant en arrière. Il n'est pas particulièrement nerveux – je l'ai vu dans des situations bien pires –, il est seulement... enthousiaste, peut-être ?

— Tu vas encore partir ?

Sa question me prend au dépourvu. J'ai rarement vu Noah aussi conscient de ce que les autres peuvent faire. Non pas qu'il ait toujours été égocentrique, seulement c'est assez inhabituel de le voir aussi sensible à son environnement. Ou à quelqu'un.

— Sûrement, oui.

— Tu reviendras après ?

Je repense au marché de Dmitri. Si je l'accepte, je ne pourrai pas revenir. Est-ce vraiment ce que j'ai envie de dire à mon petit frère ? Lui dire qu'il est possible que je ne revienne plus jamais ? Encore une fois, je préconise l'honnêteté. C'est le genre de vérité qui ne fait pas mal. Du moins, pas encore.

— Je ne sais pas, Noah.

— Ah.

— Pour le moment, je suis là, avec toi.

— Avec moi.

— Oui.

— Je me souviens de toi, Emma.

Cette façon robotique qu'il a de dire mon nom met un véritable baume sur mes plaies de la veille. Un mot n'est normalement qu'un mot, comme un chiffre n'est rien de plus qu'un chiffre aux yeux de mon petit frère. Or, cela me réchauffe le cœur de penser que mon nom n'est pas qu'un nom, que Noah entretient encore des souvenirs à mon propos. Ça me plaît de savoir que je représente un peu plus pour Noah qu'un simple prénom aux deux consonnes à jamais coincées entre deux voyelles.

— C'est vrai ?

— Je me souviens de toi, Emma, répète-t-il de nouveau.

Il attend quelque temps et se lève. Il lorgne toujours ce point sur ma mâchoire.

— Je me souviens parce que j'ai choisi de me souvenir.

— Qu'est-ce que tu veux dire, Noah ?

— On n'oublie pas. On ne peut pas oublier.

— Non ?

— Non.

— Pourquoi ?

— Si on choisit de. On choisit.

Il n'a pas terminé sa phrase ; c'est commun chez lui.

— Alors ? dis-je pour l'encourager à poursuivre.

— Alors.

— On se souvient ?

— On se souvient.

Il ne fait que répéter ce que *moi* j'ai dit. J'ignore si c'est ce qu'il voulait vraiment me dire. Il est inutile d'essayer de le faire répéter, je n'y arriverai pas. Pour lui, tout ça, c'est du passé maintenant. Je me lève à mon tour.

— On va déjeuner ?

— Le déjeuner est déjà passé, on ne peut pas re-déjeuner.

— Ah bon ?

— Effie est à l'école.

— Oh… je vois. Papa m'a laissée dormir ?

Il confirme.

— Maman aussi.

C'est logique. J'ignore ce qui a poussé Noah à se détourner de cette routine qu'il suit à la lettre.

— Qui est à la maison ? lui demandé-je en me dirigeant vers la porte du pas le plus assuré possible bien que ma cheville continue à me faire souffrir.

— Maman.

— Et c'est tout ?

— Maman.

— D'accord. Allons voir maman.

— O.K.

Je lui ouvre la porte, mais il refuse de passer devant. Il me suit dans le couloir en marmonnant. Quand ses dires dépassent, un court moment, juste assez le bredouillage pour que je comprenne, je me permets un haussement de sourcils impressionné.

— Emma boite. Son pied droit. Oui, c'est son pied droit. Elle s'est fait mal et je ne sais pas comment.

Je me tourne brièvement vers lui juste avant l'escalier. Je lui souffle :

— Je peux te le dire, mais tu devras garder le secret, d'accord ? Ne le dis à personne !

— Personne.

Je lui fais signe d'approcher et chuchote :

— J'ai sauté d'un *train*.

À ces mots, sa prunelle s'illumine et m'arrache un sourire.

— C'est un secret ! répète-t-il beaucoup trop fort.

Je ricane et descends l'escalier aussi rapidement que mon pied me le permet. Ma mère émerge de la cuisine et nous couve tous deux d'un regard empli de tendresse.

— Tu as bien dormi ?

— Oui, merci.

— C'est très gentil de ta part d'être passé la voir, Noah.

— Je suis gentil, réplique Noah.

— Tu peux aller t'asseoir à la table pour dessiner, mon poussin. Nous te rejoignons dans quelques minutes.

— Je n'ai pas de plumes. Je ne suis pas un oiseau.

— Tu es le plus beau des oiseaux sans plumes, dis-je en ébouriffant ses cheveux.

Je peux voir un fin sourire retrousser le coin de ses lèvres lorsqu'il passe près de moi : j'ignore complètement si c'est à cause de ce que j'ai dit ou de sa propre interprétation des choses.

— Viens, ma chérie, il faut que tu manges quelque chose, dit ma mère.

Je hoche de la tête et presse sa main dans la mienne. La chaleur de ma mère m'a manqué.

— Effie est déjà à l'école ?

— Oui. Elle est partie très tôt ce matin. Tu sais, les chemins sont plus difficiles en hiver et avec ton arrivée d'hier, elle ne voulait pas rester à la maison très longtemps.

— Je comprends.

Je m'assois à la petite table de la cuisine, face à Noah qui s'est mis à crayonner comme notre mère le lui a suggéré. C'est incroyable, le nombre d'heures qu'il peut passer à dessiner ; la plupart du temps ce sont des trains.

Ces trains qui seront notre porte de sortie.

Ma mère dépose une tartine et quelques quartiers de pomme devant moi. Aussi improbable que cela puisse paraître, cette nourriture m'a manqué. Chez Nayden, de l'Autre Côté, je mangeais tout autre chose, bien sûr ; mais en cellule, j'étais loin d'avoir droit à tout ce luxe et je me surprenais à regretter les repas de ma mère.

— Est-ce qu'Effie a parlé de moi ?

— Non, me répond ma mère en s'asseyant à ma gauche, une tasse d'eau chaude entre les mains. Elle est restée très silencieuse, puis elle est partie à l'école.

— C'est normal, elle doit essayer de recoller des morceaux.

— Pourquoi Effie recollerait des morceaux ? Rien n'est cassé… marmonne Noah.

J'inspire un bon coup. Comment expliquer une métaphore à un garçon pour qui ce type de phrase imagée ne veut rien dire ?

— Si tu fais un casse-tête, Noah…

— Oui ?

— … mais qu'il te manque des morceaux, pourras-tu le finir ?

— Non.

— C'est pareil pour Effie.

— Effie fait un casse-tête.

— Exact.

— Et il lui manque des morceaux.

— Tout à fait, approuvé-je, ravie de voir que ma courte explication avait suffi.

Il continue de dessiner.

— Tu n'es pas d'accord, Noah ? demande ma mère.

— Non.

— Pourquoi ?

— Il ne manque pas de morceaux à Effie.

Je me durcis, croque dans un morceau de pomme sans véritablement y porter attention. Noah a compris quelque chose que moi je n'ai pas saisi.

Sans même relever les yeux vers moi, il enchaîne :

— Effie est entière.

— Tu en es sûr ?

— Un train passe dans vingt-trois minutes et trente-six secondes.

Je m'adosse à ma chaise. *Effie est entière.* Je crois mon frère parce qu'il a raison.

Je dois faire tomber le mur entre Effie et sa mémoire.

Pour ça, il me faudra provoquer son programme.

Je connais quelqu'un qui pourra m'aider.

Ezra.

Je me lève en sautant presque de joie et contourne la table pour embrasser le sommet de sa tête.

— Noah, tu es un génie !

Il se raidit à mon contact, comme à son habitude, sans pour autant m'en tenir rigueur.

— Emma, pourrais-tu m'expliquer, s'il te plaît ? Parce que moi, je ne comprends toujours pas ! s'exclame ma mère au moment où je m'élance le plus vite possible vers l'escalier pour aller récupérer mon sac à l'étage ou, devrais-je dire, l'ordinateur de Nayden.

— Ça serait beaucoup trop long, maman ! lui réponds-je du haut des marches.

Je l'imagine se poster, exaspérée, au bas de l'escalier, une main sur la hanche pour me bloquer le passage. Je n'aurais pas cru voir si juste : revenant avec Ezra entre les mains, je vois ma mère exactement comme je le pensais.

— Noah a compris.

— Compris quoi ?

— Qu'Effie a oublié, mais que tout ça est temporaire. Ce n'est pas pour toujours, maman ! Ce qui signifie qu'elle va se souvenir !

— Parle moins vite, Emma, je t'en prie.

— Effie peut se souvenir de moi, il suffit de briser le mur.

— Quel mur ?

— Celui qu'on a imposé dans son cerveau. Les puces sont faites pour ça, maman, pour nous contrôler, nous faire oublier ce qui est contraire aux règles. *Je suis* contraire aux règles. Alors elle m'a oubliée.

— Pourquoi toi et pas elle ?

Je m'emporte :

— Parce que moi, je suis Insoumise !

Elle soupire, ne peut empêcher la peur de la faire frémir. Ici, tout le monde craint ce mot comme la peste.

Je répète, d'une voix plus douce :

— Je suis Insoumise, maman.

— Je sais…

Sa voix est empreinte de découragement. Cela ne la réjouit pas, je le vois bien. Ce sont toujours les Insoumis qui meurent à la fin et qu'on radie de la carte. Je pose une main contre sa joue, qu'elle couvre de la sienne.

— Ce n'est pas la fin pour moi.

— Personne ne sait ça, ma chérie. Personne ne le sait.

— Je te promets que ce ne sera pas la mienne en tout cas.

Elle s'écarte pour me laisser passer. Je pose Ezra devant moi sur la table et me tiens debout ; ça m'aide à réfléchir. Mon frère relève la tête, de minuscules plis s'emboîtent un à un sur son front, presque trop lentement. Il est intrigué, c'est évident. Mes mains volent au-dessus du clavier un moment en quête de cette petite touche qui fera en sorte que l'ordinateur s'allume.

— Qu'est-ce que c'est ? demande-t-il.

— Ça, mon grand, c'est Ezra.

— Ezra ? répète-t-il doucement, comme une brise qui fait à peine valser les premières fleurs du printemps.

Je vois qu'il se pose des questions insondables. J'allume Ezra et je peux voir du coin de l'œil mon petit frère se lever pour me rejoindre. Je ne peux m'empêcher d'être surprise à mon tour : il a délaissé ses crayons pour elle. Noah ne délaisse jamais quoi que ce soit si spontanément, sauf peut-être quand il s'agit d'un train. Son intérêt pour Ezra est désarmant. Ça promet.

— Ezra, tu es là ? dis-je tout haut en me redressant, les mains sur le dossier de la chaise.

— Je suis là, mademoiselle Kaufmann.

Mon frère sursaute légèrement en voyant le visage humanoïde lumineux d'Ezra valser sur l'écran. Je délaisse l'ordinateur et observe le moindre des mouvements de Noah : je ne voudrais surtout pas déclencher une crise à cause d'une machine qui parle...

— Bien, tu es là. As-tu suffisamment de batterie ?

— Madame Keyes m'a fait recharger juste avant votre départ, nous avons amplement le temps.

— Parfait.

— Vous êtes à la maison ?

— Oui.

— Bien. Vous n'êtes pas seule non plus.

Ce n'est pas une question, c'est une simple affirmation.

Ma mère s'approche, les yeux écarquillés à la fois de stupéfaction et de quelque chose qu'on pourrait associer à de la peur. Je la comprends, j'ai eu la même réaction en voyant que cette chose pouvait parler.

— Emma, qu'est-ce que…

— C'est un ordinateur, maman. Elle ne nous veut aucun mal, elle est là pour nous aider.

— Que puis-je faire pour vous aujourd'hui ? demande Ezra.

— D'abord, envoie un message à Lauren pour lui dire que je vais bien.

— Très bien, je m'en charge. Ensuite ?

— Je voudrais connaître le type de programme auquel ma petite sœur est soumise.

— Sauf votre respect, mademoiselle, cette information ne vous sera guère utile considérant vos connaissances restreintes sur le sujet.

Sa remarque m'arrache un sourire. *Bien vu, Ezra.*

— Bon, très bien, c'est vrai je m'en fiche totalement. Ce que je veux, c'est perturber son programme.

— Le faire tomber, vous voulez dire.

— On peut dire ça comme ça, oui. Je dois faire tomber le mur, Ezra. C'est important.

— D'accord. Je peux me connecter à sa puce si vous le voulez, j'ai accès à sa localisation géographique, m'informe-t-elle.

— Parfait, dans ce cas, tu peux le faire.

— Connexion en cours.

Je hoche de la tête et m'apprête à faire les cent pas, puis je constate l'air fasciné de mon frère. Je regarde l'heure, un train passe dans deux minutes et Noah ne m'a jamais semblé aussi peu enclin à aller le voir. On peut déjà sentir la maison trembler à son approche. Il ne regarde même pas vers la fenêtre. Je fronce les sourcils, un sourire prend forme aux commissures de mes lèvres tandis que l'évidence chante déjà dans mon crâne. Mon frère n'arrive pas à établir de contact avec un humain parce qu'il ne parvient pas, nonobstant tous ses efforts, à percer à jour nos différentes émotions et nos réactions empreintes de sentiments divers. Il doit s'adapter à une société qui lui échappe. Alors qu'avec Ezra, c'est complètement différent. Elle est pratiquement humaine, sans pour autant l'être. Elle parle, mais n'a aucune des émotions qui pourraient représenter un obstacle pour Noah. Ce faisant, elle ne représente pas pour lui une énigme sentimentale, comme nous tous. Ce contact est donc plus facile et plus captivant pour lui. Ezra n'est que calcul et rationalité. Elle est si mathématique qu'elle lui en fait oublier sa passion première pour les trains.

— J'y suis. Analyse de la puce en cours.

Le sol tremble de plus en plus fort et Noah n'a toujours pas bougé. Maman s'approche de nous.

— Noah, tu ne veux pas aller voir le train ? demande-t-elle.

— Non.

— Tu en es sûr ?

— Oui.

Je suis abasourdie, littéralement. Mon frère qui refuse d'aller voir le train, c'est tout simplement impossible. Maman semble tout aussi ébahie que moi. Je me tourne vers elle en haussant les épaules ; elle regarde l'heure.

— J'ai des courses à faire, et je veux arriver avant que les dernières rations soient parties. Tu crois pouvoir t'occuper de Noah pendant mon absence ?

— Oui, bien sûr, vas-y. Les quantités ont encore été réduites, pas vrai ?

Ma mère enfile son manteau, la mine basse, et opine.

— Selon leurs critères, il ne me reste qu'une enfant à charge. Tu sais, ma chérie, rationner des rations… ce n'est pas évident.

C'est à mon tour d'obtempérer.

— C'est pour ça que je suis ici, maman. Pour vous sortir de là.

Son sourire ne m'a jamais semblé aussi pâle. Elle s'arrête sur le pas de la porte.

— Fais attention, Emma.

— À quoi ?

— C'est gros, tout ce que tu entreprends pour nous, ma chérie. Je ne voudrais pas que ton amour pour nous te coûte la vie. Je ne me le pardonnerais jamais. Et je te connais, je sais ce dont tu es capable : tu faisais déjà l'impossible avant ta disparition. Tu as risqué ta vie une fois, déjà et…

— J'y veillerai, promis-je en la coupant.

Elle approuve d'un coup de menton après avoir enfilé ses bottes.

— Je reviens dans une heure, deux au maximum. À plus tard.

Je la salue de la main.

Je commence à faire les cent pas pendant que mon frère concentre encore toute son attention sur Ezra. Je finis par lui tirer une chaise et lui dire qu'il peut s'asseoir, ce qu'il fait aussitôt, sans perdre son air d'automate.

— Alors Ezra, ça vient, cette analyse ?

— Le pare-feu est difficile à franchir, mademoiselle. À dire vrai, je me trouve dans l'impossibilité d'y accéder.

— Comment ça ?

— Il doit s'agir d'un autre type de puce, différent du vôtre et de celui des Asservis de la génération avant celle de votre jeune sœur. Cependant, je peux vous assurer que sa mémoire est intacte et seulement brimée. Le retour en arrière n'est donc pas inenvisageable.

— Bien…

— Il vous faudra trouver un autre moyen de faire tomber le mur, Emma. Je ne peux malheureusement rien faire pour vous, cela dépasse mes compétences. C'est sans doute une puce de seconde génération.

Je pourrais essayer, mais sous peine d'endommager sa mémoire. Et c'est ce que nous voulons éviter, alors…

— Oui, je comprends, dis-je d'un air distrait.

Je pose une main sur le dossier de la chaise, l'autre sur mon visage. Comment puis-je faire tomber quelque chose que je ne peux ni comprendre, ni voir, ni toucher ?

— Pourquoi est-ce qu'il y a un mur dans la tête d'Effie ? demande Noah après un silence incroyablement long.

— Je ne sais pas, Noah, soufflé-je en passant délicatement ma main dans ses cheveux blonds.

Je continue de réfléchir, quand on frappe brutalement à la porte. En une fraction de seconde, je pivote vers la porte en refermant Ezra pour la mettre en veille. Je tire la chaise de Noah vers moi : je n'ai pas une minute à perdre.

— Noah, écoute-moi.

— Je t'écoute.

— Monte dans ta chambre.

— Je monte.

— Oui et tu…

— Je me cache, m'interrompt-il. Comme la dernière fois.

Je souris, embrasse furtivement son front. J'oublie souvent que mon frère a une mémoire incroyable.

— Oui, c'est exactement ça. Vas-y, mon bonhomme.

Il agite la tête en se mettant à marmonner.

— Ils sont venus. Ce n'est pas la première fois.

Ils cherchent quelqu'un. Je ne sais pas qui. Emma, peut-être ? Elle est ici maintenant, ils arrêteront de chercher.

Mes yeux s'écarquillent et je lui prends le poignet pour qu'il s'arrête.

— Ils sont venus ? *Qui* sont venus, Noah ? le questionné-je tout bas pendant que les coups à la porte reprennent de plus belle.

— Oui. Les soldats. Comme la dernière fois. Pour des questions différentes. Sans réponses.

Je n'ai plus le temps de réfléchir.

— Nous en parlerons plus tard. Monte, maintenant.

— Je monte.

Après m'être assurée qu'il soit bel et bien disparu dans le couloir, j'avance à pas feutrés vers la porte. J'écarte légèrement l'épais rideau de la fenêtre: j'entrevois le visiteur. Un soldat. Seul. Comment ça, un soldat seul ? Ils ne viennent jamais seuls.

Je pince les lèvres. Le silence me couvre d'un manteau d'angoisse.

Je scrute cette porte que j'ai peur d'ouvrir. Il partira peut-être, si j'attends suffisamment longtemps. Et puis, il n'a pas l'air de nous avoir entendus, Noah et moi.

Je recule d'un tout petit pas ; soudain, le visiteur entonne une mélodie que je reconnaîtrais entre mille.

J'ouvre la porte à la volée et saute au cou de mon grand frère, qui s'empresse de nous faire entrer dans la maison afin d'éviter tout regard indiscret.

— Emma ! s'exclame Adam en me serrant si fort contre lui que j'ai du mal à respirer.

Il me fait tourner avant de finalement me reposer et prendre mon visage entre ses mains.

— Oh, ma Coccinelle ! Tu m'as tant manqué ! Maman m'a averti de ton retour dès qu'elle m'a croisé. J'ai accouru au plus vite.

— Tu m'as manqué aussi, Coquerelle, le taquiné-je en pinçant son nez. Pourquoi est-ce que tu n'es pas simplement entré ? Tu m'as fait une de ces frousses !

— Et tu n'aurais pas paniqué de voir la porte s'ouvrir ? rétorque-t-il.

— Pas en voyant ton visage, Adam.

Du bout des pouces, mon frère effleure, peiné, les bleus qui me couvrent le visage.

— Grand Dieu ! Qu'est-ce que ma petite sœur a dû endurer par notre faute ?

— Pas par *votre* faute, Adam, seulement par la mienne, le corrigé-je.

Son expression est lourde de culpabilité.

— Attends, je vais aller chercher Noah.

— Il est à l'étage ?

Je grimpe les marches précipitamment, n'en déplaise à ma cheville endolorie, et je manque de m'effondrer en arrivant en haut. Je vois des étoiles, que je m'empresse de chasser d'un mouvement. J'y suis peut-être allée un peu fort.

— Noah ?

Il sort de la chambre les mains tout près du cœur, sa locomotive entortillée dans son chandail trop grand.

— Viens, mon chéri. C'est Adam.

Mon petit frère me dépasse pour rejoindre l'escalier qu'il descend très rapidement. Je les laisse un moment seuls. Cela doit bien faire plusieurs mois que Noah n'a pas vu Adam. Je m'assois tout en haut des marches.

Je pose mon visage dans ma main en soupirant; des larmes se mettent à descendre le long de mes joues.

Tout semble se mettre en place. Nous sommes tous de retour et il ne manque qu'une chose pour que tout soit parfait: que ma petite sœur se souvienne.

Trois

Une fois mon frère et ma sœur montés pour aller dormir à la nuit tombée, le tête-à-tête que j'ai enfin avec mes parents me rappelle cruellement l'épée de Damoclès qui plane au-dessus de moi depuis déjà si longtemps.

— Qu'est-ce qui se passe, Emma ? Et qu'est-il arrivé de l'Autre Côté ? demande mon père.

Je serre mes mains sur ma tasse. Comment leur parler de Nayden ? Comment leur faire comprendre qu'il ne me voulait aucun mal même si un mur sépare nos deux villes et même si son rang l'avait obligé à m'arrêter ? Comment leur dire que j'ai voulu m'échapper et que je me suis fait prendre ? Qu'on m'a torturée pour que je les dénonce ? Que contre toute attente, je me suis évadée, encore une fois, et qu'à nouveau j'ai dû trouver refuge avant de les retrouver ? Tout cela me semble trop irréel pour le raconter ainsi.

— On a tiré sur moi, papa… Puis quelqu'un m'a pour ainsi dire prise sous son aile.

— Qui ? demande ma mère.

— Aucune importance. Il est en danger à cause de moi maintenant, et il faut que je lui vienne en aide, mais avant, je dois vous faire sortir d'ici.

— Comment, Em ? enchaîne mon père en s'avançant sur sa chaise.

— Les trains. Il faudra en prendre un le moment venu. Il nous conduira chez une personne de confiance. De là, nous trouverons un moyen de fuir la République.

Le visage de ma mère blêmit, mon père hausse les sourcils.

— Emma, qu'est-ce que tu racontes… ? On ne peut *pas* sortir de la République. C'est impossible ! Et puis nous ne sommes pas préparés, nous n'avons pas d'argent !

— Je trouverai un moyen, mais il faudra faire vite. Il n'y a pas d'avenir pour nous ici de toute façon, alors pourquoi devrait-on rester cloisonné ? Le monde est grand, maman, tellement, tellement plus grand que tu le penses.

Mes parents pèsent le pour et le contre en échangeant du regard ce que les mots ne sauraient rendre.

— De combien de temps as-tu besoin ? dit mon père pour briser le silence.

— Du temps qu'il faudra à Effie pour se souvenir de moi.

Ça m'a semblé une réponse ridicule, mais je me suis convaincue qu'il s'agissait de la seule que je pouvais leur offrir pour l'heure.

Il nous faudra donc survivre encore un moment avant de partir.

— Que comptes-tu faire pour aider Effie ? chuchote mon père.

Je mords l'intérieur de ma joue. *Si seulement je le savais.* Et je choisis d'être honnête, parce que c'est ce que mon père m'a toujours demandé.

— Je n'en ai pas la moindre idée.

Mon père glisse sa main sur la mienne.

— Nous trouverons un moyen, m'encourage-t-il doucement.

— Il se fait tard, nous devrions aller dormir, suggère ma mère. Nous en reparlerons plus tard.

Nous montons à nos chambres ; j'allume Ezra aussitôt ma porte refermée.

— Ezra, il faut que tu m'aides, dis-je en me mettant à arpenter la chambre.

— Que puis-je faire pour vous aider, Emma ?

— Il faut que je trouve un moyen pour qu'Effie se souvienne. C'est ça que je dois faire. Et j'ai besoin de ton aide.

— Pourquoi ?

— Parce que je ne sais pas comment ! m'exclamé-je en un sursaut.

Je soupire, passe une main lasse sur mon visage.

— Excuse-moi. C'est juste que le temps presse et je n'ai aucune idée de comment je dois m'y prendre…

— Vous n'avez pas à vous excuser auprès de moi, mademoiselle, m'interrompt-elle. Investissez plutôt votre temps à trouver une solution.

— Je n'ai aucune solution, Ezra ! Je ne peux même pas accorder de temps à ma petite sœur. Je dois faire en sorte qu'elle se souvienne de moi d'ici deux jours, tout au plus ! Je ne peux pas laisser pourrir Nayden plus longtemps dans ce cachot et Effie refusera de me suivre si elle n'a pas confiance en moi parce qu'elle ne se souvient pas de qui je suis !

Je m'affaisse sur le lit, étouffant un grognement.

— Si elle a confiance en votre mère et votre père, elle les suivra. Après tout, vous ne les accompagnerez pas jusqu'à la demeure de madame Keyes, n'est-ce pas ?

— Non, c'est vrai… Je préférerais cependant qu'elle se souvienne de moi, vu que j'amorce le plan. Elle ne suivra pas mes parents si elle apprend que c'est moi qui leur ai dit quoi faire.

— J'en conviens, mais pour le moment, les probabilités que la mémoire lui revienne sont très minces.

— Je sais, dis-je en un soupir.

Je passe plusieurs longues minutes à réfléchir. Chaque tic-tac me rappelle amèrement que les secondes qui s'écoulent ne reviendront pas, et que la solution à mon problème reste en suspens.

Je stagne, pantelante, tandis que l'écho d'un destin moqueur résonne entre les souvenirs de ma sœur que je suis désormais seule à garder. Ces mêmes souvenirs remontent à ma mémoire intacte : des souvenirs d'un temps qu'on aurait dépouillé de chiffres pour me donner l'illusion d'un instant figé où la fatalité n'a plus droit de justice.

Je retombe sur l'ancien lit de Noah, les yeux rivés au plafond.

— Peut-être que si vous alliez à l'encontre de sa puce, cela fonctionnerait, avance Ezra.

Je roule sur le côté pour lui faire face.

— Qu'est-ce que tu veux dire ?

— Si vous faites en sorte qu'Effie prenne elle-même conscience que ce qu'elle pense n'a aucun sens, peut-être qu'elle combattra les effets amné-siques de sa puce.

— Je suis désolée, mais je ne te suis pas, Ezra.

— Faites-lui voir ce que voient les Insoumis. Montrez-lui que le monde dans lequel elle vit n'est pas celui qu'on la force à croire. Rendez-lui le contrôle de son esprit. Vous avez dit à Lauren que tout ne reposait pas sur des composés électroniques et des programmes, que vous étiez humains, que vous pouviez penser par vous-même ; dans ce cas, redonnez-lui la chance de penser par elle-même.

Je plisse le front, intriguée.

— Par exemple ?

— Retirez les affiches de la Galerie des cendres et placardez-en de nouvelles. Semez la rébellion dans son esprit. Forcez le mur à tomber.

— Si je fais ça, ce n'est pas qu'en elle que je cau-serai la révolte, Ezra. C'est extrêmement dangereux, dis-je en repensant à l'homme que j'avais vu mourir l'automne dernier, fusillé pour avoir enlevé «de simples affiches».

— Je ne peux malheureusement appuyer cette hypothèse d'aucun élément suffisamment rationnel pour être considéré comme pertinent, mademoiselle. Il n'en demeure pas moins que le choix vous appartient. Gardez seulement à l'esprit que, de cette façon, vous avez la possibilité d'ouvrir plus que les yeux de votre sœur.

— Tu penses ?

— J'accompagnerais bien mon argument d'une statistique, mais je crains qu'elle vous déplaise.

Je lui réponds d'un léger éclat de rire. Elle commence à me connaître : il est vrai que je n'ai que faire de ses statistiques dans la situation actuelle. *Forcer le mur à tomber.* D'accord. Je le ferai. Dès demain.

J'en ai assez de penser, d'analyser et de réfléchir. Ce que je veux, c'est agir.

Mes paupières commencent à se fermer, puis j'entends un léger clic émis par Ezra.

— Emma ?

— Oui ?

— Je sais qu'il est tard et que vous devriez déjà dormir, mais avant que vous me mettiez en veille, j'ai des informations sur monsieur Prokofiev qui pourraient vous intéresser.

Je me dresse, de nouveau tout ouïe. Les doigts croisés, en priant pour que ce soit de bonnes nouvelles, j'attends qu'elle se remette à parler.

— Je t'écoute ?

— Il n'est plus en cellule.

Mes yeux s'arrondissent. *Plus en cellule ? Comment ça plus en cellule ? N'est-il pas censé être un traître à leur glorieuse nation ?*

— Il a été transféré.

— Dans un autre bâtiment ?

— Oui. On traite ses blessures.

Je me laisse retomber sur le lit. Si on le soigne, ce n'est que pour mieux le torturer ensuite. Ce sont de fausses bonnes nouvelles. Une mascarade de réjouissances éphémères. Rien de plus. Une bonne nouvelle aurait été qu'on l'eût relâché, pas *seulement* torturé. Le gouvernement sous lequel j'ai grandi n'est pas clément. Il ne le sera jamais, pas même envers les gens qui sont du «bon» côté du mur. Ce que je me demande par contre, c'est : pourquoi a-t-il eu droit à un sursis ?

— Il va bien. C'est l'essentiel, mademoiselle.

— Oui, m'empressé-je de dire. Merci, Ezra.

Elle ne répond pas et s'éteint d'elle-même. Je m'allonge en serrant les couvertures de toutes mes forces. Les yeux clos à m'en faire mal.

Je veux agir. Oui, je veux agir.

Quatre

Je me suis souvenue de combien l'eau était froide à la maison en me douchant ce matin, mais surtout, de pourquoi je ne restais jamais des heures dessous. Je me suis lavé les cheveux et le corps en vitesse. Je suis sortie de la douche, une serviette sur mes épaules, grelottant et claquant des dents tandis que mes cheveux dégoulinaient sur le plancher. Je me suis vite habillée et n'ai pas pu échapper à la vue de ma mère dans le couloir. La porte de la salle de bain a toujours mal fermé et ma réflexion se voit parfaitement du couloir, de l'endroit où je me tenais. Je descends mon chandail sur mes hanches et elle s'arrête dans l'embrasure de la porte.

— Grand Dieu, Emma ! C'est eux qui t'ont fait ça ? s'exclame-t-elle, les yeux ronds.

J'ai encore de grosses marques sur le corps qui n'ont absolument rien d'élégant. La plupart ont fini par s'estomper, mais d'autres y sont toujours. Violettes, rouges, bleues, pourpres, jaunes et vertes. Une palette arc-en-ciel plus appropriée pour un tableau d'artiste que pour ma peau. Quant à mon visage, il ne me reste qu'un hématome, sur le côté gauche, et l'entaille causée par une branche sous ma pommette droite alors que je montais dans le train. Je tire mon chandail vers le bas en grimaçant.

— Maman, ça va. Ce n'est pas si grave. Ça ne me fait presque plus mal, dis-je pour l'encourager et me donner de la contenance.

— Et tes cicatrices, d'où viennent-elles ?

Je porte instinctivement une main à mon abdomen, là où la marque de la balle réussit encore à me faire trembler les nuits où mes cauchemars sont trop nombreux.

Je secoue la tête. Je n'ai pas envie de causer à ma mère plus de peur qu'il n'en faut. Je l'étreins pour la rassurer.

— Ne t'en fais pas pour moi.

— Une mère s'en fera toujours pour ses enfants, ma chérie.

— Alors tâche de ne pas trop t'en faire, renchéris-je avec un clin d'œil.

Elle embrasse doucement mon front et me tapote la joue. Je m'affaire à défaire tous les nœuds dans mes cheveux. Inopinément, Effie passe dans le couloir, s'arrête près de l'escalier et se ravise. La porte de la salle de bain est grande ouverte ; elle a tout le loisir de me dévisager. Je vois son reflet dans le minuscule miroir au-dessus de l'évier, ses cheveux clairs retenus en une tresse sur la nuque, ses grands yeux bleus, sa bouche rose pincée en une expression que je lui connais à peine : le mépris.

— Pourquoi tout le monde te connaît et pas moi ? dit-elle enfin.

C'est la première fois qu'elle me parle directement depuis que je suis de retour. J'ai le sentiment désagréable de parler à un fantôme.

— Tu ne m'as pas vraiment oubliée, Effie, répliqué-je.

Une étincelle passe dans son regard. Je me tourne complètement vers elle. J'aimerais tant la cajoler, lui dire à quel point je me suis ennuyée d'elle, de son sourire, de sa présence, de ma petite sœur. *Mon petit rayon de soleil.*

— Je ne t'ai pas oubliée. Je ne te connais pas, renchérit-elle.

— Tu peux te souvenir. Il suffit de choisir.

— De choisir ? répète-t-elle d'un ton dans lequel je sens pointer un certain agacement.

— Oui. De choisir de te souvenir.

Elle semble avoir un choc pendant qu'une vague d'émotions fait valser les traits de son visage. Elle titube vers l'arrière.

Je tends la main vers elle, mais elle se dérobe prestement.

— Ne me touche pas ! s'écrie-t-elle.

Tout est dans ses yeux. Je le vois, son combat intérieur. Ce n'est pas qu'elle ne *veuille* pas, c'est qu'elle ne *peut* pas. Une part d'elle se souvient, elle sait qui je suis et pourtant, l'information demeure inaccessible.

C'est comme vouloir attraper un nuage : il est là, elle le voit, le touche presque, sans jamais pouvoir l'atteindre. Je ne suis qu'un nuage dans son esprit. Je suis un nuage en attente d'un orage qui la secouera assez pour qu'elle se manifeste de nouveau. Je veux être la bruine, la pluie, la tempête, l'ouragan, le cyclone. Je veux qu'à nouveau, ma petite sœur me regarde en sachant qui je suis et qui j'ai toujours été.

À ce moment, mon petit frère passe juste derrière elle. Il marmonne, serrant fort entre ses petits doigts sa fidèle locomotive.

— Effie fait un casse-tête. Elle cherche des morceaux qui sont juste devant elle. Effie fait un casse-tête. Juste un casse-tête. Elle doit arrêter de chercher des morceaux. Elle doit arrêter de chercher parce qu'ils sont tous là.

Nous nous tournons vers Noah. Il dévale les marches sans nous porter attention et d'un pas si raide qu'on croirait qu'il a des bâtons à la place des jambes. Sans mot dire, Effie descend l'escalier, prend son sac et quitte la maison pour l'école, sans même un regard en arrière pour ma mère qui la salue.

Je rejoins le rez-de-chaussée à mon tour et m'assois à table avec en main une petite portion vitaminée de Lauren. Je mâche sans intérêt et souhaite distraitement à mon père de passer une belle journée alors qu'il m'embrasse sur la joue.

Noah poursuit sa routine à la lettre. Quant à moi, je me remets à tourner dans ma cage.

Faire tomber le mur. Faire tomber le mur, il faut que je fasse tomber le mur. Comment fait-on tomber un mur qu'on ne voit pas ? Qu'on ne touche pas ? Qu'on ne sent pas ?

La Galerie des cendres. Il faut que je me rende à la Galerie. Que je modifie de subtils détails dans le parcours d'Effie. Mais assez importants pour qu'elle les remarque. Je dois semer une graine dans son esprit. Et attendre qu'elle fleurisse. C'est seulement à ce moment que je verrai si mes espoirs auront fleuri.

J'ai dû passer la moitié de la journée à réfléchir quand je me décide à mettre le nez dehors.

Mon frère est à table en train de dessiner lorsque je prends mon manteau. Puis je me ravise. Je ne peux pas porter ça ici. Je prends le manteau de ma mère et lace mes bottes. Noah lève la tête vers moi au moment où je passe derrière lui pour fouiller dans les tiroirs de la cuisine en quête d'un briquet. Je le glisse dans la poche de mon manteau.

— Tu t'en vas ?

Je relève le collet et passe mon foulard dans l'ouverture pour éviter que les extrémités ne s'envolent au vent glacial.

— Oui, mais je reviens tout de suite.

— Tout de suite.

— C'est promis.

— Promis.

Je lance un regard entendu à ma mère et enfile mes gants. Aucune parole n'est requise pour lui faire comprendre ce que je vais faire.

— Sois prudente.

Je hoche de la tête et sors dans le froid. Beaucoup de promesses en si peu de temps, me semble-t-il.

Heureusement pour moi, les gens sont peu nombreux à cette heure. Ici, on ne se balade pas en pleine ville simplement pour une promenade – de quoi s'attirer des ennuis. Tout le monde préfère se cloîtrer à la maison. C'est beaucoup plus sûr.

Quant aux patrouilles armées, leur effectif ne diminue jamais. Jour et nuit, même surveillance, même sentiment d'oppression, sans répit. Il y a tellement longtemps que j'ai marché de ce côté de la République : j'en ai oublié les rondes des soldats. D'autant plus qu'elles changent aux deux semaines, pour que personne ne les mémorise et ne les contourne.

Or, s'il y a bien une chose que je n'ai pas oubliée, c'est la quantité phénoménale de chemins que je peux emprunter pour me rendre à un endroit.

Il doit être environ treize heures, ce qui me laisse une petite heure tout au plus pour refaire le trajet de ma sœur et y semer mes premières graines. Encore que ma cheville demeure sensible… Et comme il y a beaucoup de sentinelles sur mon trajet, l'adolescente que je suis, en dehors des heures de classe, ne passera pas inaperçue.

C'est le calme plat lorsque je franchis la dernière rue. Puis, tout au bout, là où se trouve la Galerie, une patrouille m'a devancée. Je recule précipitamment derrière le bâtiment le plus proche, espérant de tout cœur qu'ils ne m'aient pas vue.

Je lorgne discrètement hors de ma cache. Je connais leur sergent : c'est celui que j'avais croisé avec Caleb, le meilleur ami de mon frère Adam, un soir d'averse où je rentrais à la maison. Il me semble qu'une éternité s'est écoulée depuis cette soirée, pourtant cela fait tout juste quatre mois.

Mes doigts tambourinent le long de ma jambe. La patrouille se déplace; j'en profite pour me rapprocher de quelques mètres. C'est aujourd'hui que je commence à agir, je n'attendrai pas un jour de plus.

Je contourne le bâtiment en passant par la ruelle. J'évite ainsi la garde. Je me faufile entre les ruines, tantôt accroupie sous un muret, plus tard dans la mince silhouette d'une charpente encore en place.

Je tente finalement un coup d'œil. Je suis horrifiée devant ces affiches qui ne m'ont jamais semblé aussi menaçantes. Cette fois, ce n'est pas qu'un avertissement. Ils ont vraiment l'intention de nous anéantir. *Violence. Agressivité. Contrôle.* Des mots qui fracassent mes pensées avec la puissance de poings brandis. C'est à la fois fort et effrayant. Et pourtant, ce ne sont que des mots et des images.

Les affiches montrent des familles heureuses de se soumettre à l'autorité, bénéficiant ainsi d'une liberté faussement acquise. À quel point nous a-t-on minés pour que notre aspiration la plus chère soit celle d'être digne de l'espoir? Une chose qui ne tient même pas du matériel, mais uniquement de la pensée...

Sans plus attendre, j'arrache quelques affiches. Le bruit du papier qu'on déchire risque de me vendre. Je dois faire vite: j'en arrache autant que faire se peut. Je réduis en lambeaux leurs mensonges, les rassemble rapidement en un amas au sol. Je m'accroupis, j'enflamme les morceaux de papier. De ces cendres, je veux faire renaître l'espoir.

Des pas approchent. Ils m'ont entendue. Ou peut-être ont-ils vu la fumée qui s'épaissit. Je me redresse. Il faut que je m'en aille. Je cours vers un pan de ruines pouvant m'offrir une cache pour quelques instants. Je me penche avec empressement pour me soustraire à la vue des soldats, qui balaie les environs tandis qu'ils donnent de vains coups de pied dans leurs affiches en feu. Les étincelles embrasent aussitôt le bois sec à proximité.

Je dois me dépêtrer d'entre les ruines. Je retiens mon souffle. À l'instant même, un des soldats brise le silence.

— Pourquoi s'en prennent-ils toujours aux affiches, Sergent ?

— Parce que c'est tout ce que leur imagination a à leur offrir, grogne-t-il. Vous deux, allez m'en chercher de nouvelles pour remplacer les anciennes. Toi, trouve-moi quelque chose pour éteindre ça avant que ça ne fasse flamber tout le reste. Et toi, tu viens avec moi, il faut trouver qui a fait ça.

— Bien, Sergent.

Deux personnes s'éloignent. Deux autres se rapprochent. Il faut que je bouge. Ma respiration s'accélère. Mon cœur bat si fort à mes tempes que j'ai peur que ce soit lui qui ne me vende plutôt que le bruit de mes pas. Je jette une œillade à gauche, puis à droite. Si je vais à gauche, je m'éloigne de la route qui mène à la maison. De l'autre, je m'en rapproche, mais en même temps que des sentinelles. Le soleil décline et le froid s'intensifie rapidement.

Ils fouillent les lieux. Leurs pas font crisser les cendres et la neige, les pierres et le bois, couvrant mes propres enjambées sur ce sol accidenté. Je me glisse derrière un autre mur, un peu plus loin, quand une idée germe dans mon esprit. Je dois m'en prendre à celui qui est resté seul, auprès du feu qu'il doit éteindre. Mon piètre autodafé ne suffira pas à attirer l'attention de la population, ni même celle de ma sœur. Ce garde est le plus vulnérable, c'est le seul moyen. En m'en prenant à l'autorité, je peux prouver à la population que celle-ci n'est pas infaillible et qu'elle peut tomber.

— Tout va bien, Sergent ? demande timidement l'autre.

— Tu ne sens rien ?

— Que devrais-je sentir ?

— Un parfum… chuchote son supérieur.

Le soldat, à peine plus âgé que moi, tente de dissimuler son scepticisme. Manifestement, il ne sent rien du tout. Je fourre le nez dans le collet de mon manteau. Mon odeur est-elle vraiment distinctive ou bien cet homme a-t-il un nez plus puissant que celui d'un chien pisteur ? !

— À mon avis, le coupable s'est déjà enfui, monsieur.

— Je n'en suis pas si sûr.

Ma gorge se noue.

— Pars de ce côté, ordonne le sergent en désignant ma direction. Moi, je vais de celui-là. En nous dispersant, nous pourrons peut-être lui mettre la main dessus.

J'étouffe un juron. Mes doigts parcourent à tâtons le mur contre lequel je me trouve. Aucune ouverture près de moi, sauf à la jonction des murs.

Je compte les pas que j'ai à faire pour revenir vers la sentinelle restée seule. Ceux du sergent sont de plus en plus lourds sur ma droite.

Il va me rejoindre. Plus que quelques secondes.

Je marche latéralement, le dos toujours plaqué contre les monceaux de briques. Un regard dans sa direction, un autre vers mon objectif. Les semelles de ses bottes font à peine grincer le sol. Il sait que je suis là. Son ombre se découpe finement par terre : grâce au ciel, il est à contre-jour.

Trois, deux, un, je m'éclipse derrière le coin dès que je vois le bout de sa botte.

Je me laisse glisser contre la charpente noircie et fouille dans la neige en quête d'une brique. Je jette un coup d'œil au soldat qui me tournait le dos : il peste de plus belle contre mes flammes qui refusent de s'éteindre. Je contemple mon arme de fortune. Je n'ai pas d'autre choix. Je me lève, le rejoins en deux enjambées et lui fracasse le crâne avec ma brique.

Il s'effondre ; j'en profite pour lui dérober l'arme à sa ceinture. Je la pointe sur son corps inerte en chargeant le canon. Coup d'œil autour de moi : je suis à découvert, mais nulle trace de ses confrères. C'est le moment. Le pistolet se met à trembler au bout de mon bras. *Je ne suis pas une tueuse, je ne suis pas une tueuse...*

Je ne suis plus la même personne.

Je tire sur la gâchette.

La détonation retentit. La balle se loge quelque part dans sa poitrine. Ma respiration s'affole, mon cœur aussi tandis que les larmes roulent et roulent encore sur mes joues. La peur me déchire les entrailles, fait trembler mes os.

Regard preste à gauche, puis à droite. Mes doigts relâchent leur prise sur le pistolet, qui tombe entre les ruines. Mon cœur qui bat est le seul son qui parvienne à mes oreilles. Plus aucun crissement sur la neige. Plus de pas sur les pierres instables ni de respiration autre que la mienne. Rien d'autre que les battements frénétiques d'un cœur qui s'épuise à vivre.

J'ignore où ils sont passés. Je ne les vois nulle part et ma vue est l'unique sens qui me soit véritablement utile pour le moment. Je n'ai plus rien à faire ici. Une sueur froide ruisselle le long de ma nuque, sous mon chandail, sur ma peau ardente. Je jette un regard par-dessus mon épaule : un coup de feu. Ils veulent me faire bouger. Bien joué.

Je prends à gauche, en direction de la maison. Je zigzague entre les fondations, saute par-dessus ce qui ressemble plus à des parapets qu'à des maisons. Au même moment, la patrouille qui accompagnait le soldat que j'ai assassiné retourne illico sur les lieux du crime.

Je prends appui sur tous les murs que je vois, ne serait-ce que pour me donner l'élan suffisant pour m'éloigner davantage. L'adrénaline me fait oublier la douleur à ma cheville. Je dois avancer, à tout prix. Je traverse la rue puis me retourne un bref instant : le sergent est là, à zieuter mon œuvre de feu et de sang. Il tourne sur lui-même en quête d'un suspect. Je vois ses lèvres bouger, son coup de pied dans le vide. Sa frustration est palpable. Les autres soldats reviennent. Les affiches leur tombent des mains, valsent dans l'air glacial quand ils aperçoivent avec horreur leur ami à terre.

Ça ne me fait rien. Parce qu'au loin, je vois ma petite sœur au centre d'une foule de gens aux yeux rivés sur les murs que j'ai dénudés, sur ce cadavre que les patrouilleurs n'ont pas eu le temps d'évacuer. Je cours jusqu'à la maison.

J'emprunte autant de ruelles qu'il s'en offre à moi. Je rentre enfin, la respiration plus brève que jamais. Je dénoue mon foulard pour reprendre mon souffle. Mains à plat, je sens mon visage rougi par la course. Ma mère se lève, me rejoint.

— Emma, ça va ? Qu'est-il arrivé ?

Je secoue la tête. *J'ai tué un homme, maman. Encore.*

Je ne dis rien.

Elle arbore un rictus. Je retire gants, foulard, manteau ; les accroche au portemanteau. Je retire mes bottes d'un coup de pied et me laisse choir sur le canapé élimé du salon.

J'entends Noah se lever et contourner le sofa pour me rejoindre. Je sais ce qu'il veut avant même qu'il me le dise.

— C'est l'heure de jouer du piano, c'est ça ?

— C'est l'heure de jouer du piano, répète-t-il.

J'approuve. Je vois encore le corps au sol. Le soubresaut dans son abdomen. La détonation qui me vrille les tympans.

— Très bien, je me lève! chantonné-je en me redressant d'un coup pour chasser mes visions d'horreur.

Je passe une main dans ses cheveux et m'assois sur le banc, où il s'empresse de me rejoindre.

Je commence doucement une pièce de mémoire, histoire de reprendre mon souffle. J'entame le crescendo; soudain, la porte de l'entrée s'ouvre.

Ma mère salue aussitôt ma sœur.

— Effie! Comment s'est passée ta journée?

Elle n'a jamais excellé en ce qui concerne la subtilité. La petite retire ses bottes d'un coup de pied, l'air un peu morose.

— Bien… si on peut le dire comme ça.

— Pourquoi, il s'est passé quelque chose? s'enquiert ma mère.

Effie dirige son attention vers moi. Je la mire, sans pour autant cesser de jouer.

Elle a vu. Elle sait pour les affiches par terre. Elle a vu le soldat que j'ai tué. Elle fait signe que non.

— Rien, ça va.

Elle ne se souvient toujours pas de moi, mais ma première fleur a germé.

Effie m'adresse peu de mots du reste de la soirée. Pas plus qu'aux autres membres de notre famille, en fait.

Elle réfléchit.

Par moments, je surprends ses grands iris bleus posés sur moi, remplis de points d'interrogation muets.

Ma petite sœur se souviendra. Oui, elle se souviendra sous peu.

Cinq

Troisième journée de visite à la Galerie des cendres. Je sais par où passer pour éviter les patrouilleurs, qui semblent chaque jour plus nombreux.

Hier, en matinée, je m'en suis encore prise à la Galerie ; partout sur le trajet de ma sœur, j'ai de nouveau semé des pistes qui l'amèneront à penser aux Insoumis et à remettre en doute les dires de notre gouvernement. J'ai semé des mots qui, à la façon d'une chasse au trésor, la mèneront peut-être vers ses souvenirs. Vers moi. Après le meurtre, je voyais mal ce que je pouvais faire de plus… mais une chose était sûre : je ne voulais tuer personne d'autre. J'avais commencé en force, je devais simplement poursuivre dans une voie pacifique qui n'impliquerait aucun innocent. Ce soldat ne m'avait rien fait. Il ne savait probablement même pas ce qu'il faisait dans l'armée tant sa pensée devait être contrôlée par la République… Le sacrifice d'un seul en sauvera peut-être des milliers. Je dois m'en tenir à cette idée.

Je grimace. La garde a pratiquement triplé.

Je pose une main sur la brique rugueuse du mur qui me cache.

— Qu'est-ce que tu regardes, Coccinelle ? souffle une voix à mon oreille qui me fait tellement sursauter que j'en écrase le pied de mon grand frère.

— Adam ! Pauvre imbécile, tu m'as fait peur !

Il s'esclaffe en silence en voyant mon air, mais retrouve rapidement son sérieux.

— Excuse-moi, je ne voyais pas trop comment j'aurais pu t'approcher autrement, tu semblais si concentrée. Alors ? Qu'est-ce que tu regardes ?

Je le foudroie du regard.

— Je crois avoir trouvé un moyen de faire en sorte qu'Effie se souvienne de moi. J'ai déjà commencé.

— Ah ha ! Je me doutais bien que tu étais derrière tout ça. Les gens en parlent beaucoup, tu sais ? Subtilement, bien sûr, mais ça les a marqués que ces actes de vandalisme se produisent à répétition et à autant d'endroits. Sans oublier le cadavre de la Galerie. Ils commencent à penser qu'il ne s'agit pas d'un seul vandale, mais de plusieurs. Les citoyens n'ont particulièrement pas apprécié les incendies que tu as déclenchés dans les poubelles… surtout que tu t'es servie des affiches comme combustible. Ta tête est mise à prix, ma chère sœur. Mais le soldat qui a été retrouvé mort, ça n'était pas toi, n'est-ce… ?

Je fais signe que oui. Il passe une main sur son visage, n'ajoute rien.

— Je dois retourner à la Galerie, mais si ces soldats restent plantés là, je ne pourrai pas, tu comprends ? Je m'y hasarde déjà depuis les derniers jours, je ne peux plus risquer qu'ils me surprennent.

— Tu veux que je les distraie pendant que tu retires les affiches ?

Je me tourne à demi vers mon frère et lui souris.

— Tu as beau être vraiment stupide, dans bien des cas, tu peux t'avérer très intelligent, Coquerelle.

— Je vais tâcher de le prendre comme un compliment, plaisante-t-il.

Je ricane un moment avant de recouvrer mon sérieux.

— Alors, tu ferais ça pour moi ?

— Bien sûr, opine-t-il. Donne-moi deux minutes.

— Je t'adore.

— Je sais, lâche-t-il en levant le nez en l'air.

Je tape sur son épaule à son passage ; je le vois courir à leur rencontre. Sous la capuche de mon manteau, que j'ai choisi de mettre aujourd'hui en raison de la température, j'observe mon frère discuter avec le sergent, le souffle court, après l'avoir salué dignement. Le militaire obtempère, puis fait signe à sa patrouille de le suivre. Laissant mon frère seul et la Galerie à ma portée. Vraiment ? Si facilement ? J'en doute...

Adam me fait signe : c'est bon, je peux y aller. J'avance d'abord rapidement, puis je constate que la rue est déserte. Je ralentis, pour mieux me faufiler parmi les immondices qui jonchent le sol.

— Qu'est-ce que tu leur as dit ?

— Qu'un incendie avait été déclaré à quelques pâtés de maisons. Je les ai menés sur une fausse piste. Tu as quelques minutes, tout au plus.

J'arrache quelques affiches, puis je m'arrête. Ce n'est pas assez. J'ai tué un soldat. Provoqué des incendies un peu partout dans la ville. Tapissé les murs de slogans. Mais il m'en faut plus. Il faut que je frappe ici. Ici parce que c'est là que des dizaines de familles ont péri, et c'est là que les forces répressives ont décidé d'exercer une mainmise, au centre même de la Basse République.

— Adam ?

Il débarque en quelques foulées.

— Oui ?

— Tu n'as pas idée où trouver de vieux pots de peinture ? Il me faut quelque chose pour écrire.

Il pose une main sur son menton.

— Je crois que j'ai une idée. Je reviens.

— Adam ! Attends !

Il est déjà parti. Je jure entre mes dents et retourne à mes affiches.

Au fond, ce n'est pas que ma sœur que j'aiderai en les arrachant, mais tous les gens qui passent par ici. Je les ai bien vus, hier. Tous ceux qui contemplaient ces restes de mensonges. Et s'ils en parlent, c'est bon signe. C'est la preuve que mes fleurs ont éclos.

Mon frère revient à bout de souffle, trois minutes plus tard, un pot de peinture blanche en main.

— Tu as de la chance que l'épicier ait eu à repeindre son commerce et qu'il ait abandonné dans la ruelle le peu de peinture qu'il lui restait.

Je lui souris et récupère le seau dans lequel se trouve un vieux pinceau desséché. C'est parfait. Je tapisse la brique de mon nouveau slogan. À court de peinture, je me vois forcée de coller des morceaux d'affiches pour compléter certaines lettres.

Faites tomber les murs.

Quatre mots qui, je l'espère, auront plus d'impact que leur propagande. Je recule de quelques pas en lâchant le pot, qui éclabousse de blanc délavé la neige que j'ai piétinée. C'est parfait. On le verra sans problème. J'arrache toutes les autres affiches que je vois.

Le bruit du papier qui se déchire me réjouit. Je ressens presque la même extase ou, plutôt, la même folie que cet homme dont je n'oublierai jamais les dernières paroles : « L'espoir avec un grand E », qu'il disait. « C'est ce qu'il faut ramener. » J'espère bien en être digne. Il faut que ça marche. Cet Espoir, c'est tout ce qu'il me reste et je m'y accroche comme une demeurée parce que…

— Emma, attention !

La voix de ma petite sœur déchire l'air, percute tous les murs qu'il reste dans cet endroit où je pensais faire revivre la liberté en même temps que la mémoire d'Effie.

Je tourne sur mes talons. Pas assez rapidement pour que je puisse intercepter ce qui se dirige droit vers ma petite sœur. Seule chose que j'ai le temps de capter : une détonation qui fend l'air.

Le corps d'Effie se secoue, ses yeux s'arrondissent, s'emplissent de larmes. Le temps s'arrête pendant qu'un silence glacial vient frôler mon visage figé d'horreur.

Tout dégringole, s'anéantit. Je hurle son nom à m'en briser la voix. Le monde s'obscurcit. Rien de tout cela n'apparaît réel. Je voudrais faire marche arrière. Je me précipite vers Effie, qui tombe dans mes bras. Du sang monte à ses lèvres. Le sergent nous observe, l'arme toujours brandie. Il abaisse maintenant le canon vers moi. J'attends le coup de grâce et qu'à nouveau une balle perfore ma chair pour laisser filer la vie hors de moi, comme cette nuit de solstice où j'ai bien failli rester étendue au sol. Une détonation non loin claque le silence et me fait fermer les yeux. Le sergent tombe au sol en un gémissement de douleur. Je rouvre les yeux sur Adam qui, l'arme brûlante en main, est témoin de la scène.

Contre moi, ma petite sœur s'éteint peu à peu.

— Effie… Effie, regarde-moi ! Regarde-moi, ma chérie, reste éveillée, tout ira bien. Tout ira bien, tu m'entends ? Tu vas t'en remettre, ce n'est rien. Ce n'est pratiquement rien.

Je parle vite. Trop vite. Mon regard glisse sur sa poitrine, qui se soulève à peine. Elle suffoque entre mes bras, se noie dans quelque chose que j'ai causé. Sous sa petite paume, la tache s'agrandit.

Rouge.

Rouge sur ce fond beaucoup trop blanc.

Ses pupilles ont le reflet d'une douleur que je connais bien, trop bien. Cette douleur de savoir que la vie abandonne ce qu'il reste de soi, qu'elle s'en va pour ne plus revenir.

— Emma… Emma, je me souviens.

Je la berce dans mes bras. Mes lèvres tremblent, mon corps tressaute de mille et une souffrances. Elle tend la main vers ma joue, que je cale dans sa petite paume de plus en plus froide. Je me penche vers elle.

— Je vais mourir, tu crois ?

Nos fronts se touchent. Je secoue la tête.

— Non, non, non, que je m'empresse de dire. Non, tu ne mourras pas, Effie. Tu ne peux pas. Tu es mon rayon de soleil. Le soleil ne meurt jamais, pas vrai ? Il ne peut pas parce que, parce que…

— Emma, souffle-t-elle.

Je suis secouée d'un sanglot. *Faites-moi mourir à sa place, par pitié, faites-moi mourir à sa place. Pas Effie. Pas mon rayon de soleil. Pas elle…* Mon frère qui s'est agenouillé près de nous tend les mains vers sa blessure. Il veut stopper l'hémorragie. Je le laisse faire. Je suis trop paniquée pour réfléchir.

— Oui, Effie ?

— J'ai choisi de me souvenir.

La douleur que je ressens tord mon visage barbouillé de larmes.

— Oui, mais maintenant tu dois choisir de vivre. Tu vas vivre, n'est-ce pas, Effie ? Tu vas vivre. C'est plus important. Tu te souviendras plus tard, ça ne me fait rien, tu n'es pas obligée. On a toute la vie pour se souvenir. Et puis, moi, je me souviens. Je te raconterai. Je te raconterai notre histoire, Effie.

— Emma… je suis désolée.

— Non, c'est moi qui le suis.

Elle suffoque. Son corps frissonne à chaque inspi-ration, qui lui coûte quelques secondes de souffrance supplémentaires. Je dois continuer de la faire parler. Je redoute d'entendre sa voix pour la dernière fois et je m'y refuse obstinément. Je la fais reposer sur mes genoux, caresse ses cheveux d'une main.

— Je vais mourir, c'est ça ? Je vais mourir, dis-le si c'est vrai, Emma.

Je fais un signe de tête. Non, ma sœur ne mourra pas. C'est une battante. Un rayon de soleil qui perce tous les nuages, même les plus sombres. Un rayon de soleil qui se bat coûte que coûte et qui revient toujours, même lorsqu'on croit l'avoir perdu à tout jamais.

Des larmes coulent de chaque côté de son visage.

— J'ai peur.

— Tout ira bien, ma chérie. C'est promis.

— Ne m'oublie pas.

— Jamais. C'est promis.

— Ne m'ou…

Elle pousse son dernier soupir. Son corps se détend entre mes bras. Ses yeux se rivent au ciel. Non. Non. NON ! Je crierai jusqu'à ce qu'ils me trouvent, jusqu'à ce qu'on me rende mon petit rayon de soleil.

Adam me pousse, je bascule vers l'arrière. Il tente de la réanimer. Ses joues sont striées de larmes ; il sait qu'il n'y arrivera pas.

C'est un cauchemar, rien d'autre.

C'est de ma faute si elle est morte. Mes mains retombent le long de mon corps tandis que je reste là, tétanisée. Trop horrifiée pour agir.

Des tirs fusent autour de moi, ricochent contre les murs. Mon frère se relève, m'agrippe par le bras pour me relever.

C'est à mon tour de suffoquer.

— Emma, viens ! C'est trop tard, maintenant !

— Non. Non, je ne peux pas la laisser là !

Il tente de m'éloigner de tout ce qu'il me restait d'espoir dans ce monde. D'autres tirs ricochent. Près, trop près de mon frère. C'est bien la seule chose qui me motive à m'en aller. Je ne serai pas responsable de la mort d'un autre membre de ma famille.

— Viens, il faut partir !

Un bras autour de ma taille, il me soulève et se met à courir, laissant derrière nous ma petite Effie, au sol, rivée sur cet infini bleu où ses yeux ont choisi de se refléter pour toujours. Je crie, j'essaie de me défaire de la poigne de fer qui me retient, mais mon frère n'a pas l'intention de me lâcher.

Il évite les balles, saute entre les ruines.

— Il est trop tard, Coccinelle.

Il ne me relâche que deux pâtés de maisons plus loin, me plaque rudement contre le mur. Le choc suffit à ce que je reprenne un peu mes esprits.

— Em, regarde-moi.

— C'est de ma faute, Adam, c'est de ma faute si elle est morte.

— Non, et tu le sais.

— Ne me dis pas ce que je veux entendre alors que tu sais comme moi que je suis responsable.

Il me repousse contre la brique.

— Dans ce cas, ressaisis-toi. Tu ne peux pas la faire revenir. Rentrons à la maison et chassons-les d'ici. D'accord ?

Je hoche de la tête.

— D'accord ? répète-t-il plus fermement.

— Oui.

Mes larmes coulent sans retenue. Ses lèvres tremblent. Il relâche sa prise et me serre dans ses bras. Je le sens à peine contre mon cœur, où je sens venir mon hiver le plus long. Je crains ne plus jamais pouvoir contempler le soleil en face. C'est terminé. Où est passée cette étincelle que je sentais pétiller en moi ? Où est cette flamme qui me faisait croire en un avenir meilleur ?

— Viens.

Sa main dans la mienne, Adam m'entraîne en courant vers la maison. C'est aujourd'hui qu'on part d'ici, avec une partie de ce que je tentais de sauver en moins.

Parce qu'aujourd'hui, j'ai tué ma sœur.

Six

Nous rentrons dans la maison aussi violemment que si une tornade venait de secouer notre demeure. Et c'est exactement comment je me sens : sens dessus dessous.

Ma mère se tourne vers nous, les yeux écarquillés. Mon frère prend les commandes ; je ne crois plus pouvoir parler pour un bon moment. Du moins, je sais que je ne chanterai plus jamais.

— Où est papa ? s'empresse de demander Adam.

— À l'étage, pourquoi ?

— Il faut partir. Maintenant.

— Quoi ? lâche ma mère d'un air incrédule. Et Effie ?

— Maintenant, tranche mon frère avec autorité.

— Adam, où est Effie ?

Ma mère constate les mains rouges d'Adam ; elle se trouble. Mon manteau est aussi enduit de ce sang, mes joues en sont couvertes, barbouillées de larmes. Ma mère tente de se contenir, mais ses poings se crispent pendant qu'elle rive ses yeux enflammés sur moi.

— Emma. Où est ta sœur ?

Je ne dis rien. J'en suis incapable. Je ne suis pas digne de ces mots qu'elle voudrait m'entendre dire. Elle approche, me prend par les épaules et me secoue comme si je n'étais qu'une vulgaire poupée de chiffon.

— Emma, qu'as-tu fait de ma fille ?! me crie-t-elle au visage.

J'explose en sanglots alors que ses doigts s'enfoncent dans mon manteau et que je me détourne.

— Maman, tente mon frère en faisant un pas vers elle.

Elle me dévisage, cherche des réponses dans mon expression. Elle y lit tout ce que je suis incapable de lui dire moi-même. *Effie morte. Ma faute. Galerie des cendres. Partir. Sans elle. Elle ne reviendra pas. Jamais. Je suis désolée. Pardonne-moi. Pardonne-moi. Pardonne-moi…*

Je secoue la tête. Je ne peux pas le lui dire. Je ne veux pas le lui dire.

De toute façon, elle le sait déjà.

Elle me lâche d'un seul coup. Dégoûtée. Sa main qui s'abat sur mon visage, je la sentais arriver comme on entend l'orage qui gronde. Elle recule d'un pas, puis d'un deuxième. Elle ne me regardera plus jamais en face. Elle me tourne le dos et gravit les marches.

— Maman, murmuré-je d'un ton à peine audible.

Elle ne dit plus rien. Ne pose même plus les yeux sur moi.

C'est pire que si elle me criait encore dessus pour que je lui ramène sa fille.

Je gravis les mêmes marches quatre à quatre. Il faut que je parle à Ezra, il faut que je sache à quelle heure passe le prochain train. Je manque de me buter à Noah dans la chambre. Noah. Comment vais-je lui expliquer qu'Effie ne reviendra jamais ? Comment lui dire sans qu'il m'en veuille, alors que tout ça est de ma faute ?

— Noah, mon poussin, va faire tes bagages, lui dis-je en le prenant par les épaules.

— Pourquoi ?

— Parce qu'il faut partir.

— Oh. Partir comme Effie ?

On vient de lâcher le ciel sur ma tête.

— Elle ne reviendra pas ?

Mon frère sent et sentira toujours des choses que je ne comprends pas. Il sait et je n'ai rien eu à dire.

— Non, elle ne reviendra pas.

— Ah. Ah. Elle ne reviendra pas. Ah.

Il zieute tout sauf moi. Je tends la main vers lui. Il recule sèchement en se balançant d'avant en arrière. Il va entrer en crise, je le sens.

Son visage se tord en un rictus douloureux. Je me laisse tomber à genoux devant lui et arrive à poser la main sur son épaule.

— Noah…

— Effie, Effie, Effie, répète-t-il.

— Noah, j'ai besoin de toi.

Il continue de se secouer.

— J'ai besoin que tu sois plus fort que moi, Noah. Tu peux comprendre ça ?

Il se tourne vers moi, scrute le moindre centimètre de mon visage.

— Va prendre ton sac, s'il te plaît, lui soufflé-je dans une dernière expiration.

Il recule d'un pas raide et s'empresse d'exécuter ma demande. J'entre dans la chambre et fourre toutes mes affaires dans mon sac à l'exception d'Ezra, que j'allume avec empressement.

— Ezra ? Ezra ? Réponds-moi, vite !

— Je suis là, Emma, que se passe-t-il ?

Elle sent l'urgence dans ma voix, mais je ne la sens aucunement dans la sienne.

— Il faut que tu me dises quand passe le prochain train en direction de chez Lauren !

— Recherche en cours.

Je fais les cent pas, puis m'empare de l'ordinateur, sac à l'épaule, et vole pratiquement au-dessus des marches jusqu'au rez-de-chaussée. Je pose le portable sur la table de la cuisine. Derrière moi, Noah marmonne.

Pas de crise, je t'en prie, mon poussin, tout ira bien... il faut que tu m'aides à ce que tout aille bien. Je ne tiendrai pas le coup si tu n'y arrives pas toi-même. Crois-moi, je serais morte à sa place si c'est ce qui l'aurait sauvé.

Comme s'il avait entendu mes pensées, il s'immobilise et se met à murmurer.

— Emma doit comprendre que ce n'est pas de sa faute, mais pour le moment, je suis en colère. Oui, je suis en colère. La colère, c'est quand on est mécontent. C'est ce que je suis. Même si ce n'est pas de sa faute. Ce n'est pas de sa faute. Je le sais. Ce n'est pas de sa faute. Le train va bientôt passer. Effie ne finira jamais le casse-tête. Jamais. Jamais. Jamais.

Je suis face à lui, les joues inondées. Ezra reprend enfin :

— Il passe maintenant.

— Quoi ?

— Il arrive dans exactement une minute quarante-six derrière votre demeure, Emma.

Mon sang ne fait qu'un tour dans mes veines.

— Appelle Lauren ! crié-je en me lançant vers la porte, que j'ouvre à la volée.

— Tout de suite.

Je sors à l'extérieur et cours jusqu'à la voie ferrée, qui commence déjà à trembler à l'approche imminente du train. Il faut que je l'arrête. Je dois absolument arrêter ce train. Je ne peux prendre le risque de faire sauter quatre membres de ma famille sur un convoi en marche, surtout pas mon petit frère.

Je glisse sur la voie et m'immobilise en battant l'air de mes bras. Je saute et crie en décrivant de gros arcs des bras. Il faut qu'il s'arrête. Que les conducteurs me voient et qu'ils fassent arrêter ce train.

Il se rapproche. Je continue de crier, de m'agiter dans tous les sens et de sauter comme une demeurée face à un train qui fonce droit sur moi.

D'un coup, les freins s'activent. Ils m'ont vue.

— EMMA !

Adam. Il hurle mon nom. Lui aussi m'a vue. Il croit sans doute que je veux mourir.

Les freins grondent. Je me couvre le visage du bras, mais la fumée âcre me monte malgré tout au nez. Je suis à moins de deux mètres de la locomotive. J'aurais pu y passer.

Je toise mon frère.

— Va les chercher ! Maintenant !

Il accepte et rentre dans la maison. Je dois distraire le conducteur assez longtemps pour leur donner la chance de monter sans qu'il les voie. Moi, je prendrai le prochain.

La porte de la locomotive s'ouvre.

Le conducteur me crie dessus.

— HÉ ! Je peux savoir ce qui t'a pris de sauter devant mon train ? !

Je recule d'un pas. Il marche vers moi d'un pas menaçant, le visage en feu. Le second conducteur descend à son tour, une cigarette entre les lèvres. Ils n'ont pas l'air très contents.

Je recule d'un autre pas et descends de la voie.

Je contourne la locomotive jusqu'à ce qu'ils soient tous deux face à moi, mais dos à mon frère qui approche, accompagné de Noah et de mes parents. Je dois gagner du temps, celui qu'il faut à ma famille pour monter clandestinement sur ce train.

Le chauffeur me pousse violemment : je ne réponds pas assez vite à son goût. Je tombe par terre. Je heurte la neige – bien plus dure qu'il n'y paraît – et laisse échapper un gémissement de douleur. Sous le convoi, je peux voir les pas de mon frère s'immobiliser.

Adam, ne fais pas demi-tour, je t'en prie. Ne réduis pas à néant tous mes efforts.

— Qu'est-ce que tu faisais là ? me demande le fumeur.

— Je suis désolée, j'ai cru voir un petit chien sur la voie et vous alliez l'écraser, bafouillé-je rapidement.

— Oh… tu te croyais bien gentille de sauver ce pauvre petit chien ? Idiote ! Ne te mets plus jamais en travers de mon chemin parce que c'est toi que j'écraserai la prochaine fois, me crache-t-il au visage avant de retourner dans le train, suivi de son collègue.

Il remet les moteurs en marche.

— Dégage, maintenant ! termine-t-il en claquant la portière.

Le train commence doucement à s'éloigner. Je scrute les wagons plus loin. La tête blonde d'Adam se glisse hors du convoi. Il me tend la main, m'encourage à grimper.

— Allez, monte ! Dépêche-toi !

Je remue la tête.

— Je ne vous suivrai pas, Adam.

— Quoi ?

Ma vision se couvre de larmes.

— Dans deux heures, le train ralentira, j'ignore jusqu'à quel point, mais il vous faudra sauter en bas du convoi. C'est compris ?

— Emma, où ce train nous emmène-t-il ?

Je dois courir et me mettre à crier pour qu'il m'entende. J'embrasse ma famille du regard et reporte mon attention sur Adam.

— Chez une amie. Elle vous aidera. Elle vous attendra au bon endroit, ne t'en fais pas. Tu dois juste lui faire confiance. D'accord ?

Il est d'accord.

Le train accélère, bientôt je ne pourrai plus le suivre.

— Emma ! hurle mon père retenu par mon frère.

Je pleure à en éteindre un volcan. Mon père aussi. Peut-être pleurerait-il moins s'il savait qu'à cause de moi Effie est morte.

— Oui, dit enfin mon frère. Je te le promets.

— Prends soin d'eux, Adam.

— Je le ferai.

— Je vous aime. Ne m'oublie pas… je t'en prie.

— Je t'aime aussi, ma Coccinelle.

La neige glisse sous mes semelles. Je gémis, tente d'accélérer, mon frère se penche, me tend la main au cas où je souhaiterais monter dans un dernier instant de folie qui ne viendra pas.

Le train atteint le virage et accélère encore. Mes poumons se sont liquéfiés d'un seul coup et je n'ai d'autre choix que de m'arrêter. Je tombe à genoux, les mains dans la neige, les yeux trop lourds pour continuer de contempler l'horizon. Je me laisse retomber vers l'avant, le poing au sol, le front posé dessus. Il ne me reste plus qu'une chose à faire : sauver Nayden.

Sept

— Lauren ?

Ma voix, aussi faible qu'un souffle dans une foule hurlante, glisse entre mes lèvres, que j'aperçois bleuies dans mon reflet sur l'écran. Ezra m'a rapidement mise en contact avec la mère de Nayden.

Lauren entre dans le champ de la caméra et pose chacune de ses mains sur le bureau.

— Emma ! Oh mon Dieu, Emma, est-ce que tout va bien ?

Je fais non de la tête en essuyant les dernières traces de larmes et de sang sur mon visage.

— Qu'est-ce qui s'est passé ?

— J'ai tué ma sœur, Lauren, soufflé-je d'une voix étranglée.

Elle s'affaisse sur une chaise. Aucun son. Stupeur, peine… et compassion. Comme quoi, parfois, le silence peut être le plus précieux allié lorsque les mots ne suffisent plus à s'exprimer.

— Le reste de ma famille vient de monter dans un train en direction de votre chaumière. Ils arriveront dans un peu moins de deux heures : je leur ai dit que vous les attendriez près du chemin de fer.

— J'y serai.

J'approuve d'un signe de tête.

— Que comptes-tu faire à présent ?

— Sauver votre fils.

— Emma, tu n'es pas en état, il…

— Non, il ne peut pas attendre. C'est bien la seule chose que je puisse faire pour me racheter de la mort de ma sœur.

Je regarde autour de moi. La maison est complètement vide. Les soldats ne tarderont pas à frapper à la porte pour annoncer la mort d'Effie.

— Je compte sur vous pour prendre soin d'eux, Lauren.

— Je le ferai, Emma. Je te le promets.

J'approuve. Il faut que je parte.

— Il y a un train qui passe dans une heure, Emma. Si j'étais toi, je sauterais dessus.

— Où me conduira-t-il ?

— Il traverse les deux côtés de la ville. À toi de choisir ton arrêt.

— Passe-t-il près du loft de Nayden ?

Ses sourcils se froncent légèrement au-dessus de ses yeux dorés. Qu'elle ignorât l'emplacement de son appartement m'aurait grandement étonnée. Elle veille sur son fils depuis plus longtemps qu'il ne le pense.

— Tu comptes t'y rendre ? J'ignore s'il est sous surveillance ou même habité, maintenant que Nayden n'y est plus.

Je secoue la tête.

— Personne ne sait qu'il habite là non plus. À part vous, de toute évidence.

Elle fait signe que oui.

— Si tu crois que cet endroit est sûr, vas-y.

J'acquiesce, le menton tremblant.

— Bonne chance, ma belle.

— Prenez soin d'eux, Lauren…

— O.K. Sois forte, d'accord ?

Je parviens à lui sourire. Un mince retroussement du coin de mes lèvres, mais c'est tout ce que j'ai à lui offrir.

— Une dernière chose, dis-je.

— Oui ?

— Mon petit frère, Noah, il… il m'écoutait toujours chanter et jouer du piano lorsque je revenais de l'école. Cela… fait partie de sa routine. La musique l'aide à calmer ses crises. Si elles sont trop fréquentes, faites jouer un morceau de piano… il les connaît tous, il… je soupire. Il comprendra.

— Si ça peut te rassurer, j'ai travaillé avec de jeunes autistes pendant l'élaboration du programme, je devrais pouvoir me débrouiller avec ton petit frère.

— Noah est différent.

— Ils le sont tous.

Je pince les lèvres. Elle tend doucement la main vers moi. Je la saisirais, si seulement j'en étais capable. Après un échange de regard silencieux, j'abaisse l'écran pour couper la communication ; je me lève et fourre Ezra dans mon sac, que je balance sur mon épaule.

Je m'arrête au centre du salon, où tout est encore intact. Trop intact. Je fais quelques pas en frôlant chaque meuble, plus particulièrement le piano, où je m'attarde. Je fais demi-tour, quand un petit objet au sol craque sous ma botte. La locomotive de Noah. Il lui manque une roue et la portière est un peu renfoncée, maintenant que je l'ai écrasée sous mon poids. Je me penche pour la ramasser, lorgnant autour dans l'espoir futile qu'il apparaisse au coin du mur afin que je la lui rende. Au lieu de quoi, je ne fais que la glisser dans ma poche. Mon frère ne serait jamais parti sans sa locomotive. Jamais. Comme il ne serait jamais parti sans Effie si je ne l'avais pas tuée.

Je parcours chaque pièce, embrasse chaque mur et chaque objet du regard. Pour m'en imprégner une dernière fois. Et pour donner l'illusion d'un saccage, je mets la maison à l'envers.

Et lorsque enfin ma vue brouillée de larmes se pose sur le piano, je ne pense qu'à une chose : y graver nos noms à tous. C'est une tradition chez les Kaufmann, de génération en génération. Je vide le contenu des tiroirs de la cuisine et attrape un petit couteau qui me semble assez solide. Je soulève le couvercle donnant accès aux marteaux du piano, j'y grave nos six noms – en commençant par celui d'Effie. Puis je laisse tomber le couteau. Ce sera la dernière trace de mon passage ici. Je recule de quelques pas. J'essuie mon visage du revers de la manche et m'assois sur le banc. Je joue pendant un bon moment avant d'entendre quelques coups à l'entrée. Heureusement que j'avais verrouillé, sans quoi ils seraient déjà dans la maison.

Je sursaute et manque de tomber dans les objets épars. *Ils sont déjà là.* Je jette un coup d'œil à l'horloge murale. Plus que dix minutes avant que mon train arrive. Je recule jusqu'à la porte de derrière en enfonçant ma chapka sur ma tête. Les coups reprennent, plus forts, plus insistants. *Ils sont forcément plusieurs.* Une patrouille compte environ quatre soldats et leur sergent. Ce qu'ils viennent nous dire, c'est que ma petite sœur est morte, mais aussi que les deux autres enfants sont des criminels qui méritent la pendaison. Noah est sauf : il n'a jamais existé pour eux.

Mon cœur s'affole, ma tension monte en flèche. Je dois faire vite avant qu'ils n'encerclent la maison. Je me faufile à l'extérieur.

Mes pieds touchent à peine le sol. Je m'accroupis, le dos plaqué contre le mur extérieur, lorsque j'entends le sergent dire à ses soldats d'enfoncer la porte. Puis il ordonne à quelques autres de faire le tour de la maison sous prétexte que nous ne devons pas être très loin.

Il fait froid et le jour faiblit à une vitesse vertigineuse. Je glisse ma main dans mon sac, en faisant le moins de bruits possible, et je récupère le Beretta du général Tchekhov que j'avais gardé de notre fuite de la base. Ce n'est que par mesure préventive, je n'ai pas vraiment l'intention de tirer. Ils rejoignent leur commandant devant la maison.

— Personne dans la cuisine, Sergent !

— Personne à l'étage. Il n'y a personne ! commente un autre.

— Mettez le feu à ce trou à rats, leur ordonne-t-il. On fera passer la nouvelle pour un incendie où tout le monde a péri. Personne ne doit savoir qu'ils sont encore vivants, c'est compris ? Ils sont morts. Tous morts. D'ailleurs, c'est sûrement déjà le cas, grogne-t-il.

J'entends l'écho de quelques notes aléatoires, sans doute un des soldats qui a laissé ses doigts graisseux traîner sur les touches d'ivoire.

— Brûle-moi ça d'abord, lui ordonne leur chef.

Le dernier héritage des Kaufmann. Réduit en cendres. Je suis en lutte contre deux parts de moi qui se déchaînent ; première option : les abattre tous pour qu'ils laissent le piano tranquille ; seconde option : me taire et laisser tomber.

Je laisse tomber.

Je remets mon sac sur mes épaules ; d'une main, je tiens le pistolet glacé et de l'autre, je m'appuie contre un mur pour garder mon équilibre. Je ne dois pas rater mon train. Donc, mieux vaut ne pas trop m'éloigner de la voie ferrée : derrière chez moi, c'est le meilleur endroit d'où y accéder, mais au risque de me faire repérer. Je dois m'éloigner et trouver un autre endroit pour monter sur ce train.

Des pas se rapprochent.

Le pistolet dans ma ceinture, je prends mon élan, les yeux rivés sur mon objectif.

Je fais le décompte dans ma tête : trois. Deux. Un.

Je décolle sans même un regard par-dessus l'épaule, ni vers la gauche où un soldat me voit à peine. Je suis une ombre filante contre le jour qui décline. Je cours sans m'arrêter, par les ruelles et entre les bâtiments, manquant de foncer dans plus d'un coin de mur.

Pas de temps à perdre. Je peux entendre leurs pas se précipiter derrière moi. Étonnant qu'ils n'aient pas commencé à tirer… Arrivée enfin à la maison que je convoitais, c'est le cri retentissant de la loco-motive qui m'assourdit. Je soupire de soulagement.

Je contourne le bâtiment au pas de course.

— Arrêtez-la !

Trois soldats sont à mes trousses.

Le sang bat à mes tempes sans répit et la sueur suinte sous mes vêtements. Les premiers wagons défilent sur ma droite. Un arc-en-ciel de couleurs industrielles.

Les tirs fusent autour de moi tandis que j'atteins un carrefour. Quelques personnes étouffent des cris en s'écartant rapidement de mon chemin. J'avise le train qui hurle. Il passe tout près. Il ralentit. C'est le moment.

Je jette un bref coup d'œil au trio qui me suivait à la trace et qui me hurle encore de me rendre. J'ai presque envie de leur rire au visage.

M'élançant sur le train en marche, je m'accroche à l'unique poignée que je vois.

Je me balance de droite à gauche et tente d'attra-per le dessus du wagon. Mes doigts l'effleurent plus d'une fois et, dans un ultime effort, s'y accrochent lorsque nous atteignons le virage. Je me sens projetée de côté tandis que le train reprend de la vitesse après avoir quitté le secteur résidentiel.

Un cri de peur jaillit d'entre mes lèvres, puis je tente encore de me hisser sur le wagon. Impossible de me glisser à l'intérieur ; je n'ai aucun appui, ne vois aucune porte. Je réussis enfin à passer mes avant-bras sur le dessus et me pousse à l'aide de mes genoux. Une fois sur le toit de cet immense bloc de métal, je m'effondre.

Je tente de me relever sur mes coudes, en vain. Je retombe mollement contre le métal rouillé. L'odeur me donne la nausée. Mes paupières s'ouvrent puis se referment. Je rejette la tête en arrière.

Une œillade derrière moi, et le soulagement de me savoir presque saine et sauve est rapidement remplacé par l'angoisse : au loin, une colonne de fumée s'élève dans le ciel. Ma maison est en flammes. En cendre, les dernières traces d'une vie que je ne récupérerai jamais plus.

Je me détourne. Puisque dans moins de trente minutes, il me faudra redescendre, aussi bien aller de l'avant.

Huit

Ma vision se réduit à deux fentes à cause du vent glacial qui me fouette le visage. La Haute République s'offre à moi, lumineuse et accueillante, alors que moi, je suis frigorifiée. Nous passons la frontière presque trop facilement. Les contrôleurs ne se doutent en rien de ma présence sur leur convoi; ils vont du point A au point B.

Je me dirige d'un pas chancelant vers l'avant du train pour voir s'il y aurait moyen de descendre sans trop de mal.

Je grimace, contemple les environs. Nous nous apprêtons à passer sur un pont. Je dois sauter avant que nous l'atteignions. Sinon, je serai trop éloignée de la route pour me retrouver dans la ville. Sans argent et sans carte, ce n'est vraiment pas le moment de me perdre. Vers l'avant-dernier wagon, on actionne les freins.

Je suis projetée hors du convoi.

Mon épaule encaisse le coup contre le sol. Elle craque et la douleur explose de toutes parts. Je roule sur mon flanc en geignant. J'avais oublié que mon Beretta était dans ma ceinture et c'est une douleur lancinante au bas du dos qui me le rappelle. Mon sac, qui aurait pu amortir ma chute, n'a servi à rien du tout.

Au moins, je suis descendue, ne puis-je m'empêcher de penser avec dérision. Je me relève en grimaçant et vois le train s'éloigner. J'époussette mes vêtements et me tourne vers la ville en glissant l'arme dans mon sac. Je marche sur la voie ferrée jusqu'à retrouver la route, en pleine heure de pointe. J'abaisse ma capuche pour me couper du froid et me faufile entre les gens qui me portent à peine attention. La neige semble heureusement avoir atténué les traces de sang sur mon manteau. C'est parfait.

Je sonde les bâtiments autour pour me situer ; je n'ai aucune idée de l'endroit où je suis et voilà bien un quart d'heure que j'erre sans savoir où aller.

De froid, je grelotte de tous mes membres en me disant que mes lèvres seront gelées pour l'éternité à venir.

Un long soupir m'échappe au coin d'une rue. Une voiture, justement, s'arrête quelques mètres plus loin. Quelqu'un en sort, se tourne vers moi. Je recule instinctivement, une main contre mon collet pour éviter que mon chaperon ne tombe vers l'arrière dans un coup de vent.

— Emma ? Emma, c'est toi ?

Je fais la moue. Je connais cette voix, mais d'ici, l'obscurité m'empêche de bien voir son visage. Il avance dans la lumière d'un réverbère.

— Aleks ? Aleks du Blues Haus ?

— Dis donc, ça fait un bail ! Cela doit bien faire quatre mois que je n'ai pas de nouvelles de toi !

— Oui, en effet, bafouillé-je. Tu vas bien ? demandai-je en rajustant ma capuche, qu'une bourrasque a fait glisser.

— Très bien, et toi ?

— Ça va.

Il me sourit. Le rouge me monte aussitôt aux joues. C'est inévitable. On ne perd pas ses vieilles habitudes si aisément. Il enfonce ses mains dans ses poches et me désigne sa bagnole.

— Tu as besoin que je te reconduise quelque part ?

J'ouvre la bouche, sape de l'air sans rien dire. J'ai terriblement besoin qu'on me conduise quelque part, mais en même temps, j'ai peur qu'il soit de mèche avec les autres…

Ne sois pas ridicule, Em, ce n'est qu'Aleksander, le barman avec qui tu as travaillé pendant presque un an !

Et puis, si je n'accepte pas, je risque de me perdre davantage… ou de mourir d'hypothermie avant même d'avoir sauvé Nayden si je ne rentre pas bientôt.

— Ça ne te dérange pas ? grimacé-je en cachant mal mon soulagement.

Il secoue la tête en levant les mains.

— C'est moi qui te l'offre. Allez, monte !

Je lui offre mon plus beau sourire vu les circonstances, et je monte côté passager. L'air chaud de l'habitacle me saute au visage.

Je me secoue en même temps qu'Aleks boucle sa ceinture.

— Alors ! Où est-ce que je t'emmène ?

— Tu pourrais te rendre au parc, s'il te plaît ? Au centre-ville, celui avec la patinoire ? Je te guiderai ensuite, dis-je en rejetant ma capuche en arrière.

Je ne me souviens pas de l'adresse de Nayden, je ne crois pas qu'il me l'ait même déjà dit. La seule façon de le guider est donc de désigner des endroits près de là que je connais un peu mieux, avant de retrouver l'appartement.

Nous passons sous un réverbère. Aleks se retourne vers moi.

— Aucun pro... Seigneur, Emma ! Qu'est-il arrivé à ton visage ? me demande-t-il en écarquillant les yeux.

Je m'empresse de dissimuler ma joue – et mon malaise –, souriant maladroitement. J'avais presque oublié mes ecchymoses.

— Ce n'est rien, j'ai simplement... déboulé les escaliers, mentis-je.

Il pince les lèvres. Il ne me croit pas du tout, c'est évident.

— Tu es sûre que ça va ?

— Oui, oui, je t'assure. C'est pire que ça en a l'air.

Il effectue un arrêt et tourne à gauche.

— Où est-ce que tu te rendais avant que je fasse dévier ta route ? dis-je pour détourner la conversation.

— J'allais travailler.

— Toujours au même endroit ?

— Toujours au même endroit, approuve-t-il en souriant.

— Je ne te mettrai pas en retard, tout de même ?

D'un geste, il balaie mes paroles et effectue un second virage.

— Je me fiche bien de ce que Lanz peut penser, tu sais.

Je pouffe d'un léger rire.

— Ça l'a mis en rogne que tu ne lui envoies pas ta démission au mois de décembre.

— Désolée… j'ai eu quelques…

Comment dire ? Je me suis fait tirer dessus, je suis revenue miraculeusement à la vie puis je me suis réveillée du mauvais côté d'un mur. J'ai essayé de rentrer à la maison. Ça n'a pas marché et on m'a ensuite torturée.

J'opte pour le mot qui m'apparaît le plus sensé :

— … problèmes.

Du coin de l'œil, je le vois dire oui. Il m'informe que Lanz a dû me remplacer, non sans difficulté. Personne ici ne veut travailler le nombre d'heures incalculables que je travaillais, d'autant plus que ce n'est pas tout le monde qui arrive à tolérer un patron aussi exécrable.

Je regarde à l'extérieur pour tenter de me repérer dans la ville. Les arbres sont peints de fines couches de neige blanche qui alourdissent juste assez leurs branches pour qu'on puisse les toucher par-dessous, au grand bonheur des enfants qui passent.

J'aperçois enfin la grande patinoire entre les arbres.

Très bien, je sais à peu près où nous sommes, maintenant.

— Continue tout droit, puis à la seconde intersection, prends à droite.

— À vos ordres, ricane-t-il.

Je n'ai fait ce chemin avec Nayden qu'une fois, mais il me semble que c'était hier. Je peux déjà voir le haut bâtiment où se trouve le loft de Nayden. Aleks commence à ralentir en voyant que j'ai mis ma main sur la poignée. Je frétille de nervosité.

— C'est ici, lâché-je en me tournant brièvement vers lui.

Je détache ma ceinture avant même qu'il se soit complètement immobilisé.

— C'est ici que tu habites ?

— Un ami, répliqué-je rapidement.

— Il a de la veine d'habiter dans un immeuble pareil, ton ami.

— Pourquoi tu dis ça ?

— Ça coûte une fortune de vivre dans ce secteur.

J'arque le sourcil.

— Je ne crois pas que ce soit l'argent qui manque chez toi non plus, Aleks.

Il ricane. Le sujet est clos.

— Passe une belle soirée, Emma.

— Toi aussi. Merci beaucoup, Aleks. C'est vraiment très gentil de ta part d'avoir pris la peine de me reconduire jusqu'ici.

Je descends de voiture, mon sac en main, et m'apprête à m'éloigner, quand il m'interpelle une dernière fois.

— Emma !

— Oui ?

— Ai-je raison de croire qu'il y a quelque chose qui a changé en toi ?

Je fronce les sourcils et le dévisage.

— Qu'est-ce que tu veux dire ?

— Je ne sais pas. Tu me sembles plus… confiante ? Ce sont tes yeux. Tu n'aurais jamais regardé quelqu'un ainsi il y a quelques semaines.

Je baisse le regard. *Non. Pas confiante. Je n'ai pas plus confiance en moi qu'avant. Je me suis simplement endurcie. C'est terriblement différent,* ai-je envie de lui dire.

Je hausse les épaules, tente de nouveau de lui sourire, en vain. C'est trop douloureux à présent qu'il a ramené des sentiments encore à vif que j'essaie de faire taire. Le vent peuplé de cristaux de neige me fouette le visage ; je me couvre de la capuche.

— Beaucoup de choses ont changé, Aleksander…

La puissance de mes mots semble l'ébranler un moment. Il ne répond pas.

— Passe une bonne soirée. Merci encore.

Je fais volte-face et marche jusqu'à l'entrée du bâtiment. Aleks redémarre tandis que je pose la main sur la poignée. Je voudrais tirer ; mais la porte ne s'ouvre pas. *Merde.* Je lève les yeux vers les fenêtres qui s'étendent vers l'infini au-dessus de moi. Je pense alors à Ezra. Je sors l'ordinateur de mon sac. Elle est glacée… J'espère néanmoins qu'elle puisse m'aider. Je soulève l'écran, jetant un ou deux regards autour. Il n'y a presque personne.

— Ezra ? que je balbutie. Ezra, il faut que j'entre dans l'immeuble.

Il y a un petit éclair de lumière dans l'écran, puis j'entends le verrou de la porte se déclencher. Je rabaisse l'écran et glisse l'ordinateur sous mon bras. J'entre.

Comment est-il possible que la porte se soit déverrouillée ? Ezra ne s'est même pas manifestée ! Peu importe, je suis entrée, c'est tout ce qui compte. Le hall est désert. Comme toujours. Je me suis d'ailleurs toujours demandé si Nayden avait des voisins dans ce bloc. Je vais finir par croire que non et que tout l'immeuble lui appartient.

Je me rends à l'ascenseur le plus près et appuie sur le bouton de l'étage où se trouve son loft. La chaleur m'enrobe et je pousse un soupir de soulagement.

En quelques instants, je me retrouve projetée vingt-sept étages plus haut. Les portes émettent un tintement à leur ouverture. J'hésite à les retenir ouvertes.

Je scrute le mur devant moi, dénué de porte. Et si quelqu'un me tendait un piège ? Après tout, le père de Nayden se doute peut-être que je veux me réfugier ici ?

Coup d'œil à gauche, à droite. Vide. Le couloir, malgré sa clarté, m'apparaît sinistre avec ses deux baies vitrées de part et d'autre qui donnent sur une nuit noire comme j'en ai rarement connu. Je prends à droite. J'atteins la dernière porte à gauche et m'arrête devant elle. Je m'apprête à poser la main sur la poignée puis je m'aperçois que je n'ai pas la clé pour entrer. Cette porte doit être verrouillée aussi, comme celle de l'entrée principale.

Je me dresse sur la pointe des pieds et tâtonne le châssis supérieur en quête d'un double.

Rien. Je me laisse retomber en soupirant et continue mon exploration sur le châssis : à gauche, toujours rien. Puis à droite. Mes doigts glissent, descendent jusqu'en bas puis perçoivent une petite irrégularité dans le métal, environ à cinquante centimètres du sol. Je m'arrête, scrute l'endroit et appuie doucement dessus.

Une petite trappe s'ouvre et une clé tombe sur le plancher de marbre.

L'écho ricoche contre tous les murs du couloir et je m'empresse de le faire taire en récupérant la clé. *Ingénieux, Nayden.*

Je glisse la clé dans la serrure.

La porte se déverrouille pratiquement d'elle-même. Je pousse dessus après avoir tourné la poignée, et je reste interdite un moment, de peur de trouver quelqu'un. Le loft est silencieux. J'entre et referme la porte en m'adossant au battant. Ma main gauche remonte jusqu'au verrou, le ferme à double tour.

Je dépose la clé et Ezra sur le bureau, à ma droite, avant d'appuyer sur le premier interrupteur que je vois. Le loft est exactement comme je l'ai laissé – à croire que Nayden n'y est même pas venu après mon départ. Le petit mot que je lui ai lâchement laissé sur la table de la cuisine est toujours au même endroit. Je retire lentement mes bottes et marche sur la pointe des pieds jusqu'au salon, le pistolet en main par simple mesure préventive. Tant que je n'aurai pas arpenté toutes les pièces, je ne serai pas rassurée ; j'en oublie de respirer. Je me rends jusqu'à la salle de bain en passant par les moindres recoins de la cuisine. J'examine même la porte de secours. Rien. Je monte à la chambre.

J'allume toutes les lumières que je vois. Il n'y a vraiment personne. Je me détends enfin, dénoue mon foulard en lâchant un long soupir. *Personne. Il n'y a personne, Emma.*

L'odeur de Nayden semble avoir imprégné chaque mur, chaque tissu et chaque pièce. Il est partout sans vraiment y être. Je retire mon manteau.

Je pose le pistolet sur la table de chevet et me tourne vers la penderie. Mes doigts effleurent ses chemises. Puis, j'ouvre un tiroir de sa commode. Un des pulls de cachemire noir. Je le prends dans mes mains, le presse doucement contre ma poitrine, le nez enfoui dans le tissu duveteux.

Je m'assois sur le lit. Sur le dos, je serre le chandail contre mon cœur en pressentant le flot de larmes qui vient.

— Je vais te sortir de là, Nayden. Je te le promets.

Je fixe le plafond, tant et si bien que je me surprends à penser que ce n'est pas moi qui pleure, mais quelqu'un au-dessus de moi, comme un nuage. Un nuage que je dois chasser. Parce que je dois absolument trouver un moyen de sauver Nayden. Je me réveille quelques heures plus tard, plus endolorie que jamais. Debout, le pull toujours dans les bras, je me rends jusqu'à la salle de bain, où j'actionne la douche. Accroupie sur les tuiles, je laisse l'eau bouillante glisser en cascades sur moi. Je reste là – j'ignore combien de temps – les yeux fermés, à attendre que l'eau me lave de ma culpabilité. Assez longtemps pour que la peau de mes mains se plisse d'humidité.

Plantée là, même après avoir arrêté l'eau, je suis bercée uniquement par la vapeur que je viens de créer. Un moment après, en ayant assez de ma conscience qui me martèle l'esprit, je me lève et m'habille d'une de ses chemises, de son chandail avec lequel j'ai dormi, et d'un jean qui se trouvait dans mon sac. Après quoi je me rends dans la cuisine. Sans envie. De toute façon, il ne doit plus avoir rien de bon dans cette cuisine, considérant le nombre de jours qui sont passés sans que personne vienne.

Je récupère Ezra en pleine lumière sur le bureau, et soulève l'écran pour lui parler.

— Je suis là, Emma, m'informe-t-elle. Navrée d'avoir été si peu utile hier, le froid a dû décharger ma batterie.

— Ça va, j'ai pu entrer. Il fallait simplement déverrouiller la porte, ce que tu as fait. Est-ce que ma famille est arrivée chez Lauren ? lui demandé-je.

— Je peux procéder à un retracement de puce pour vous le confirmer.

— S'il te plaît.

— Mademoiselle, je décèle une grande fatigue dans votre voix. Vous devriez manger quelque chose.

Je fais signe que non. Je suis beaucoup trop angoissée pour ça. Tant que je pourrai marcher droit, tout ira bien. Je peux encore tenir sur la portion vitaminée et ultra protéinée de la veille. J'ai vécu bien pire.

— La puce retracée concorde avec l'emplacement voulu, Emma.

— Bien, c'est parfait. Merci, Ezra.

— Autre chose ?

Je m'assois sur le canapé, les jambes repliées sous moi.

— Oui, je voudrais que tu m'identifies l'endroit où se trouve Nayden.

— Recherche en cours.

Un coussin serré contre moi, les yeux rivés sur la porte, j'ai l'impression qu'à tout moment Nayden surgira, exactement comme lorsque j'étais « captive » chez lui. Espoir futile. Il ne viendra jamais.

— Mon analyse a malheureusement échoué.

— Comment ça ?

— Je ne détecte aucun signal. Contrairement à vous, résidents de la Basse République, les gens de ce côté n'ont pas de puce. Par conséquent, ils ne possèdent aucune fonction de localisation.

— Comment as-tu fait pour le retrouver la dernière fois ?

— Je me suis servie de ses plaques militaires, sur lesquelles sont inscrits des composés électroniques de taille nano qui…

— Inutile d'entrer dans les détails. Il ne les a plus sur lui, c'est ça ? coupé-je.

Un court silence s'ensuit avant qu'elle me réponde.

— Non, Emma, il ne les a plus en sa possession. On se sera sûrement aperçu d'une intrusion lorsque j'ai capté son signal et que j'ai voulu le retrouver pour vous.

— Peux-tu quand même les localiser ?

— Non. La fonction a été désactivée.

— Dans ce cas, peux-tu localiser le dernier endroit d'où provenait le signal ? fais-je, de plus en plus alarmée.

— Oui, bien sûr. Pardonnez-moi, je ne croyais pas que cela eût un quelconque intérêt.

— Je pense que oui, au contraire, marmonné-je les lèvres pincées.

Je pianote sur mon genou et c'est seulement deux partitions plus tard qu'Ezra me revient.

— J'ai trois endroits qui correspondent avant de perdre la trace.

— Montre-les-moi sur une carte.

— Je peux me connecter au serveur externe afin de vous les projeter, si vous le souhaitez.

Je ne suis pas certaine d'avoir compris, mais j'agrée. Les lumières se tamisent et devant moi apparaît une carte avec les divers emplacements dont elle m'a parlé. Je me positionne pour mieux la voir.

— O.K. Commence par me dire ce que sont tous ces endroits.

— Le premier, il s'agit des sous-sols du Bureau fédéral, là où Nayden travaillait. Les plaques indiquent donc une forte activité à cet endroit. Ici, il s'agit du plus ancien endroit où il s'est trouvé après vous avoir sauvée. C'est là qu'on l'a conduit en premier lieu.

— Très bien, ensuite ?

— Il a été transféré dans un cabinet médical, à quelques pâtés plus loin, puis ramené au parlement pour être de nouveau transféré. Après quoi je perds sa trace puisqu'elle me ramène au double qu'il possède ici, dans le loft. D'où le troisième emplacement.

— Il y a un double de ses plaques ?

— Oui, elles sont dans le meuble, à l'entrée.

Je me lève et récupère les deux petits rectangles de métal immatriculés à son nom, retenus par une longue chaînette en billes de chrome.

Je les enroule autour de mon poing et me rassois sur le canapé.

— En gros, il est allé et venu entre deux bâtiments. Le département médical et les salles de torture qui se trouvent sous le parlement ?

— C'est exact.

— Maintenant, où est-il plus probable qu'il soit ?

— En cellule, selon une probabilité de 86,98 %.

Je soupire ; une autre donnée qui a le don de m'exaspérer.

— Et quelles sont tes sources statistiques, Ezra ?

— Le dossier auquel j'ai accès dans le système informatique local m'informe que les blessures que monsieur Prokofiev a subies nécessitaient peu de soins de la part du département médical et qu'il a pu être transféré presque aussitôt. Toujours mal en point, affirme-t-on, mais en vie.

Je soupire en posant mon menton dans ma main.

— De qui émanait cet ordre de transfert ?

— De son père, mademoiselle. Ils ne le tortureront plus très longtemps.

— Approfondis, s'il te plaît.

— Ils ont l'intention de l'exécuter.

Mes yeux s'écarquillent et je saute à pieds joints.

— Quand ?

Elle hésite, ce qui réussit qu'à me mettre encore plus sur les nerfs.

— Ezra, je t'ai posé une question. Quand vont-ils l'exécuter ?

— Dans trois jours.

Je m'effondre sur le canapé. On vient de me scier les jambes en quelques syllabes et un seul chiffre. Trois jours. Nayden. Exécuté.

C'est donc l'ultimatum que m'impose Dmitri ? Soit.

Il ne s'attendra évidemment pas à ce que je fasse irruption avant l'échéance.

Neuf

Je ramasse mes affaires en vitesse et les pose sur le pas de la porte, mais soudain Ezra m'arrête. Je n'ai pas l'intention de l'amener avec moi et j'ai omis de l'éteindre avant de franchir le seuil. Peut-être aurais-je dû le faire.

— Le général Prokofiev ne négociera pas avec vous, Emma.

— Je n'ai pas l'intention de négocier, je vais conclure un marché qu'il m'a lui-même proposé.

— Vous courez à votre perte !

Je louche sur mon sac. Au fond, je n'en ai pas besoin. Je le repousse du bout du pied. *Courir à ma perte. Oui, à coup sûr, mais je n'attendrai pas plus longtemps.*

— Ma perte ne sera pas vaine.

Je suis persuadée qu'Ezra soupirerait si elle en était capable. Au lieu de quoi, elle laisse le silence répondre à sa place.

Je m'éclipse.

Au fond de ma poche, la locomotive de Noah ne m'aura jamais semblé si lourde. Je pars, le Beretta à ma ceinture, mais sans armure ni rien d'autre qu'une poignée d'argent que j'ai trouvé dans un tiroir de la commode de Nayden – pour prendre un taxi –, ses immatriculations militaires et les vêtements que je porte.

À mon cou, les plaques rebondissent, froides contre ma peau qui me semble à vif.

Je marche quelques minutes dans la rue avant de tomber sur un taxi, que je hèle en levant le bras. Il s'arrête, je m'assois sur la banquette arrière.

— Le Bureau fédéral, je vous prie.

— Tout de suite, mademoiselle.

Le chauffeur redémarre. Bouclant ma ceinture, je soupire devant le paysage urbain qui défile devant moi.

— C'est magnifique, n'est-ce pas? commente-t-il en m'avisant dans le rétroviseur. J'ai toujours aimé ce parc.

— Oui, murmuré-je contre la fenêtre embuée. Vraiment magnifique.

À peine quelques minutes plus tard, la voiture s'arrête au pied des grandes marches du parlement, où des soldats armés se tiennent sur chaque palier. Je dépose la poignée de billets dans la paume du chauffeur; c'est tout ce que j'ai. Je ressors dans l'air glacial, les yeux rivés sur cette tour grandiose: rien dans son environnement n'égale sa puissance. Je me sens minuscule. Pour me donner du courage, je plonge la main dans la poche de mon manteau, comprime la locomotive-jouet entre mes doigts.

Contre mon avant-bras, le pistolet me rappelle froidement sa présence. *C'est uniquement par mesure préventive. Je n'ai pas vraiment l'intention de m'en servir.* Arriver sans arme au parlement aurait été encore plus insensé que de me mettre à courir dans un champ de mines. Que le général sache à quoi s'en tenir à mon sujet : je ne suis plus l'adolescente faible et médiocre qu'on m'a convaincue d'être pendant dix-sept ans ; maintenant, je sais ce que je vaux. Et je viens sauver celui qui a ravivé cette étincelle.

Je gravis les marches aussi lentement que ma fébrilité me le permet. Les soldats m'adressent à peine un regard. Ils ne m'ont pas reconnue. À moins qu'ils attendent des ordres de la part de leur supérieur pour agir...

J'entre dans l'établissement. C'est la première fois que je le vois en plein jour et j'admets le trouver encore plus effrayant en pleine lumière. Son architecture est froide, austère. Je frissonne simplement en détaillant les lieux. Un hall plus grand que nature, de larges colonnes de marbre blanc et noir, pratiquement à perte de vue.

Qu'est-ce que je fais, maintenant ? Je vais tout bonnement frapper à la porte du bureau du général Prokofiev ? Je vais voir sa secrétaire et lui dis de m'annoncer ? Ma respiration s'accélère, mon cœur s'effare. *Rappelle-toi ce que tu viens faire : tu viens conclure un marché. Rien de plus.*

Inspire.

Expire.

Inspire.

Expire.

J'avance.

Je n'ai pas franchi trois mètres qu'on me hurle de me rendre.

Je me précipite vers la colonne la plus près. J'ignore combien d'armes sont braquées sur moi en ce moment, mais il y en a trop pour que je riposte. Je n'ai pas pu me cacher bien longtemps ; déjà les tirs fusent sur la colonne qui m'abrite. Les éclats de pierre volent, alors que de la poussière monte du sol au plafond sous l'impact des balles. J'enfouis mon visage dans mon épaule en me cachant la tête des bras.

On ne veut pas que je me rende, on veut carrément m'abattre.

— Vous ne tirerez pas sans mon ordre ! clame une voix derrière.

Quelques mots. Un seul homme. *Prokofiev.*

Ses pas sont lents sur le carrelage de marbre. J'entends les hommes se mettre au garde-à-vous. Je sors de ma cache, m'expose aux regards. Les mains dans les poches de son pantalon impeccablement repassé, le général avance encore.

Ces mêmes iris verts. Ce même aplomb qui le caractérise. Ce même calme enrageant. Ce même charme qui lui sied trop bien.

Je dégaine l'arme et la braque dans sa direction. Je veux seulement faire impression, je n'ai pas vraiment l'intention de tirer.

— Vous ne tirerez pas parce qu'elle se rend. N'est-ce pas, mademoiselle Pavlova ? Ou devrais-je dire « mademoiselle Kaufmann » ? dit-il en avançant de quelques mètres. Tu n'es pas venue mourir. Tu es trop intelligente pour ça… bien que les dernières minutes me fassent douter de cette belle perspicacité que je t'attribuais. Ton plan tirait du suicide, ma belle, tu ne peux pas le nier.

Il incline la tête. C'est un serpent. Un homme de pouvoir qui sait exactement comment m'achever et qui sait exactement quoi dire pour me faire chanter. Sait-il seulement que je me suis juré de ne plus jamais chanter ?

— Lâche le Beretta. Peut-être qu'ensuite, nous parlerons. Je n'aime pas particulièrement discuter avec une arme pointée sur moi, fait-il en désignant le pistolet d'un geste.

Je raffermis aussitôt ma poigne sur l'arme. *Clic, clic, clic, clic, clic.* Ils m'ont tous en joue. Ils attendent bien peu pour me tirer dessus. Et moi aussi. Une balle. Rien qu'un tir et je pourrais l'abattre, *lui*. Rien que de voir Nayden marcher au fond de la pièce, vêtu de son uniforme, comme la première fois que je l'ai vu, suffirait à ce que j'exécute son père sans aucun regret. Ce serait si facile. Il est là, juste dans ma mire. Seulement, j'ai douze autres soldats qui m'abattront dès que mon doigt appuiera sur la gâchette. Et je n'aurai pas sauvé Nayden. J'aurai bêtement signé ma mort et la sienne avant l'heure.

Je baisse lentement l'arme vers le sol.

— Bien. Lâche-le, maintenant.

On croirait qu'il parle à un chien. À défaut de pouvoir lui tirer dessus, je le fusille du regard et laisse tomber le pistolet au sol.

— Excellent. Fais-le glisser vers moi.

Je m'exécute.

— Bien. C'est beaucoup mieux.

On me frappe dans le dos et derrière le genou. Je ploie sous la douleur, sans un cri. Ma bouche est un bloc de béton ; je m'étrangle à avaler. L'oxygène manque à mes poumons : une botte me rentre dans l'abdomen, je m'écrase au sol.

On me demande de me relever. Je ne bouge pas. À dire vrai, je n'ai pas entendu, en raison du sang qui afflue dans tous les sens et qui fait bourdonner mes oreilles.

— Le suicide ce n'est pas de la bravoure, ma belle. Ce n'est rien d'autre que de la lâcheté.

— Qu'est-ce qui vous dit que je suis venue me suicider, Général ? parviens-je à articuler malgré le gravier sur ma langue.

Deux soldats me hissent, le général me toise de toute sa hauteur. Il semble presque surpris de m'entendre.

Un coup de crosse fracasse ma nuque.

Je voudrais que mon toucher leur soit mortel.

Je voudrais pouvoir les pulvériser tous d'un simple regard.

Je voudrais qu'ils me craignent.

C'est le cas, Emma, me surprends-je à penser juste avant de sombrer dans l'inconscience. Oui, c'est le cas, parce que je suis Insoumise.

Dix

La température de l'air ambiant doit être la même que celui de l'extérieur. Glacial. C'est une tactique ; cela empêche les gens de dormir. Je reviens à moi dans une salle qui m'est beaucoup trop familière. J'ai la gorge qui se muselle d'une sécheresse que je ne comprends pas et des douleurs qui me rappellent trop bien les anciennes.

Je ne suis pas attachée, mais je suis au sol. Le contact du béton froid m'est affreusement familier, lui aussi. Je me redresse sur mes coudes. Je m'aperçois qu'on m'a retiré mon manteau.

Mon manteau. Ma poche. La locomotive de Noah.

Je suis de nouveau pleinement réveillée.

La porte s'ouvre. Un soldat entre, muni de je ne sais combien d'armes, dont une qu'il pointe vers moi pour m'intimider.

J'éclate de rire au visage de ce pauvre soldat qu'ils ont chargé de venir me chercher.

— Lève-toi, m'ordonne-t-il d'un ton hargneux.

— Ça fait beaucoup d'armes pour venir chercher une simple fille comme moi, que je lui reproche.

Il resserre son arme dans son poing. Il n'a pas le droit de me tirer dessus. Il n'en a pas reçu l'ordre. Ça ne fait qu'augmenter sa condescendance.

— Je t'ai demandé de te lever.

J'obéis en serrant les dents. Il me désigne la porte et me fait avancer à la pointe de son arme jusqu'à une autre salle. Il ouvre la porte et me pousse à l'intérieur si fort que je m'écroule de nouveau. Mes paumes s'écorchent contre le sol et la brûlure s'en empare. Je me redresse sous l'œil attentif du général Prokofiev.

— Excuse ses manières barbares, lâche-t-il dès que mes yeux croisent les siens. Simple stratégie d'intimidation.

J'époussette mes vêtements, les épaules les plus droites possible. Comment se tient-on droit sous le poids du monde ?

— Je sais pour qui tu es là, mais c'est un traître maintenant. Et tu connais le sort qu'on réserve aux traîtres.

Ce n'est pas une question, rien qu'une affirmation.

— Vous n'exécuteriez pas vraiment votre propre fils, soufflé-je.

Il incline la tête. Le regard qu'il me lance vient d'anéantir le mince espoir que j'entretenais dans cette phrase. *Bien sûr qu'il le ferait.*

— C'est un Insoumis, maintenant. Ce n'est plus mon fils. C'est comme s'il venait du mauvais côté du mur.

— Vous le reniez pour bien peu, murmuré-je en baissant le regard.

— Qu'il se soit amouraché d'un être médiocre comme toi, Insoumise de surcroît, m'est suffisant pour le faire pendre, oui, crache-t-il. Je l'aurais fait pendre avant, mais je voulais voir si tu allais te pointer.

Il savait que j'allais venir.

— J'accepte votre marché, mais j'ai mes conditions.

Il hausse les sourcils. Surpris ? Non. Satisfait que j'en vienne à la raison de ma visite.

— Bien. Très bien. Je t'écoute.

— J'accepte que vous m'effaciez la mémoire. J'accepte l'exil que vous m'offrez. Je veux qu'en contrepartie ma famille se voie assurée d'une vie en sécurité et de ne pas subir les conséquences de mes actes.

— Cela faisait déjà partie des modalités du marché, commente-t-il.

— Je sais. Je souhaitais seulement vous les rappeler afin de voir si elles tenaient toujours.

— C'est le cas. Autre chose ?

Mes yeux glissent sur le plancher. Je n'arrive pas à croire ce que je vais dire.

— Mes conditions concernent Nayden.

— Le marché le concerne, Emma. Que veux-tu de plus ?

— Il y a une ou deux choses que j'aimerais ajouter.

Il inspire et me détaille des pieds à la tête.

— Laissez-moi le ramener à la maison et passer quelques jours avec lui avant de partir. Après quoi, je vous promets de ne plus jamais revenir. Effacez-moi la mémoire comme vous voudrez, mais laissez-le *vivre*. Donnez-moi le droit de lui laisser un souvenir de moi qui en vaille la peine. Après, je promets de disparaître comme bon vous semble et où vous voudrez. Voilà ma condition.

— C'est d'accord.

Il n'a même pas hésité. La stupéfaction se peint à gros traits sur mon visage. Il a accepté ? Si facilement ? C'est presque impossible. Je me pincerais pour me réveiller de ce rêve, n'eût été la douleur que j'ai déjà dans tout le corps.

Malgré tout, je sais qu'il n'est pas à cent pour cent sincère.

J'acquiesce, la tête lourde, le cœur vide. Quelqu'un aurait-il l'oreille assez fine pour entendre le soupir poussé par mon cœur qui se fane ?

— Une dernière chose, dis-je.

— Il me semble que c'est assez cher payé de ma part…

— Ce n'est pas pour moi, mais pour lui.

— Que veux-tu ?

— Je ne veux pas qu'il sache qu'on m'a effacé la mémoire. Je ne veux pas qu'il me voie partir avec vous.

Il inspire un bon coup, passe sa grande main sur son visage.

— C'est d'accord, même si c'est plutôt pour toi, commente-t-il durement.

— Non. Croyez-moi, c'est pour lui que je le fais.

Je ne veux pas qu'il sache que son père est derrière tout ça. Je ne veux pas qu'il me voie partir avec

lui. Je préfère disparaître sans trop laisser de trace…
Je suis peut-être *la fille aux flocons de neige* pour
Nayden, mais pour moi, il est la tempête. Sans lui,
jamais le monde ne m'aura semblé si vide. Et ça, je
ne crois pas que son père le sache. Je tente néanmoins
de me convaincre que ce ne sera pas si difficile. Au
fond, je ne me souviendrai de rien… C'est *l'avant*
qui fera mal.

— Je t'accorde une semaine. N'en profite pas
pour t'éloigner ou partir avec lui. Je suivrai tous tes
déplacements. Si tu t'éloignes un peu trop, d'un
simple bouton je ferai sauter la chaumière de Lauren
Keyes où s'est terrée ta misérable famille.

Je déglutis des lames de rasoir. Il sait exactement
où ils sont. *Comment ?*

— Compris, marmonné-je.

— Ne pense pas non plus à t'enfuir ni même à
les rejoindre. Tu causerais ta perte et la leur, est-ce
bien clair ? Leurs vies contre la tienne. Je n'y gagne
pas beaucoup, mais tu m'épargneras sans doute une
rébellion si je t'éloigne suffisamment. Alors ça me va.

J'opine du bonnet sans vraiment consentir à ce
qu'il vient de dire. Ce n'est pas parce que je suis
partie que mes fleurs cesseront de croître. Quelqu'un
se chargera de mon jardin en mon absence, je n'en
doute pas une minute. On fera tomber les murs à
ma place.

— Donc ? Marché conclu, mademoiselle
Kaufmann ?

Des lames me charcutent les tripes. Je manque
de fondre en sanglots à chaque expiration.

— Marché conclu.

Il me tend la main, que je presse dans la mienne. Je viens de signer un pacte avec le diable. Sent-il à quel point je tremble? Sûrement, parce qu'il s'en délecte juste assez pour qu'une étincelle fasse briller sa pupille.

— À dans une semaine, donc. Ne t'inquiète pas pour le lieu de notre petit rendez-vous, je te trouverai. À partir de maintenant, tu as dix minutes pour le retrouver et l'évacuer d'ici. Après quoi je leur donne à tous l'autorisation de tirer. Bonne chance.

Je ne me le fais pas dire deux fois. Je tourne les talons, mais le voilà qui m'interrompt, faisant s'écouler un peu plus de temps de ce précieux sablier qu'on secoue au-dessus de moi.

— Attends! Je crois que ça t'appartient.

Il me tend la locomotive jaune de Noah. Mon cœur se réduit en charpie. Je m'apprête à récupérer le jouet de mon frère, qu'il lève à la hauteur de son visage, le faisant tourner entre ses doigts.

— Ce serait dommage qu'un si gentil garçon meure par ta faute, surtout après que tu aies tué sa jumelle.

Un sourire narquois étire finement ses lèvres. *Je le lui ferai avaler. Je lui enfoncerai ce retroussement de lèvres au fond de la gorge jusqu'à ce qu'il s'étouffe avec la dignité qu'il lui reste.*

J'enfouis la locomotive dans la poche de mon pantalon et me précipite hors de la pièce.

Il y a peu de temps, je me demandais si j'allais être prête à ce genre de sacrifice. Aujourd'hui, je peux dire que oui, et que c'est plus douloureux encore que de voir quelqu'un mourir. Peut-être parce que c'est soi-même qu'on voit s'éteindre et qu'il n'y a rien d'autre à faire qu'attendre.

Je cours dans tous les sens, tente d'ouvrir chaque porte. Les pièces s'avèrent toutes vides ou verrouillées. Comment savoir où est Nayden si je ne peux pas ouvrir toutes les portes ?

Les soldats me regardent passer, leurs armes entre les mains. Ils n'attendant qu'un signal dans leur oreillette pour me cribler de balles.

Mon horloge agonise, ses aiguilles tombent en poussière.

Tic. Tac. Tic. Tac. *Où es-tu, Nayden ?*

Par deux fois, je remonte le couloir : aucune trace de Nayden. Je passe une main volage sur mon visage en sueur. Un soldat un peu plus loin ricane à mon air. Je le rejoins en moins de deux et subtilise l'arme sanglée à sa cuisse. J'empoigne le col de son chandail et le plaque au mur du peu de force dont je suis capable face à ce gaillard de près de cinquante centimètres de plus que moi. Sa surprise me suffit à le maîtriser. Je charge le canon et le colle sur son front.

— Contrairement à toi, je n'ai besoin d'aucune autorisation pour faire feu.

Sa pomme d'Adam remonte dans sa gorge.

— Où est-il ?

— Même si je devais brûler en enfer je ne te le dirais pas, crache-t-il à deux centimètres de mon visage avant de me repousser violemment.

Je suis forcée de reculer et, dans ma précipitation, mon regard arrive à la hauteur de ses hanches. Plus précisément, à la fine bande de nylon passée dans sa ceinture, où pend sa carte magnétique. Je saute, tire sur la carte et la lui arrache. C'est tout l'avantage d'être plus rapide et plus petite que lui.

Au moment où il se penche vers moi pour récupérer sa carte, je me glisse sous son bras. Puis, je marche à reculons, brandissant fièrement mon butin, le pistolet braqué sur lui. J'éclate d'un rire qui me donne à moi-même la chair de poule.

— Va au diable, fais-je sans même avoir à me forcer pour prendre un ton hargneux.

Il lâche une bordée de jurons dans mon sillage, mais je suis déjà loin. J'ouvre une à une les portes de l'étage grâce à la carte magnétique du soldat. Je tombe sur des salles de torture comme celle où on m'a enfermé, sur des prisonniers ligotés ou enchaînés. J'essaie de me dire que c'est un cauchemar… qui se changera en rêve dès que je verrai Nayden. C'est derrière la dix-septième porte que je le trouve. L'écart de température entre le couloir et la pièce où il est enfermé me saisit aussitôt.

Il tient à peine debout, les poignets attachés au-dessus de la tête. Il est couvert de lacérations, de saletés et de sang qui n'a pas entièrement fini de coaguler. Ils lui ont laissé un pantalon, c'est au moins ça.

J'ai peine à le reconnaître. Il trouve cependant la force de relever la tête vers moi dans la lumière incandescente du couloir qui s'infiltre dans la pièce. C'est la douceur de son regard qui me confirme que je suis dans la bonne cellule.

Son visage n'est pas trop mal en point. Un œil au beurre noir et quelques enflures, rien pour le défigurer, heureusement.

— Emma ?

Sa voix rauque à peine plus forte qu'un murmure. Je pleurerais de joie à l'entendre. Je coince mon pistolet dans mon dos, entre ma ceinture et ma colonne vertébrale.

Je me précipite vers ses liens que je m'empresse de défaire, les mains tremblantes.

— Qu'est-ce que tu fais ?

— Il me semble que c'est évident, ce que je fais. Je te sors de là, Nayden.

— Comment es-tu arrivée jusqu'ici ? mâchonne-t-il.

Je me hisse sur la pointe des pieds pour défaire les derniers liens retenant sa main droite.

— Nous en parlerons plus tard. Maintenant, il faut dégager.

Une fois que plus rien ne le retient, il s'effondre dans mes bras.

— Pardonne-moi, dit-il en tentant de se remettre debout.

Il plonge son regard dans le mien. Cette couleur que j'aurais cru ne jamais revoir scintille dans le peu de lumière que contient la pièce.

— Viens, murmuré-je en me détachant de lui pour me dévêtir de son pull et le lui passer. Il faut partir, maintenant. Allons.

— Prends à gauche, il y a un escalier de secours de ce côté.

Je m'exécute sans poser de question.

— À droite.

Le dédale de couloirs pourtant impressionnant ne l'empêche pas de connaître chaque détour sur le bout des doigts. Nous passons devant près de cinq soldats. Nayden se raidit à leur vue, mais je le rassure d'un simple murmure à l'oreille.

— J'avais dix minutes pour te trouver et te sortir d'ici. Il doit encore m'en rester quelques-unes avant qu'ils ne se remettent à faire feu. Tu n'as pas à t'en faire. Il faut juste nous dépêcher.

Je peine à croire le mensonge que je viens de débiter. Il doit me rester quelques *secondes*, pas *quelques minutes* ! Il sent tout de même l'urgence dans ma voix, car je le sens essayer de presser le pas. Nous arrivons à une autre intersection quand je sens ses yeux descendre le long de mon dos.

D'un coup, sa main quitte mes épaules et attrape le pistolet dans mon pantalon. Il le pointe sur notre gauche.

Je sursaute en entendant la détonation si près de mon visage.

Un cri de stupeur m'échappe. Le soldat qui nous menaçait tombe au sol. Inerte.

— Quelques minutes, hein ? ironise-t-il à mon oreille en gardant l'arme dans sa main. De son bras, il recouvre mes épaules pour y reprendre un peu d'appui.

J'espère que l'adrénaline qui coule à flots dans ses veines le fera tenir suffisamment longtemps, parce qu'il faut courir maintenant.

Il change le pistolet de main et attrape la mienne de l'autre. Il défonce la porte de secours et des tirs sont parés par elle *in extremis*.

— Viens, dépêche-toi ! s'écrie-t-il, voyant que je reste plantée là à le voir gravir les marches précipitamment. Il sait comment maîtriser sa douleur.

Il me tend la main, je la saisis au passage. Je dois absolument me ressaisir, moi aussi. Me faire confiance. Croire en mes capacités, en ce que je suis. Je peux nous sortir de là.

Nous émergeons dans la lumière de la grande salle. Les fonctionnaires qui travaillent se tournent vers nous, à la fois estomaqués et apeurés. Tout au bout à l'entrée, les soldats accourent. Ils ont reçu l'ordre qu'ils attendaient. Je me recroqueville lorsque les tirs commencent à fuser pour morceler encore davantage les murs autour de nous.

Derrière moi, la grande baie vitrée éclate.

Notre porte de sortie.

Toute l'audace accumulée pour me rendre ici se décompose sous mes pieds. Je n'en peux plus. Je suis exténuée, démolie. J'ai mal partout, j'ai la bouche plus sèche qu'elle ne l'était déjà et les poumons en feu après cette course folle qui n'est pas encore terminée. Et tout ça pour quoi ? Pour que dans une semaine je ne puisse même plus me souvenir de mon nom.

Il faut qu'on parte, maintenant, mais je ne bouge toujours pas. Tout autour de moi n'est que chaos. D'un côté, il y a Nayden qui crie mon nom. De l'autre, des soldats qui affluent avec un seul but en tête : me voir pousser mon dernier soupir. C'est alors qu'on me tire hors du bâtiment. Le sol me heurte. À moins que ce soit le contraire. La neige me recouvre. Je m'entends geindre de douleur.

J'ouvre les yeux sur les siens, qui me transpercent. Vert et or. Vert et or. Vert et or. C'est tout ce que je vois pour le moment et ça me suffit.

Je dois avoir l'air terriblement paniquée ; cela se reflète dans son regard.

— Ça va ?

Je crois que je secoue la tête. Il passe une main dans mon dos pour m'aider à me remettre sur pied. Je parviens à articuler :

— Il faut dépasser le périmètre du parlement. Là, nous serons sans danger.

— Ma voiture est par là, me dit-il en tirant sur ma main de nouveau.

Comment sa voiture peut-elle être ici ? Je lui poserai la question plus tard. Pour le moment, il faut encore fuir. Il s'arrête près du véhicule et m'ouvre la portière côté conducteur. Il ne pense pas vraiment que je vais conduire ?

Il est devenu fou, c'est certain.

— Nayden, je ne sais pas conduire ! riposté-je.

— Je ne pourrai pas conduire, Em. C'est facile, tu verras, je vais te montrer.

Je lui lance un regard noir ; il est plus exténué

encore que je ne le suis. Ça suffit à me convaincre. Je monte dans la voiture et boucle ma ceinture. Nayden s'effondre sur le siège passager et m'indique comment faire alors qu'il attache la sienne. Il ne s'est pas plaint une seule fois. Je l'embrasserais rien que pour ça.

— O.K. D'abord, fais-la démarrer.

Le moteur se met à ronronner.

— La pédale à gauche complètement, appuie dessus jusqu'au fond.

— D'accord.

— Je me charge de changer les vitesses. C'est un système de levier, tout simplement. D'accord ?

Il se dévisse le cou pour voir derrière. Les militaires n'ont plus l'autorisation de tirer sur nous maintenant que nous sommes sortis. Cela faisait partie du marché.

— Nous allons malheureusement devoir écourter la leçon. C'est presque comme jouer du piano. Appuie doucement sur l'accélérateur et garde ton pied sur l'autre en retirant tranquillement la pression. Oui, comme ça.

Cela ne ressemble en rien à jouer du piano, mais il arrive à me faire sourire de toute façon. Mes mains sont si crispées sur le volant que mes jointures en blanchissent.

— Accélère encore un peu, puis enfonce la pédale de gauche jusqu'au fond encore une fois, tout en relâchant celle de droite.

Il pose sa main sur la boîte de vitesse et passe en deuxième. Je sais que je peux maintenant lâcher la pédale de gauche. J'accélère légèrement, puis effectue un virage à droite, hors du stationnement.

— Tu ne te débrouilles pas trop mal, m'encourage-t-il en posant sa main sur ma nuque, un sourire en coin.

Voyant que nous nous approchons du bâtiment, j'accélère et nous nous retrouvons sur l'avant.

— Tourne à gauche.

Je fais ce qu'il me demande et freine un peu trop brusquement avant de m'engager. Je me confonds en excuses à Nayden, que j'entends soupirer.

— C'est bon, ça va, marmonne-t-il.

Il me redirige et nous nous engageons finalement dans la rue, en troisième vitesse.

J'aimerais pouvoir lui dire de dormir, mais je ne crois pas être en mesure de m'occuper toute seule de nous reconduire à la maison.

Nous arrivons finalement à l'appartement. Sains et saufs pour le moment. Encore faut-il nous rendre en haut.

Dans le stationnement intérieur, j'éteins le contact et sors de la voiture. Je cours jusqu'à Nayden, qui ouvre la portière de son côté.

— Attends, je vais t'aider, murmuré-je en passant de nouveau son bras autour de moi.

Nous entrons dans l'ascenseur.

— Emma… ?

— Oui ?

— Je t'aime.

Je me tourne vers son visage à quelques centimètres du mien.

— Je t'aime aussi, Nayden.

Les portes s'ouvrent au vingt-septième étage. Je déverrouille la porte.

Je peux sentir son soulagement au moment où nous franchissons le seuil. Je ressens le même. Ici, nous sommes en sécurité.

— Par ici. Je vais te débarbouiller un peu, soufflé-je à son oreille en l'entraînant aussi tendrement que possible vers la salle de bain.

Maintenant que nous sommes en pleine lumière, je peux constater l'étendue de ses blessures ; je garde mon calme et tâche de maîtriser la situation. Je tire une banquette près du comptoir et l'y fais asseoir.

Il me laisse faire. Je fouille dans quelques tiroirs avant de trouver ce que je cherche : un petit carré de tissu duveteux. Je le plonge dans l'eau tiède. Le mieux serait de l'immerger sous la douche, mais je crains qu'il ne supporte pas la douleur. Je nettoie d'abord son visage.

J'efface toutes les traces de sang et de crasse accumulée depuis je ne sais combien de temps. Ses yeux clos, je pourrais presque croire qu'il s'est endormi. Son torse se soulève doucement, à un rythme régulier, et chacune de ses douces expirations caresse mon visage. Je reviens au lavabo, rince la débarbouillette, qui a pris une teinte légèrement rosée.

Il tire sur le col de son chandail et le jette par terre, la tête rejetée contre le mur.

Je nettoie son torse zébré de lacérations. Je grimace chaque fois que je vois sa peau tressauter de douleur. Je parcours les monts et vallons de son torse, efface toute trace de sang.

Je suis si concentrée sur ma tâche que je sens à peine son doigt frôler le pli qui s'est formé entre mes sourcils.

Je relève les yeux vers lui. Il pose son front contre le mien et soupire en prenant doucement ma nuque dans sa main. Je me laisse entraîner et me retrouve à califourchon au-dessus de lui pendant que je continue ma lente descente.

À mesure que je le nettoie, ses blessures m'apparaissent légèrement moins graves qu'elles ne le sont en réalité. J'arrive au bas de son ventre, et là mes doigts s'arrêtent. Je lâche la débarbouillette sur la banquette.

Son nez touche le mien, ses mains descendent sur mes épaules et mon ventre; il détache tous les boutons de ma chemise. Doucement, sans se presser.

Les yeux fermés, je sais pourtant que les siens sont ouverts. Je sens ses cils contre la peau de mon visage à mesure qu'il détaille mon buste. Ses doigts remontent le long de mes côtes saillantes jusqu'à ma poitrine, où il soulève ses immatriculations pour les examiner.

— Elles te vont beaucoup mieux qu'à moi…

Je pouffe. Ma bouche commence à se languir du contact de la sienne. Il laisse retomber les plaques et sa main s'arrête doucement entre mes seins pour y presser sa paume et sentir les palpitations effrénées de ce cœur que je lui ai donné. Je rapproche ma bouche de la sienne, mais il s'y dérobe en gamin. D'une main, j'empoigne sa nuque et réduis la distance qui nous sépare.

J'entreprends aussi lentement que mon désir me le permet de détacher son pantalon. Je me soulève brièvement, le temps de le lui enlever. Il passe un bras sous mes fesses et me soulève d'un mouvement incroyablement souple, sans effort. J'enroule mes jambes autour de sa taille, les bras croisés derrière son cou. Sa main gauche appuie toujours contre mon cœur, tendrement.

Nayden nous porte jusqu'à la douche.

Il m'adosse au mur, détache mon jean et le lance par la porte entrouverte. Mon sourire contre sa bouche est trop grand et je coince sa lèvre inférieure entre mes dents.

Distraitement, il actionne la douche et une pluie de gouttelettes chaudes nous tombe dessus. Les gouttes semblent toutes s'évaporer contre la boule de chaleur que je suis devenue sous les mains de Nayden. Ce dernier se tend sous la douleur que l'eau provoque sur ses blessures, mais cette sensation ne dure qu'un instant: je m'empresse de la remplacer par une tout autre, beaucoup plus agréable.

Je perds la tête.

Je m'envole, toujours plus haut. Et je n'ai pas peur de ce qui m'attend par-delà les nuages.

Mon corps s'emboîte contre le sien, que je presse contre moi avec l'unique désir de lui partager tout ce que je peux ressentir à l'instant. Je suffoque contre son visage, comme si nous n'étions jamais assez près l'un de l'autre. Je n'entends qu'une chose à mes oreilles: c'est mon cœur qui palpite de plus belle.

Je suis une flaque d'eau entre ses bras, qui se liquéfie et se liquéfie encore. Je suis un soupir de bonheur amoureux qui fait scintiller les étoiles. Je suis une étincelle qui prend finalement feu. Je suis la fleur tardive d'un cerisier dont toutes les fleurs ont déjà fané. Sous ses mains passionnées, sous ses baisers ardents, sous son souffle saccadé, je me sens renaître.

Ses lèvres ont le goût de la pluie et du beau temps. De la tempête et de la brise.

— Tu es tellement belle.

D'un filet de voix, de ses dix doigts qui dessinent sur mon corps le plus beau des chefs-d'œuvre et de ses baisers fougueux, il réussit à me convaincre que la vie peut encore être belle.

Et je compte bien faire de cette dernière semaine de ma vie la plus belle à ce jour.

Onze

Des doigts courent le long de ma peau, laissant derrière eux de fins indices de leur passage éphémère. Ils ont l'audace d'être poursuivis par un rayon de soleil qui réchauffe mon épiderme transformé en champ de courses. Qu'ont-ils bien pu faire pour être pourchassés par un ennemi aussi redoutable ?

Ils poursuivent leur route le long de mon épaule, descendent mon tronc, effleurant mon sein couvert d'un mince drap blanc ; rien qu'un filet de flocons de neige. Les doigts chutent dans le creux de ma taille, gravissent la pente de ma hanche sur laquelle ils s'attardent.

J'ouvre une paupière, puis l'autre, capte ce regard ébloui par un fugace lever de soleil dans lequel il semble s'être épanoui sur un champ de verdure. *Nayden.* Ce regard plus tendre encore que tous les mots du monde peut-il vraiment m'être destiné ?

Mes doigts coincés sous ma joue s'agitent. Je me redresse, le menton dans la paume.

— Bonjour.

Des notes mielleuses entre ses lèvres que j'ai tant embrassées et que j'embrasserais encore. Son index glisse une mèche de cheveux derrière mon oreille, s'y attarde.

— Bonjour.

Mon simple salut vient mettre un sourire sur ses lèvres. Je me laisse redescendre doucement, faisant glisser ses doigts voleurs de soleil au creux de ma taille.

— Désolé, je n'ai pas pu m'empêcher de te réveiller.

Je hausse les épaules. S'il savait comme ça me fait plaisir.

— J'ai dormi longtemps ?

Ses yeux s'arrondissent, j'en conclus que c'est le cas.

— Assez, oui…

Mes joues se teintent de rose et je constate les draps froissés. Il y a longtemps que j'avais aussi bien dormi. Peut-on m'en vouloir après tant de nuits noires ?

Nayden passe un doigt sous mon menton, rapproche doucement son visage du mien. J'ai arrêté de respirer. En sa présence, toutes mes fonctions vitales sont inutiles.

Il savoure ces quelques millimètres qui nous séparent, s'éloigne juste assez pour m'agacer. Si je me rapproche, il s'amuse à me faire stagner devant la tentation.

Je me soulève, juste assez pour atteindre sa bouche. Mes paupières se ferment sous l'effet de ce moment savoureux que nous faisons naître sans effort.

De douceur, mon cœur s'embrase, mon épiderme aussi, faisant sautiller ses doigts contre ma peau devenue de braise. Ses cheveux sont si doux entre mes doigts.

Je me laisse basculer vers l'arrière, entraînant Nayden avec moi dans cette chute où j'ai enfin pris le contrôle – un bref instant. Déjà mes émotions touchent ce ciel que je peux atteindre en sa présence, ces étoiles que je peux toucher et cette lune où je peux m'asseoir. Cette fidèle compagne ne m'a jamais quittée.

Les lèvres de Nayden décrivent un chemin que tous les cartographes du monde n'arriveraient à suivre.

Il s'arque sous mes caresses, plie sous mes baisers. J'aimerais posséder plus d'une main pour le découvrir tout entier. Je dois me satisfaire d'une bouche avide, de dix doigts et d'une volupté flamboyante.

Dire «je suffoque» n'est pas assez fort encore. Mon cœur s'emballe puis s'arrête. Le battement reprend son rythme débridé et de nouveau s'apaise. Aucun métronome n'arriverait à le stabiliser, parce que sous ce torse d'homme soudé à ma poitrine, cet autre cœur bat aussi fort que le mien.

Rien au monde ne me ferait redescendre de ce nuage.

Rien ne me ferait mourir à part lui, petit à petit.

Mes pensées s'embrouillent. Je ne suis plus qu'un amoncellement de sensations; l'esclave d'une passion à laquelle je me dévoue tout entière. Corps et âme.

Jusqu'à ce que la lune tombe du ciel et que le soleil éclate, je serai à jamais ton unique Flocon de neige.

Je descends sans vraiment m'en rendre compte tant je flotte au-dessus des marches. Je sautille jusqu'à la cuisine et me poste derrière l'îlot. Nayden me suit.

— Tu me dictes quoi faire à manger, et j'exécute.

Nayden ricane puis s'assoit lourdement sur la chaise. Il est toujours aussi mal en point après tout.

— Et si je faisais des crêpes ?

Il sourit.

Nous mangeons donc notre délicieux petit-déjeuner en discutant tout bonnement, à croire qu'aucun de nous deux n'a vu la guerre défiler devant soi. Un vrai couple comme les autres. Après un moment, tout me revient et je dois pincer les lèvres pour me convaincre que je ne suis pas égoïste de vouloir vivre un moment amoureux.

— Emma… Je ne t'ai pas posé beaucoup de questions depuis notre retour du parlement, mais je vois bien que quelque chose ne va pas.

J'ai tué ma sœur, voilà ce qui s'est passé. Je pose mes ustensiles contre mon assiette.

— Ça va, dis-je d'une voix lamentable. Tout va bien.

— Arrête de me mentir.

Mes épaules s'affaissent sous le poids des reproches contenus dans cette petite phrase. J'aimerais être honnête avec lui, rester ici à voler dans l'éther avec lui, pour enfin me sentir vivante, pour me dire que mon avenir existe… Pourtant, ces instants me seront enlevés.

Je passe une main dans mes cheveux.

— D'abord, j'ai moi aussi une question, Nayden.

— Je t'écoute.

Mon regard le fuit autant que faire se peut, même s'il se trouve en face de moi.

— Pourquoi m'avoir dit de suivre la voie ferrée quand nous étions dans le wagon de Caleb ?

Il ouvre la bouche.

— Pas de mensonge, ajouté-je.

Il soupire : j'ignore si c'est parce qu'il s'apprêtait à me mentir ou bien à me dire la vérité.

— Parce que je savais que tu allais être en sécurité.

— Donc, tu savais que ta mère allait me trouver ?

— Pour être franc, non, dit-il en reculant contre le dossier de sa chaise. Je lui ai demandé son aide dans un message après avoir repéré son ordinateur avec Ezra. Donc, la soirée juste avant qu'on nous retrouve, j'ai contacté ma mère… pendant que tu dormais.

— Je vois. Alors tu m'as menti ? Tu savais qu'elle n'était pas morte ?

Il serre brièvement la mâchoire.

— Non, je ne t'ai pas menti, Emma. J'ignorais même si la personne que j'avais contactée était réellement ma mère. J'ai seulement réussi à trouver le signal qu'émettait la puce de son ordinateur dans un lieu non loin du wagon de Caleb. J'ai pensé que tu serais mieux protégée là-bas qu'avec moi, peu importe qui s'y cachait – au fond, j'espérais que ce fût ma mère, oui. C'était notre porte de sortie si jamais les choses tournaient mal. Manifestement, elle s'est avérée très utile.

J'accepte en pensant à tout ce qu'a fait Lauren pour ma famille et moi.

— À mon tour de poser les questions, enchaîne-t-il. Qu'est-ce qui s'est passé ?

Alors je lui résume les parts manquantes de notre histoire. Je lui raconte tout ce que j'ai appris, tout ce que j'ai fait, mais comme j'en viens à Effie, je m'arrête.

— Et ensuite ? m'encourage-t-il.

Je fais non de la tête et perds mon regard dans l'étendue du paysage que m'offre la baie vitrée. Ma vue se couvre d'un voile de larmes que je chasse en clignant. J'esquisse un sourire.

— Je suis venue te rejoindre, après avoir envoyé ma famille chez ta mère. Voilà.

Je me lève, le débarrasse de son couvert et m'éclipse à la cuisine pour poser le tout dans l'évier.

Mes mains tremblent. Je les passe sous l'eau du robinet pour me ressaisir. J'entends Nayden se lever et se poster entre la cuisine et la salle à manger. Alors que je m'apprête à quitter la pièce, il me prend par les épaules.

— Tu es certaine que ça va ? s'enquiert-il.

Je le dévisage. *Non, ça ne va pas. Rien ne va. Ma mère me déteste parce que j'ai tué ma petite sœur et dans une semaine, je vais devoir dire au revoir à tout ce que j'ai connu, aimé, vécu.* Je voudrais qu'il lise en moi ces pensées criées intérieurement et qui ricochent contre ma boîte crânienne, morcelant ma conscience de honte et de désespoir. Or, ce n'est que l'écho de ma peine qui vient se poser sur mes lèvres en un sourire que je force. Je ne veux pas parler, j'ai trop peur que ma voix se casse encore. Il finit par me laisser passer. Mon cœur cogne entre mes côtes. Je soupire devant la bibliothèque. Nayden caresse mes épaules du bout des doigts.

— Je monte, tu me rejoins ?

— Oui, donne-moi une minute.

Il embrasse ma tempe et gravit l'escalier.

Je choisis enfin un livre et monte les marches. Je me jette sur son lit, la tête sur son ventre musclé. Je lève le livre devant mon visage et feuillette les pages sans arriver à lire quoi que ce soit.

Je reconnais quelques mots, parce qu'il me semble les avoir appris autre part, mais rien qui me permette d'en comprendre l'intégralité.

— Pourquoi est-ce que je reconnais l'alphabet, mais suis incapable de lire quoi que ce soit ?

Il incline la tête, la main derrière la nuque, caresse mes cheveux.

— C'est de l'anglais *love*, chuchote-t-il.

— *Love* ?

— Ça veut dire « amour ».

— Ah…

Je rougis et reprends :

— Donc, tout ça, c'est de l'anglais ?

— Oui. La plupart des chansons que tu chantes en sont probablement aussi. C'est pour ça que tu as reconnu quelques mots. C'est un recueil de poèmes.

— Que fais-tu avec un recueil de poèmes chez toi ?

Je ricane doucement et tourne quelques pages jusqu'à un poème où il a lui-même apposé une petite note. Mes doigts effleurent sa calligraphie.

— Pourquoi y a-t-il une note près de celui-là ?

— Parce que c'est mon préféré et que je l'ai traduit. Cela s'intitule *He wishes for the Cloths of Heaven*[1].

Il s'éclaircit doucement la voix.

— « Si j'avais les voiles brodées du ciel
Ourlées de lumière d'or et de reflets d'argent
Les voiles bleues, diaphanes et sombres
De la nuit et du jour, de la vie et du temps
J'étendrais ces voiles sous tes pieds
Mais tu sais, je suis pauvre et je n'ai que mes rêves
Alors c'est d'eux qu'il faudra te contenter
Marche doucement, car tu marches sur mes rêves. »

Je relève les yeux, impressionnée malgré moi qu'il connaisse ce poème par cœur et d'autant plus surprise de déceler un accent complètement différent de ce que j'ai l'habitude d'entendre dans sa voix. Quelque chose de plus grave, de plus coulant et de plus raffiné tout à la fois, qui donne un aspect de rêve à ce poème dont les mots me touchent.

Il me sourit tendrement. Lui qui a tant de fois déroulé ses rêves sous mes pieds. Lui qui incarne ce rêve pour moi, ces voiles bleues, diaphanes et sombres de ce que je connais de plus beau.

---

1 Poème de William Butler Yeats. Traduction de l'auteure.

— C'est un magnifique poème, Nayden.

Il est d'accord.

— Voilà pourquoi c'est celui que je préfère.

Il fronce doucement les sourcils, laisse tranquillement ses doigts traîner dans mes cheveux.

— Em, dis-moi… est-ce que tu sais quelle langue tu parles ?

Je grimace et repose le livre contre mon abdomen. Les yeux rivés au plafond, je réfléchis. Non. Je ne crois pas connaître le nom de la langue que je parle. Je ne crois pas qu'on me l'ait même dit un jour. Constatant mon mutisme, Nayden entortille une mèche de mes cheveux sur ses doigts.

— Tu n'en as vraiment aucune idée ?

— Non…

— Tu parles allemand, Emma.

— Et ça a le même alphabet que l'anglais ?

— Oui, à une lettre près.

Je pianote distraitement contre la couverture du livre.

— Combien de langues parles-tu, Nayden ?

Il réfléchit.

— Quatre. L'allemand, l'anglais, le français et le russe.

— Et laquelle tu préfères ?

— L'allemand.

— Et pourquoi ?

Il pouffe doucement, ce qui me fait instantanément relever la tête vers lui.

— Parce que c'est la langue que tu parles.

Je presse le livre contre moi et ferme les yeux. Je crois bien que mon cœur a manqué un battement.

— Tu parles russe avec ton père, pas vrai ?

Il acquiesce.

— Et le français, à quoi ça ressemble ?

— C'est… compliqué.

Je m'esclaffe.

— Tu m'apprendras un jour ?

— Bien sûr, me promet-il sans une seule seconde d'hésitation.

Des perspectives d'avenir à ses côtés me rassurent et me torturent tout à la fois.

Quelques minutes passent où je continue de feuilleter le recueil, quand je sens ses doigts se relâcher dans mes cheveux et sa respiration devenir plus régulière. Il s'est endormi. En silence, j'embrasse doucement son front et me rends au rez-de-chaussée sur la pointe des pieds. Je pose le livre sur la table du salon et tire Ezra vers moi. Je l'allume et appuie sur quelques touches jusqu'à ce qu'elle réagisse.

— Inutile de me marteler ainsi, mademoiselle, j'étais déjà prête à recevoir vos ordres.

— Moins fort, Ezra ! dis-je, exaspérée.

— Pardonnez-moi, dit-elle plusieurs tons plus bas.

— C'est bon, ça va… est-ce que ma famille va bien ?

— Aux dernières nouvelles, oui, mais j'ai peur que votre jeune frère ne dise plus un seul mot depuis votre départ et celui de sa jumelle.

Ma poitrine se compresse dans un étau.

— Ah non ?

— Non. Au mépris de tous les efforts de Julyan, il refuse de dire quoi que ce soit. Et selon la base de données à laquelle j'ai accès, madame Keyes aurait fait une mention concernant la musique. Il semblerait qu'elle fasse de moins en moins effet sur lui.

J'enfouis mon visage entre mes mains. Je m'en veux terriblement.

— J'en conclus qu'il ne va pas bien.

— Selon les informations auxquelles j'ai accès, non, mademoiselle.

J'avise mes mains. Je compte mes doigts : toujours dix.

— D'accord. Merci Ezra.

— De rien, mademoiselle. Si vous avez besoin de quoi que ce soit, je suis là.

— Oui, c'est gentil. Garde un œil sur eux, d'accord ?

— Je le ferai.

L'ultimatum se rapproche. Mes secondes s'étiolent. Mes minutes s'égrainent et mes heures se consument. Bientôt, mes souvenirs ne seront plus que des firmaments d'étoiles qui, je l'espère, seront conservés précieusement en constellations par Nayden. Parce que c'est seulement ainsi que je leur assurerai un brin de survie avant qu'à nouveau je puisse contempler les étoiles en sachant qu'elles veulent dire plus que ce qu'elles prétendent. Et puis, les étoiles sont quasi éternelles : auprès d'elles, ma mémoire le deviendra aussi.

Douze

Je suis assise sur le sofa et plongée dans mon roman depuis plusieurs minutes déjà. Nayden me donne l'accolade, son nez au creux de mon cou. Impossible de poursuivre ma lecture des *Hauts de Hurlevent* : lui dans les parages – et si près de moi de surcroît – je ne peux que poser mon livre sur mes cuisses et attendre la suite.

— Je vais me doucher, tu viens ?

Je lui réponds que je le rejoins après avoir terminé mon chapitre, ce qui me donne quatre pages pour me ressaisir. Il embrasse ma mâchoire, ma joue puis ma tempe.

— Ne tarde pas trop.

Les lettres se mettent à valser, rendant tous ces mots incompréhensibles. D'ici, j'entends l'eau se mettre à couler dans la douche, mais j'ai l'esprit tellement ailleurs que ce bruit m'indiffère autant que l'éternuement d'une fourmi. Inutile d'essayer de lire.

On frappe à la porte.

Mon sursaut est si grand que le roman me tombe des mains. De la salle de bain, Nayden n'a sûrement rien entendu...

Les coups reprennent doucement, trop doucement.

Je connais cette façon de frapper. Je l'ai déjà entendue. Une fois. Tout aussi terrifiante qu'aujourd'hui. Je me lève, marche sur mon livre et pose ma main sur la poignée. Je tourne et ouvre d'à peine une vingtaine de centimètres.

J'ai déjà vécu ça. J'ai déjà connu ça. Et surtout, j'ai déjà vu cet homme blond vêtu d'un faux uniforme de facteur avec le nom de Walter écrit dessus et ses yeux bleus perçants qui n'ont rien de sain.

— J'ai un message de la part du général Prokofiev à l'intention d'une certaine Emma Kaufmann.

Son calme me fait frissonner.

— C'est moi... articulé-je d'une voix trahissant une absence d'assurance flagrante.

Il sait que j'ai menti la dernière fois. Inutile de mentir de nouveau.

Il n'a aucune lettre en main. Pas de colis qu'on souhaite faire passer pour un leurre non plus. C'est un message verbal, ou plutôt, une menace.

— Le général m'a chargé de vous demander de ne plus jamais essayer d'entrer en contact avec votre famille. Il tient à préciser qu'il a été, lui semble-t-il, très clair à ce sujet: aucun contact n'est permis.

Il fait claquer ces quatre derniers mots si sèchement qu'ils m'écorchent le visage.

— Je n'ai pas...

Il m'arrête:

— Aucun contact. Il sait tout, mademoiselle. N'en doutez pas, cela causerait votre perte et le ravirait plus que vous le pensez.

Je suffoque. Cet homme est pire qu'un automate. Combien d'âneries lui bourrent aujourd'hui le crâne ? Il a le cerveau tellement lavé ; je serais même étonnée qu'il pense lui-même à aller aux toilettes quand il en a envie.

Son œil est fixe, comme mort.

— Il tient aussi à, aimablement, vous rappeler votre rendez-vous dans deux jours. Où que vous soyez, il vous trouvera. À ce sujet, il vous conseille fortement de porter les plaques du lieutenant-général afin de faciliter votre localisation. Dans le cas contraire, il y arrivera tout de même.

Il me sourit. Vraiment ? Cet étirement de lèvres vers le haut est aussi carnassier que celui du général Tchekhov lorsqu'il me torturait au sous-sol du parlement. Tout comme lui, il aime savoir que je suis prise au piège et sans défense quoi que je fasse. Il est à l'image de cet animal sordide qui en contemple un autre mourir en espérant que sa mort soit d'autant plus lente et douloureuse maintenant qu'il regarde.

Je le déteste. Lui et son cerveau lavé. Lui et son sourire que je réduirais en poussière. Lui et son message ridicule.

— Sur ce, passez une agréable journée, mademoiselle.

Je ne lui réponds pas. Je lui cracherais au visage si je n'étais pas aussi tétanisée. À défaut, je lui claque la porte au nez dans l'idée qu'elle lui explosera la tête, et la verrouille d'une main tremblante.

Deux jours. Il me reste deux jours. Comment cinq jours peuvent-ils avoir passé si vite ? Qu'ai-je pu faire pour qu'on me vole cinq jours entiers sans que j'en aie conscience ? Hier, qu'ai-je fait ? Et le jour d'avant, et celui qui le précédait ?

Contacter les membres de ma famille... tout ce que j'ai fait, c'est demander à Ezra de leurs nouvelles. Visiblement, je n'en avais pas l'autorisation non plus.

Mes mains tremblent tant je suis secouée. J'avance sans m'en rendre compte. Je louche sans rien voir. Je n'entends rien. Je ne sens rien. Devant moi, la porte de la salle de bain se brouille tandis qu'une larme me sillonne la joue. Sans même retirer le chandail de Nayden que je porte, j'entre dans la douche et l'enlace. Il me tourne le dos, alors j'en profite pour enfouir mon visage près de sa colonne vertébrale pour lui dissimuler mes larmes et qu'elles se mêlent au ruissellement le plus rapidement possible.

Il pose ses mains sur les miennes, se tourne brièvement vers moi, se rend compte quasi instantanément que quelque chose ne va pas.

Il remue dans mes bras, pose son menton sur le sommet de mon crâne pendant que le mien vient reposer sur son torse.

Je susurre :

— Je n'ai pas envie de partir, Nayden...

Ses bras se resserrent autour de mes épaules.

— Je ne te laisserai pas non plus. Je ne te laisserai pas partir où que ce soit, mon amour.

Je soupire. Si seulement c'était si facile. De ses mains, il repousse doucement mes cheveux vers l'arrière.

Je me lève sur la pointe des pieds et retombe de peu sur la plante de mes pieds après un baiser furtif.

— Et si nous sortions, ce soir ?

— Sortir ? répète-t-il en fronçant les sourcils d'un air incertain.

Je fais signe que oui.

— Je n'ai pas la tête à rester enfermée.

— Ce n'est pas un peu risqué ?

Négatif. Le plus gros risque que j'encours, c'est de m'approcher un peu trop de ma famille ou de la frontière. Ce qui ne devrait pas arriver.

— Fais-moi confiance...

Il soupire et mes épaules s'affaissent sous son poids. Il ne sait plus s'il doit me faire confiance. Je le comprends, même si c'est dur à avaler. Je lui cache trop de choses. Trop pour qu'il se laisse aller à comprendre ce que je manigance. Puisque je manigance. J'agis à son insu. Pour lui. Je laisse retomber mes mains le long de mon corps. Contre le mur de verre de la douche, et où que je me tienne, je suis aspergée de longs filets d'eau qui m'inondent.

Je voudrais me faire engloutir, disparaître par le drain, juste pour me dérober à sa vue et à sa présence, qui m'assaillent sur tous les fronts.

Mes genoux s'entrechoquent pendant que mes mains se ferment en deux poings. *Inspire. Expire.* Je suis ruisselante d'eau chaude et pourtant j'ai si froid. J'aimerais ne pas me mettre à trembler, mais c'est plus fort que moi. Je suis mille fois moins courageuse que j'ose le prétendre.

— Et si nous allions patiner, Flocon de neige ?

Je reviens à moi. Nayden passe une main dans ses cheveux. Elle s'arrête à sa nuque où de longues gouttes glissent. Même trempé, forçant un sourire, il est divin.

— Oui. Je veux bien.

Une dernière fois.

Il relâche la tension. Le regard dont il me couve me ramollit les jambes encore davantage. Je manque de me liquéfier à ses pieds. Je ne dois pas quitter des yeux son visage, non plus. Autrement, je virerais écarlate, et ce ne serait pas à cause de la chaleur. Je ne me suis toujours pas habituée à le voir nu. C'est un genre d'intimité auquel je ne m'habituerai pas de sitôt.

Il approche, fait glisser ses paumes sur mes épaules jusqu'à l'intérieur de mes coudes, puis jusqu'à mes poignets où ses mains se fondent aux miennes. Son corps me presse contre le verre. Il fait passer mon chandail trempé. J'ai à présent si chaud que je pourrais le faire fondre d'une simple expiration saccadée dans sa direction.

Seulement, Nayden a prévu le coup et sa bouche rejoint vite la mienne. Sa langue danse avec la mienne, mon souffle s'entortille au sien, mon corps chante pour lui, sans crainte, sans peur, sans rien pour me remémorer qu'il n'y a pas cinq minutes, un homme au regard fou prenait soin de me rappeler à quelle cadence s'écoule le sable de mon sablier.

Mes mains sont avides de le prendre contre moi, si ce n'était que les siennes me retiennent obstinément contre le mur, alimentant tel un brasier la passion qui m'enflamme.

Avec lui, le monde est brûlant, incandescent et d'une effervescence folle qui me fait songer l'espace d'un instant que la magie existe. Qui me fait prendre conscience que j'aime ce brasier plus que n'importe quelle chaleur, peu m'importe l'égoïsme qui s'en dégage. Qui me fait songer que je suis prête à me battre pour garder ce feu vivant, quitte à mourir brûlée vive par ses flammes.

J'ignore comment il y arrive, mais il trouve la force d'arrêter. Nous avons de la chance : j'en aurais été incapable. Ses mains dans mes cheveux trempés, il soupire contre mon visage. Je voudrais souder son front au mien dans cette infinie tendresse.

Il stoppe l'eau et sort en me tendant une serviette après s'en être lui-même noué une aux hanches.

Je la serre contre moi et m'éponge distraitement, la pupille rivée sur un point fixe que je ne suis même pas certaine de distinguer tout à fait. Un espace incertain, peut-être, entre ses omoplates découpées au couteau, ses muscles qui glissent sous sa peau couleur sable, sa gestuelle d'une sensualité déconcertante qui me chavire un peu plus. Notre amour tumultueux me tue un peu plus à chaque vague.

L'amour, c'est votre salut ou votre damnation. Ce qui vous donne des ailes ou vous cloue au sol. Ce qui vous fait perdre la raison ou donne un sens à votre vie.

Pour ma part, Nayden m'aura donné des ailes le temps que j'ai su voler. Il aura donné un sens à ma vie les quelques fois où elle ne se dérobait pas. Et j'aurai moi-même signé ma damnation en choisissant de l'aimer.

Un coup typique du sort.

Treize

C'est aujourd'hui. Aujourd'hui que je dis au revoir à tout ce que je connais. Aujourd'hui que je plonge dans un inconnu plus terrifiant que toute l'horreur du monde. Le temps frappe si fort à ma porte que même sourde je l'entendrais.

Je me réveille avant mon amoureux, pressée d'une angoisse qui me donne des sueurs froides. Par la baie vitrée, je m'aperçois à la hauteur du soleil que la moitié de la journée a sans doute déjà filé.

Je me retourne dans l'étreinte de Nayden, vers son visage, que je touche du bout des doigts. Il pousse un long soupir qui chatouille la peau de mon visage. Je presse mon front contre le sien, effleure de mes lèvres sa bouche. Je voudrais pouvoir tous les matins le réveiller ainsi.

Il revient lentement à lui. Je pose mes mains sur son buste. Le coin de ses lèvres se tire vers le bas, et Nayden se détourne rapidement. Je ricane et m'excuse tout bas de l'avoir réveillé. L'une de ses mains vient étreindre les miennes, qu'il porte à ses lèvres.

Je reste de longues minutes à le contempler, à attendre de replonger dans cet océan de vert et d'ambre.

J'embrasse son front puis :

— Je reviens.

Il pousse un petit grognement désapprobateur, je ricane. Je suis sur le point de poser le pied sur le plancher, quand ses bras m'entourent la taille et me ramènent sur le lit.

— Nayden…

— Emma ?

— Il faut que je me lève.

— Non.

— Oui.

— Non, non. Tu restes ici, grommèle-t-il de sa voix encore endormie qui lui confère un charme difficile à ignorer.

— Je reviens tout de suite, il faut seulement que j'aille aux toilettes.

Je mens. Je ne veux pas vraiment aller aux toilettes.

— Tu iras plus tard.

Je lève les yeux au ciel.

— Non, il faut que j'y aille maintenant.

— Et moi, je dis plus tard.

— Tu es pire qu'un gamin ! râlé-je.

— Oui, dit-il sans aucune honte.

Je tente de me défaire de son emprise, sans grand succès. Je retombe contre son torse en soupirant. Je le sens sourire contre mon épaule, qu'il couvre de baisers.

— Nayden…

— Non.

— Nayden !

— Non !

Je lui fais face, exaspérée. Il ouvre une paupière, puis l'autre et me sourit de toutes ses dents.

— Tu es insupportable, le réprimandé-je.

— Je sais.

J'éclate de rire et pince son nez entre l'index et le pouce. Voyant que la force ne fonctionne pas, je change de tactique.

Ma bouche retrouve la sienne comme si elle connaissait le chemin d'elle-même. Rapidement, mon souffle s'accélère et l'envie de respirer s'estompe. Il me fait rouler sur lui.

Ses mains glissent peu à peu, relâchent lentement leur pression autour de ma taille. Maintenant à califourchon, j'en profite pour m'éloigner dès que ses baisers se font plus entreprenants. Je saute au sol et cours jusqu'à l'escalier. Je lâche un petit cri aigu alors que ses mains passent à quelques centimètres de mes hanches.

Il s'avoue vaincu et se laisse choir sur la couche, bras derrière la nuque. Je lui tire la langue entre deux sourires.

— Je reviens, dis-je en descendant les marches, mon grand sourire toujours perceptible dans ma voix.

— Tricheuse ! me crie-t-il une fois que j'ai disparu de sa vue.

Je m'esclaffe doucement et lorgne l'escalier pour m'assurer qu'il ne m'a pas suivie. À ce moment, j'attrape Ezra et cours sur la pointe des pieds jusqu'à la salle de bain. Je ferme la porte et pose l'ordinateur.

— Ezra ?

— Oui, Emma ?

— Tu pourrais faire quelque chose pour moi ?

— Bien sûr, que puis-je faire pour vous ?

— Je voudrais écrire un message à Nayden que tu garderais en mémoire et qui apparaîtrait la prochaine fois qu'il se servira de toi. Tu peux faire ça ?

— Oui, bien sûr ; j'ouvre l'application.

Aussitôt, une page blanche s'illumine et un petit curseur clignotant apparaît à gauche.

J'inspire profondément et commence à écrire. J'immortalise par quelques lignes tout ce à quoi je pensais ces derniers jours. Une fois que j'ai terminé, je le mentionne à Ezra.

— C'est la dernière fois, Ezra.

— Vous avez accepté le marché ?

— Oui. C'est… mieux ainsi.

— C'est un au revoir, alors.

J'acquiesce. Ezra poursuit :

— Vous êtes étranges, vous humains, avec vos sacrifices. L'histoire à laquelle j'ai accès dans ma base de données en parle souvent, d'ailleurs. C'est intrigant, vu que votre instinct de survie devrait vous persuader du contraire.

J'esquisse un sourire. C'est contre-instinctif de se sacrifier, tout comme ce le serait de se suicider. Mais dans l'optique où tous ceux que j'aime pourront ainsi survivre… Un sacrifice contre quatre vies – et peut-être bien d'autres encore si mon plan fonctionne –, ou ce qui aurait dû être cinq vies.

— Au revoir, Emma Kaufmann, me dit alors l'ordinateur de Nayden.

— Au revoir, Ezra.

J'abaisse l'écran. Je me ressaisis et éponge mon visage avec de l'eau froide pour faire disparaître la rougeur de mes joues et de mon nez. Je sors de la salle de bain, repose l'ordinateur sur la table du salon, tout près de la locomotive de mon frère. J'y touche avec un pincement au cœur et monte les marches quatre à quatre. Une fois en haut, je tombe sur Nayden qui s'habille.

— Je ne pensais pas qu'il était si tard, dit-il.

Je jette un coup d'œil au réveille-matin posé sur la table de chevet. En effet, il est déjà midi. Je m'habille à mon tour. Mes doigts s'arrêtent sur une chaîne en métal : ses plaques militaires. Je les glisse à mon cou, puis sous mon chandail.

Les yeux de Nayden tombent dessus.

— Pourquoi est-ce que tu tiens tant à ces plaques ?

— Parce qu'elles sont à toi, répliqué-je.

Il sourit. Je me décompose à son insu.

— Et si nous allions voir Juliette aujourd'hui ? Cela fait longtemps que je suis allé la voir, dit-il.

Ma bouche s'ouvre, puis se referme. Je compte jusqu'à cinq avant de céder.

— Oui, bien sûr, allons voir Juliette.

* * *

Nous entrons dans l'hôpital sans nous faire remarquer. Mes doigts sont entrelacés à ceux de Nayden tout au long du parcours. Nous prenons l'ascenseur avec au moins quatre autres personnes, qui nous dévisagent les sourcils froncés. Nayden a encore une partie du visage violette et moi, quelques égratignures tenaces sur la joue et autour de l'œil.

Nous rejoignons la chambre quatre cent soixante-seize. J'hésite à lâcher sa main quand il pose le pied sur le seuil.

Sa sœur est toujours là, endormie, l'air éteint en dépit de sa douceur et de son innocence. Elle a à peine changé depuis la dernière fois que je l'ai vue. Ses cheveux couleur chocolat encadrent encore son visage ovale à la peau de porcelaine, constellé de minuscules taches de rousseur au niveau du nez.

Sur la table de chevet, un frais bouquet de fleurs a été déposé, embaumant la pièce d'un parfum d'été.

Nayden tire deux chaises et me désigne l'une d'elles d'un pâle sourire. Dans le couloir, une infirmière qui passe s'arrête dans le cadre de la porte. Nayden se tourne rapidement vers elle, fait signe que tout va bien. La dame le reconnaît aussitôt et esquisse un sourire que je confondrais aisément avec une grimace. Elle s'éclipse d'un pas raide.

Je défais les boutons de mon manteau, assaillie par une vague de chaleur, et retire mon béret. Je le serre entre mes doigts, qui tremblent de plus en plus.

Je sais qu'ils ne tarderont pas à arriver. Je le sens. Il me reste peu de temps. Si peu. Ma tension monte et c'est uniquement le *bip* régulier du cœur de Juliette qui arrive à me calmer… un peu. Je tape du pied sans m'en rendre compte.

— Emma… Tu… tu voudrais chanter pour Juliette ?

Le ciel vient de me tomber sur la tête. Je me défile. Mes joues nagent dans une mer d'eau salée. Il tend la main vers mon menton.

— Nayden, je ne peux pas…

Je m'étrangle. Je ne peux pas chanter. À cause d'Effie. Et de ce que je me suis promis après l'avoir vue mourir.

— S'il te plaît.

Je regarde de nouveau sa sœur, qui me fait tellement penser à la mienne tout à coup. Est-ce là ma chance de me racheter en rallumant la flamme que j'ai vue mourir ? En permettant à ce rayon de soleil d'écarter les nuages ?

Oui. En Juliette j'arrive à voir celle que j'ai vue mourir dans mes bras.

Avec elle, je peux expier mes fautes, dont celle d'avoir tué Effie. Je commence d'une voix qui n'a jamais été aussi tremblante.

— *Somewhere over the rainbow, way up high… There's a land that I've heard of once in a lullaby.*

J'inspire un grand coup. Ma voix tremble tant que je n'ai même pas l'impression de chanter.

— *Somewhere over the rainbow, skies are blue… And the dreams that you dare dream, really do come true.*

Je soupire. *Continue de chanter, Em. Tu peux rallumer la flamme.* Je serais prête à voler le sablier du temps pour rester plus longtemps. À renoncer au paradis parce que je l'ai trouvé, ici. Parce que j'ai trouvé ce qui me permet de passer outre ma haine envers ce temps qui m'échappe sans arrêt.

— *Someday I'll wish upon a star... And wake up where the clouds are far behind me... Where troubles melt like lemon drops... Away above the chimney tops, that's where you'll find me.*

À ce vers, je vois Nayden, qui me dévisage. Je suis secouée de sanglots.

Le temps me manque, me presse, me vole les instants de vie que je voudrais passer auprès de *lui.* Il n'entend que ma voix, mais moi, j'entends déjà leurs bottes marteler le sol.

Il y a une de nos conditions que le général ne respectera pas. Nayden va me voir partir avec eux. Il me verra me faire arracher à lui, j'en suis persuadée.

On m'a menti. J'ai donné mon âme au diable.

— *Somewhere over the rainbow, bluebirds fly... Birds fly over the rainbow...Why then, oh why can't I ? If happy little bluebirds fly beyond the rainbow...Why, oh why can't I ?*

Quatre mains se referment sur mes bras et je ferme les yeux, incapable de supporter le regard implorant que Nayden me lance. Je me suis levée sans m'en rendre compte parce que je savais qu'ils étaient là. J'ai reculé parce que je savais qu'ils venaient pour moi.

Je tremble de tout mon être. Je suffoque à en mourir d'asphyxie.

Il hurle mon nom, mais on m'attire déjà loin de lui. Je tâche de faire la sourde oreille, mais le bruit d'une lutte à mains nues me parvient trop distinctement pour que j'y fasse abstraction. Il se bat pour me défendre d'un enlèvement que j'ai moi-même orchestré.

Je devrais me laisser faire, me laisser ballotter par cette mer qui m'emmène déjà loin. Mais il faut au moins que j'essaie de me battre avant d'abdiquer pour de bon.

— Nayden !

J'ai beau hurler, rien ne vient à ses oreilles.

Ils sont bientôt six à tenter de le retenir ; puis deux d'entre eux tombent au sol après quelques instants. L'un des soldats dégaine son pistolet et le braque sur la tempe de Nayden en chargeant le canon. Un quatrième soldat se retrouve désarmé, et mon lieutenant-général pivote lui aussi, pistolet au poing.

Cette fois, comme je crie, il cesse de se débattre. Son visage se couvre de larmes et son souffle soulève compulsivement ses côtes. Il faut que je le calme. Que je lui fasse comprendre que c'est inutile : qu'il le veuille ou non, il faut que je parte.

— Je n'hésiterai pas à tirer, Lieutenant-général ! beugle le militaire qui le tient en joue. Lâchez votre arme immédiatement !

— Nayden, arrête ! imploré-je.

— Elle a conclu un marché. Que ça vous plaise ou non, elle doit nous suivre. Lâchez votre arme, répète le sergent d'un ton menaçant.

Nayden se débat encore, la pression augmente contre son crâne et un coup de crosse s'abat dans son dos. Il ne peut rien contre eux.

Ces soldats ont un ordre clair et précis : me ramener à leur base. Le dernier mot que j'aurai en tête sera «désespoir»; le seul nom que j'aurai sur les lèvres sera *Nayden Prokofiev.*

— Je suis désolée… tellement désolée.

Le couloir semble avoir été évacué – je suis presque soulagée de savoir que personne d'autre ne m'aura vue aussi hystérique. Par la fenêtre de la chambre de Juliette, je vois une chose incroyable qui me donne espoir que Nayden ira bien. Je me calme.

Juliette s'est réveillée.

Elle bat des cils, tend la main mollement vers la canule dans son nez. Puis elle se redresse sur son lit avec une lenteur maladive. *Tu dors depuis bien longtemps, ma belle, prends ton temps,* ai-je envie de lui dire.

Je m'en veux de lui imposer un tel chaos après un si long sommeil, mais c'est peut-être au contraire ce qui l'a réveillée; le sentiment que son frère aura besoin d'elle plus que tout autre à présent.

Nayden m'apparaît soudainement déchiré en deux. D'une part, il voudrait me retenir et de l'autre, se jeter sur sa petite sœur pour l'embrasser.

Vas-y, Nayden. Juliette a besoin de toi. Et toi, tu auras besoin d'elle.

Une infirmière se faufile jusqu'à Juliette.

Les soldats quittent la pièce un à un pour m'escorter; quatre autres retiennent encore mon amour.

Je n'ai pas besoin de m'ingénier pour savoir que le général Prokofiev n'est nulle part.

De plus belle, je me débats, non résolue à lui dire au revoir ainsi.

J'ai tout juste quelques secondes pour glisser mes lèvres sur sa joue et lui murmurer :

— Ne m'oublie pas.

On m'arrache à ce que j'ai de plus précieux.

J'arrive tout de même à remonter ma main jusqu'à ma poitrine en dépit de la poigne de fer qui m'enserre, et tire d'un coup sec sur la chaîne à mon cou pour la jeter à mes pieds.

On m'enlèvera ses plaques de toute façon, je préfère que ce soit lui qui les garde.

On m'emmène de plus en plus loin, dans un courant que je ne suis pas prête à suivre. Je me dévisse le cou ne serait-ce que pour faire face à Nayden encore une fois.

Alors je le contemple jusqu'à la toute fin. Jusqu'à ce que l'horizon de mon amour se soit perdu dans un brouillard dense et que notre unique avenir ressemble à un ciel constellé de souvenirs.

Quatorze

On me pousse dans l'ascenseur, mains attachées derrière le dos. J'enfile tous les corridors la mine basse, escortée d'une escouade haute sécurité. Je relève le menton et j'affronte tous ces regards qu'on me porte.

On fait des messes basses, s'étonne, s'exclame, dans des chuchotements sonores. Je reste de marbre. Je ne sens rien sauf les mains rugueuses des soldats qui me lient les bras.

Puis on me fait entrer dans un genre de véhicule tout-terrain. Je suis flanquée de quatre soldats: un sur chaque front. Le silence dont on me gratifie est lourd et pénible, troublé uniquement par ma respiration saccadée. Je n'ai pas été en mesure de respirer normalement depuis l'hôpital. Mes doigts n'ont pas cessé de trembler après la dernière fois où j'ai touché la peau de Nayden.

Une quinzaine de minutes plus tard, le véhicule s'immobilise. On me fait descendre sans se préoccuper de savoir si ma tête frappe le cadre de la portière ou si je glisse dans la neige. Pas plus qu'on ne me vient en aide lorsque je m'affale dans un mélange de boue, de neige et de sel. On m'ordonne d'avancer. Les néons m'aveuglent. On me pousse dans un couloir, puis dans un deuxième et dans un troisième, me bousculant tous les deux pas sous prétexte que je n'avance pas assez rapidement. On m'ouvre une porte et me déleste de mes menottes, sans pour autant que la patrouille ne relâche sa prise autour de mes bras. Devant moi se trouve un lit comparable à ceux des hôpitaux.

Toutefois, l'endroit évoque davantage une salle d'opération : j'y dénombre des dizaines de machines et d'instruments plus sophistiqués les uns que les autres... ainsi que des sangles au lit. C'est le genre de technologie médicale dont j'ignore à peu près tout.

Quelqu'un entre dans la pièce à ma suite. Par sa seule présence, j'arrive à l'identifier. Je lui envoie toute la haine et le ressentiment dont je suis capable.

Son impassibilité me dégoûte.

— Pile à l'heure, Emma. Tu as un sens de la ponctualité assez incroyable. Une semaine, jour pour jour, heure pour heure et presque minute pour minute.

Il se met à marcher devant moi de long en large dans la pièce. Il n'ose même pas me regarder en face.

— Vous m'avez menti.

Je lâche ces trois mots avec tant de mépris que je me surprends moi-même.

— Pas du tout, lâche-t-il.

— Si. Vous m'aviez promis qu'il ne me verrait pas partir !

— Que je sache, tu as demandé qu'il ne te voie pas partir avec moi. Je n'étais pas là.

Je m'agite tellement entre les mains des soldats qu'ils se voient forcés de me lâcher le temps que je saute vers l'avant d'un pas pour lui arracher la figure.

— Espèce de salaud ! Vous m'aviez promis !

On me retient juste à temps pour que mes mains ne se referment pas sur sa gorge. Je bats l'air des bras en criant tandis qu'on me plaque contre le mur. Le souffle me manque au moment du heurt ; je craque, me fissure et perds une fois de plus mon sang-froid.

— La ferme ! gronde l'un des hommes.

— Salaud ? reprend le général. Peut-être bien. J'ai respecté ma promesse tout comme tu honores à présent la tienne. Seulement…

Il se remet à arpenter la pièce.

Mes yeux se ferment sous l'effet de la douleur et je me démène contre ma conscience pour les rouvrir lorsque mon ouïe m'informe que d'autres personnes entrent dans la pièce : quelqu'un se fait projeter au sol. Je l'entends gémir en se relevant. Je suis incapable de voir son visage, mais je crois savoir qui c'est, rien qu'à son port d'épaules, à sa stature et au gémissement qui s'échappe de sa bouche alors qu'il se remet sur pied.

Je ne veux pas que ce soit lui. Pas lui, pas lui, oh non, pas lui…

Pas Caleb !

Ne me regarde pas, Caleb. Ne me regarde pas, je t'en prie.

Il pivote vers moi.

— Caleb Fränkel, dit le père de Nayden.

Je me secoue. *Non, non, non.* Caleb ne se souvient toujours pas de moi. Comme ses yeux me hurlent son incompréhension, ma bouche reste obstinément muette.

— Tu sais que c'est lui qui vous a vendus ?

— Quoi ?

— Le soir où vous étiez tous tapis chez lui pour vous évader, et où mon crétin de fils a cru pouvoir t'éclipser du parlement sans qu'on vous rattrape. C'est lui qui vous a dénoncés. Tu ne trouvais pas qu'il prenait beaucoup de temps à revenir de sa marche, Emma ? Il n'est pas que sorti prendre l'air ce jour-là. Il est venu vendre votre position. C'est donc un traître.

— De quoi est-ce que vous parlez ? lâche Caleb.

— Tu l'ignorais ? dit-il à mon intention sans se préoccuper de Caleb. C'est peut-être pour cela que tu ne l'as pas mentionné dans notre arrangement... Attends une minute ! L'as-tu fait ? Rafraîchis-moi la mémoire, s'il te plaît.

Je me débats entre les mains des soldats qui me retiennent toujours. Je ne veux pas qu'il sache. Pas maintenant. Je ne veux pas que son dernier souvenir de moi soit celui-là. On me cogne de nouveau contre le mur. Mes pieds ne touchent plus le sol. Caleb tente un pas vers l'avant pour m'aider. Aider une inconnue, une fille dont il a tout oublié. Il a toujours été beaucoup trop altruiste.

— Réponds-moi, Emma, dit Prokofiev. As-tu mentionné ce garçon dans notre arrangement ?

Je serre les lèvres. Je refuse de répondre. Caleb répète mon nom. Il louche sur le sol de béton. *Non. Non, non, non, non ! Ne te souviens pas de moi ! Pas maintenant !*

Une main s'abat sur ma joue. Le claquement fait instantanément réagir Caleb.

— Le général t'a posé une question ! crache le soldat qui m'a giflée.

J'enfouis la tête dans mon épaule pour étouffer ma plainte.

— Ça va. Je vais la lui répéter, elle n'a peut-être pas bien compris, je n'ai sans doute pas été assez clair. Je reprends donc.

Il fait volte-face, pistolet au poing braqué sur Caleb. Ce dernier sursaute. Ses lèvres continuent de susurrer mon nom. Son cerveau cherche à savoir où ce mot y a fait écho. Le ton que le père de Nayden emploie est plus rude. Moins patient. Plus terrifiant.

— As-tu inclus Caleb Fränkel dans notre contrat ?

Je secoue la tête, le cœur au bord des lèvres.

Le général approuve, satisfait.

— C'est un traître. Il vous a dénoncés, répète-t-il.

Je crie :

— Contre son gré !

— Peut-être. Mais il reste un traître. Tu sais comment on les punit, n'est-ce pas, Emma ?

Je l'implore :

— Arrêtez. Je vous en prie, laissez-le. Caleb n'y est pour rien, il…

Il. Tire. Sur. La. Gâchette. Je hurle. Les yeux de Caleb, qui n'ont pas quitté les miens, se révulsent. Sa lèvre s'ourle comme il finit de prononcer mon nom. Pour la toute dernière fois. Le général vient de fusiller Caleb, juste là. Il vient d'exécuter mon premier amour, sans empathie, sans compassion, sans une once d'humanité.

Ma vue se brouille de rage, de colère et de peine. Je crie, frappe, griffe, m'époumone.

On me couche de force sur le lit. On m'y attache malgré mes protestations. Malgré mes cris et toute l'horreur qui se reflète en moi.

Le sang de Caleb s'étend sur le plancher, sous son crâne. Mouille ses cheveux dans lesquels je ne passerai plus jamais les doigts. Ses lèvres se figent, glacées. Ses pupilles ont l'éclat terne de la mort. Les miennes, la lourdeur de la culpabilité.

Je m'arc-boute sur le lit pour me défaire des liens qui m'oppressent. Le général approche.

— Il fallait être plus spécifique, ma chère. Et puis, ne devrais-tu pas te réjouir de sa mort ? C'est lui qui vous a trahis.

Je lui hurle que je le déteste.

Il rit de moi.

— Tu ne te souviendras même pas que je l'ai tué, par ta faute. Pas plus que tu ne te souviendras de combien tu me détestes.

Mon visage est ruisselant de colère. Prokofiev passe sa main sur mon front jusque dans mes cheveux.

Je me démène sous sa main. Sa peau m'apparaît plus acide que n'importe quel produit toxique.

— Ne me touchez pas !

Il s'esclaffe. Il approche son visage du mien en plissant les paupières.

— *Insoumise.*

Je lui crache dessus. Il s'essuie nonchalamment le visage en inclinant la tête.

— Bon voyage, Emma. Ç'a été un véritable plaisir de faire affaire avec toi.

Sur ma gauche, une infirmière s'approche, une longue seringue en main. Elle me lance un regard peiné qui n'a aucun effet sur moi.

Le général quitte la pièce. Je me secoue encore. L'infirmière fait appel à un soldat pour me maintenir en place le temps qu'elle m'injecte ce redoutable produit.

Les sangles ne suffisent plus.

— Je suis désolée, mademoiselle… bafouille-t-elle tandis que sa longue aiguille me transperce la peau du bras.

Je ressens d'abord un pincement, qui devient brûlure puis douleur lancinante.

Je ne dois pas arrêter de me battre. Il faut que je combatte ce produit. Je suis une Insoumise.

Je n'ai jamais pensé comme personne autour de moi. Je me suis conformée à des règles qui définissaient une société que je méprisais plus encore que ma personne. On m'a appris à détester qui j'étais – et tout ça pour quoi ? Parce que j'habitais derrière un mur. Parce que j'allais à l'encontre de ce que le gouvernement voulait de mieux. J'étais la rébellion.

Et je le suis encore.

Je suis la menace qu'on élimine promptement parce qu'on la craint. Le général me craint, il craint ce mot dont on m'a marquée, parce que je peux le faire tomber, lui.

Je suis prête à me battre pour me souvenir. À me battre pour qu'on sache que tout ça n'est qu'un mensonge. Que ce qu'ils veulent, c'est nous anéantir parce que nous possédons quelque chose qu'ils ne pourront jamais nous enlever et qui a la force de les détruire : l'Espoir. L'espoir avec un grand E. J'ai semé cet espoir. Je n'attends que le retour du printemps pour voir fleurir mes efforts. On entretiendra le jardin pendant mon absence, le temps que je me souvienne. C'est tout ce qu'il me reste.

Je m'appelle Emma Kaufmann et j'ai dix-sept ans. Mon nom porte la même voyelle initiale que le mot « Espoir ». Je m'appelle Emma Kaufmann. Il ne faut pas que je l'oublie. Il faut que je me rappelle. Que je sache comment je m'appelle. Je m'appelle... Ma vision se trouble, même dans mon esprit. J'ai dormi. Depuis combien de temps ? Je ne sais pas. *Je m'appelle Daria.* Non ! Mon nom à moi, c'est Em. Em quoi, déjà ?

Non, pas Em. Mon nom à moi, c'est Daria. Daria Rostov. Oui. *Non ! Non ! Il faut que je me rappelle.* Je sais qui je suis et d'où je viens. *Je dois savoir qui je suis !*

On m'enveloppe d'une chape d'obscurité qui assombrit mes pensées, ma mémoire. *Nayden. Nayden. Nayden.* Je répète ce nom alors que je ne suis même plus certaine de connaître le mien. Daria ou Emma ? Daria, je crois. Oui. Je m'appelle Daria et lui, Nayden. *Nayden.* Je répète son nom, dans ma bouche et en mon for intérieur. Je ne l'oublierai pas.

Lui et ses yeux.

Lui et ses lèvres.

Lui et son parfum.

Lui et sa force.

Lui et son souvenir

Qui

S'étiole.

Je l'ai perdu.

Je tends les doigts.

Rien.

Que du vide.

En moi et tout autour.

J'ai 17 ans et je m'appelle Daria, Daria Rostov. Je suis orpheline, sans frère, ni sœur, ni rien d'autre que moi, qui porte le nom de famille de mon défunt père. La langue que je parle ? Le russe, assurément. Je collectionne des étoiles que je peins sur un ciel noir. Une artiste ? Oui, on pourrait le dire. Pourquoi des étoiles ? Parce que ces étoiles sont des souvenirs oubliés. Les miens, les siens, les leurs, les mémoires de tous ceux qui osent les entreposer dans le ciel afin qu'elles y perdurent. Le dernier souvenir qui me parvient ? Bonne question, il m'a d'ailleurs échappé comme tous les autres. Regardez le ciel à votre tour : peut-être que la lune pourra vous répondre. Peut-être y verrez-vous ce que moi, j'ai oublié.

Je m'appelle Daria Rostov et si j'ai vécu une vie avant celle-ci, je ne m'en souviens pas.

Deuxième partie

Quinze

EMMA

Il fait froid. L'air me strie les poumons de poignards de glace. Mes paupières se soulèvent lourdement. Comme si quelque chose les avait collées. Mes vêtements sont mouillés. Mon visage aussi. La neige autour de moi virevolte.

Dans ma main droite, je tiens quelque chose de froid, métallique, qui fige mes doigts. Je baisse les yeux, sursaute en lâchant le pistolet calé dans ma main. Pourquoi est-ce que je tiens une arme ?

Je suffoque, affolée. Je me lève d'un bond en arrière. Je sonde les alentours. Où suis-je ? Je trébuche sur quelque chose. Pas *quelque chose*. Un corps. Je m'affale dans la neige en hurlant. Il y a un mort à deux pas d'où je me tiens. Quelqu'un que, de toute évidence, j'ai tué. Un garçon qui doit avoir vingt ans à peine.

Je regarde mes mains.

Elles sont rouges d'un sang qui lui appartient. D'un meurtre que j'ai commis.

Rouges sur ce fond d'une blancheur aveuglante nonobstant la nuit sombre dans la ruelle.

Je crie. *Il faut qu'on me vienne en aide…* Non!
Il faut que je me sauve. J'ai tué quelqu'un. Pourquoi
j'aurais tué quelqu'un ? Je ramène mes genoux contre
ma poitrine. Je ne comprends rien. Des gens s'approchent. Sirènes. Gyrophares. Bleu, rouge, blanc.
Ils arrivent.

—Je ne l'ai pas tué.

Il faut qu'ils sachent.

Ils s'affolent tout autant que moi. On braque
des lampes. Quelqu'un a appelé les autorités. Cette
même autorité aboie. Je ne sais pas ce qu'il dit. Je ne
comprends pas la langue qu'il parle.

*Je n'ai tué personne. Je n'ai tué personne. Ce n'est
pas moi.*

Je m'appelle Daria Rostov et je suis complètement folle.

Folle.

On se jette sur moi. On m'attache les mains dans
le dos.

—Je ne l'ai pas tué. Je vous en prie, il faut que
vous me croyiez. Je ne l'ai pas tué, je vous en prie,
croyez-moi! Écoutez-moi!

Ils ne comprennent pas ce que je dis. Ils ne comprennent pas la langue que je parle. Je continue de
parler. *Je ne l'ai pas tué.*

Ils me crient dessus. Ils veulent probablement
que je me taise. Panique, je suffoque, mon cœur se
débat dans mon thorax.

Leurs mots font écho dans mon crâne. Comme
s'il s'était transformé en une caverne sans fond. Un
gouffre que rien ni personne ne saurait atteindre.

Pas tant que personne ne comprendra la langue que je parle.

* * *

Je suis en cellule. Je le sais, simplement à l'odeur. Une pièce humide, sale et froide. Me voilà couchée sur le sol. Mes muscles sont endoloris, mes articulations craquent au moindre mouvement. Il fait sombre et j'ignore depuis combien de temps je suis là. Je passe mes mains glacées sur mes yeux avant de me relever.

Un miroir, une table, deux portes, trois chaises. Aucune échappatoire. Je me regarde. C'est un visage que je n'ai pas vu depuis ce qui me semble être des millénaires. Je ne me reconnais même pas. Je ne crois pas m'être jamais regardée dans un miroir avant aujourd'hui. Un visage mince. Un petit nez, long, tacheté de rousseur. Des cheveux blonds, coupés à la mâchoire. Des yeux gris. Une belle bouche bien dessinée, rose.

Une silhouette fine, trop pour paraître en santé. Une petite taille : à peine un mètre soixante-cinq. De petites mains, mais de longs doigts. Je les compte. Dix, ils sont toujours là.

Et un cœur qui bat furieusement.

La porte s'ouvre, je sursaute.

L'envie de me tapir dans l'ombre me submerge.

Je reste coite. Sans bouger, sans respirer.

Un homme. Il a l'air gentil. Il entre dans la pièce avec un petit sac en main. Il est suivi d'une femme. Elle m'a l'air gentille, elle aussi. Je sais par contre que les gens qui en ont l'air ne le sont pas toujours. L'homme d'une quarantaine d'années s'avance vers moi.

— *She's terrifed...* lui souffle la dame.

Il opine.

— *Sit down, please.*

Je fronce les sourcils. Je ne comprends pas. Je secoue doucement la tête. Il me désigne la chaise d'un geste de la main, un bref retroussement de lèvres au coin de la bouche pour me donner confiance. Oh.

Je m'approche lentement et tire l'unique chaise de mon côté de la table. Je prends place sans les quitter des yeux. La femme me sourit aimablement et me gratifie d'un signe de la tête. Elle aussi essaie de me mettre en confiance.

Je pose mes mains sur mes cuisses. Les entortille dans une gymnastique impossible.

— *What's your name ?*

Je hausse les épaules. Qu'est-ce qu'elle m'a dit ?

— *Wie ist Ihr Name ?*

J'ouvre la bouche sans rien dire, bien que cette fois, les intonations me parlent davantage. Quelque chose de lointain, qui se réveille puis se rendort, mais je ne saisis toujours pas.

— *Comment tu t'appelles ?* tente l'homme qui vient de poser ses mains sur la table.

Ma respiration s'accélère. Qu'est-ce qu'ils me demandent ? La femme regarde l'homme, en haussant les épaules. Elle se retourne vers moi. Ses iris ont la couleur des eaux paisibles d'un lac sous le soleil d'été. Ses cheveux roux sont noués en une haute queue de cheval. J'ai déjà connu quelqu'un avec ce genre de cheveux. Où ça ?

Elle se pointe.

— Liesel Hansen.

Elle me pointe. Ah ! Ils veulent savoir comment je m'appelle.

— Daria. Daria Rostov, soufflé-je.

Les sourcils de l'homme se froncent au-dessus de ses yeux noisette. Il passe une main dans ses cheveux noirs. Puis, à sa collègue :

— *Soviet*, murmure-t-il.

— *Tu parles russe ?* me demande la dame aux cheveux roux.

Je fais oui en souriant faiblement. *Oui. Oui, je parle russe !* Enfin ! Ça n'a pourtant pas l'air de les réjouir autant que moi. Ils ont un air dépité.

La femme se lève et contourne la table pour s'y appuyer tout près de moi, les mains sur le rebord, les jambes croisées à la hauteur des chevilles.

— Quel âge as-tu, Daria ?

— Dix-sept ans.

Elle acquiesce. Elle parle très bien le russe. Elle plisse légèrement les paupières.

— Tu te souviens de ce qui s'est passé avant de te retrouver dans la ruelle ?

Je réfléchis. Non, ma mémoire est noire. Trop noire pour que même la plus incandescente des lumières l'éclaire. Trop noire pour que je m'y oriente comme je le devrais. Dans ma tête, que je secoue en signe de négation, c'est le calme avant la tempête. Un pli se forme entre ses sourcils. Elle étudie mes yeux.

Ces yeux qui ont la couleur des nuages quand vient la pluie.

Elle recule.

— Tu sais pourquoi tu es ici ?

Mon cœur s'emballe et les mots se précipitent derrière mes lèvres closes.

— Je ne l'ai pas tué ! Je ne l'ai pas tué, Liesel ! Je suis innocente, je vous le jure ! Je n'ai rien fait !

— Calme-toi, qu'est-ce que tu me racontes ?

Elle comprend peut-être le russe, mais à la vitesse à laquelle j'ai parlé, personne n'aurait pu me comprendre. À moins, bien sûr, que sa langue maternelle soit la même que la mienne. Je supplie l'homme du regard.

Il n'a pas compris, lui non plus.

— Daria, nous avons trouvé un garçon dans une ruelle. Avec toi. Il était mort, poursuit Liesel.

— Je sais, mais ce n'est pas moi qui l'ai tué, je vous le jure !

— Tu avais l'arme qui l'a tué entre tes mains.

— Il faut me croire ! Je n'ai pas tiré sur ce garçon ! Je ne le connaissais même pas.

— C'était peut-être un accident. Il t'a surprise, a voulu s'en prendre à toi dans la ruelle et tu t'es défendue.

— Non ! Je n'ai jamais tiré sur lui ! Je vous en prie, il faut me croire !

Elle soupire, contourne la table et se rassoit près de son collègue. Ce dernier me tend la main. De l'autre, il tient une petite machine qui ne me dit rien qui vaille.

— Il nous faudrait tes empreintes et ton ADN pour confirmer ça, Daria, me dit Liesel.

Ma poitrine se serre. Je ne sais même pas ce que c'est qu'un ADN !

Je tends néanmoins ma main dans la sienne. Il passe mes doigts dans la machine, qui a de multiples boutons tactiles et des lumières. Elle est même munie d'un petit écran qui indique un résultat presque aussitôt.

— Positif, déclare l'enquêteuse.

— Mais puisque je vous dis que ce n'est pas moi !

— Nous avons besoin de bien plus que ta parole, Daria.

Elle répète mon nom depuis qu'elle l'a appris. Comme pour s'assurer que je comprenne qu'elle s'adresse à moi. Il sonne faux à mes oreilles, comme s'il ne m'appartenait pas. Comme si elle s'adressait à quelqu'un d'autre.

— As-tu des parents, Daria ? Des frères ou des sœurs ?

Je fais signe que non.

— Je suis orpheline.

Liesel traduit pour son collègue ; il grimace légèrement.

— As-tu des amis ?

— Je ne sais pas.

— De la famille ? Des contacts ? Quelqu'un qui pourrait t'aider ?

— Je ne sais pas.

Son collègue ajoute un commentaire après qu'elle lui eut fait la traduction.

Je me durcis. Le seul mot que j'ai compris, c'est «soviet».

— Qu'est-ce qu'il a dit ?

— Il dit que c'est inutile de te poser toutes ces questions parce que tu ne sais même pas d'où tu viens. Sais-tu d'où tu viens, Daria ?

Je réfléchis. Je ne sais pas. Je ne lui réponds pas. Elle prend mon silence pour un non.

— Habituellement, les gens que nous croisons qui parlent russe ou allemand viennent de Sovietskaïa. La République soviétique, ça te dit quelque chose ?

J'acquiesce, puis me ravise. Je n'en suis pas certaine. À dire vrai, je ne le sais pas, ça non plus.

— Nous allons te laisser y réfléchir, d'accord ?

Ils sortent. Je me lève, fais les cent pas dans ma cellule. Je m'assois sur le béton glacé. Les genoux ramenés à la poitrine.

Je ne l'ai pas tué.

Je vous en prie, il faut me croire.

Je n'aurais jamais tué personne.

S'il vous plaît. S'il vous plaît. S'il vous plaît...

Seize

NAYDEN

J'ai passé trois jours et trois nuits à l'hôpital après le départ d'Emma et le réveil de Juliette. Elle a beaucoup dormi et j'ai eu peur qu'elle se rendorme de nouveau pour toujours. Mais toutes les deux heures, elle recouvrait la vue sur ce monde, qu'elle semblait apercevoir pour la première fois.

L'infirmière m'a assuré que c'était normal. Ils provoquaient son réveil petit à petit pour qu'elle se réhabitue au monde réel. Pour ma part, je n'ai pas dormi. Finalement, un des médecins qui s'occupent de ma sœur m'a ordonné de rentrer chez moi.

J'ai admis ma fatigue et je suis parti en promettant de revenir demain.

Arrivé chez moi, j'ai claqué la porte et j'ai tout démoli.

J'ai fait tomber tous les livres de ma bibliothèque, brisant quelques étagères au passage. J'ai fracassé toutes les armoires de verre. J'ai lancé les chaises, j'ai renversé la table. J'ai tout détruit à l'exception de quatre choses: Ezra, le livre d'Emily Brontë que lisait Emma, la locomotive de son petit frère, et son sac.

Les mains en sang, le visage ruisselant de larmes et la poitrine soulevée d'expirations rauques, je m'en suis voulu. Elle n'aurait pas aimé me voir comme ça. Je me suis effondré sur le canapé, le visage entre les mains. Et j'ai pleuré d'avoir été si naïf, de l'avoir laissée partir, de n'avoir pu trouver d'autre solution. Je serais mort pour elle. Et voilà qu'elle est partie pour me sauver.

J'ai pris la locomotive de Noah entre mes mains. Alors, un petit tintement d'Ezra, posée sur la table du salon, a rompu le silence : elle s'est allumée d'elle-même.

J'ai soulevé l'écran.

— Mademoiselle Kaufmann a laissé un message pour vous, monsieur…

— Très bien. Alors, montre-le-moi.

— Impossible, monsieur. Elle l'a scellé d'un mot de passe vocal.

Je m'étrangle :

— Quoi ? Comment est-ce qu'elle a pu faire ça ?

— En terminant son message, mademoiselle Kaufmann l'a scellé d'un mot de passe vocal. Je n'ai pas l'autorisation de vous le livrer si vous n'avez pas le mot de passe.

— Ezra, c'est une blague ? Tu me dis que tu as un message de sa part pour moi et tu ne me laisses pas y avoir accès.

— Dois-je vous rappeler que je suis incapable de faire des blagues, monsieur ?

Je grogne, j'ai envie de la lancer sur le mur, mais ça ne m'avancerait à rien.

— Regardez autour de vous. Elle a nécessairement laissé des indices.

Je regarde la locomotive dans ma main.

— Noah.

Rien.

— Tu ne peux pas me le donner, Ezra ? Tu sais bien que c'est moi !

— Je suis désolé, monsieur, mais je ne peux pirater mon propre système.

— Bien sûr que tu le peux.

— Dans ce cas, je refuse. Je ne peux bafouer ainsi les dernières volontés de mademoiselle Kaufmann. Cela irait à l'encontre de mon protocole.

— Elles ne mèneront à rien, ses dernières volontés, si je ne peux pas y accéder.

— Vous avez droit à autant de tentatives que vous le désirez.

Je me lève. Il faut que je bouge.

J'essaie tout ce que j'ai sous la main. J'énumère tout ce qu'elle préférait, en passant par la nourriture, les couleurs, les fleurs, les saisons.

Je nomme ses frères et sœurs, ses parents, son nom de famille, celui que je lui avais inventé. J'essaie les titres de toutes les chansons qu'elle a un jour chantées. Je tente le jour de son anniversaire. Le mien. Tout ça en vain.

— Toujours rien.

— Monsieur, si je puis me permettre, et en fonction des données que j'ai sur Emma, elle aimait davantage son entourage que sa propre personne. Je relève une forte tendance à l'altruisme quasi auto-destructeur. Pensez à ce qu'elle aimait de vous. De vous deux. Ce qu'elle vous a dit avant de partir. Ce qu'elle voulait que vous vous souveniez d'elle.

Je me rassois, les coudes sur les genoux, le menton entre les mains.

— *Flocon de neige.*

Elle adorait que je l'appelle « Flocon de neige ». Je le voyais à l'étincelle dans ses prunelles. Au sourire qu'elle esquissait sans même s'en rendre compte lorsque je l'appelais ainsi. Peu importait la langue, elle savait ce que cela signifiait.

J'ai un bref espoir que cela fonctionne. En vain. Toujours rien. Je me laisse retomber contre le dossier du canapé en jurant. À quoi elle a bien pu penser ? À quoi voulait-elle que *je* pense ? À elle. Bien entendu.

— *Ne m'oublie pas.*

Les yeux fermés, j'entends Ezra émettre un petit déclic.

J'ai réussi.

Son message est là, devant moi.

Ses dernières paroles.

Juste là.

Dix-sept

EMMA

Je reviens à moi parce que je tremble de froid. Je suis restée beaucoup trop longtemps sur ce sol de béton des plus inhospitaliers. Ils ont par contre eu la générosité de m'apporter un lit pendant mon sommeil, mais pas celle de me réveiller pour me le dire. Ils sont de nouveau entrés dans ma cellule. Pour me poser de nouvelles questions. En étant beaucoup moins gentils et compréhensifs que la première fois.

Ils m'ont traitée de menteuse, d'assassin, de meurtrière. Ils m'ont dit que les empreintes du pistolet concordaient avec les miennes. Ils m'ont dit que j'avais tiré deux fois sur le jeune homme, mais je ne me souviens d'aucune détonation.

Ils n'ont pas su me dire, par contre, si les balles étaient la cause de la mort du garçon : ils sont sortis avant que je n'aie pu leur poser la question. De toute façon, je ne devais pas poser de question. Je suis l'interrogée, pas l'interrogatrice.

Ça a duré ainsi cinq jours.

Cinq jours à manger peu, à dormir peu, à parler peu si ce n'est à moi-même. À respirer, même, le plus faiblement possible. Peut-être que si j'arrêtais de respirer assez longtemps, on retrouverait mon corps sans vie au petit matin ? Je me suis posé la question sans arrêt pendant une nuit entière.

Cinq jours pendant lesquels les enquêteurs ont fait tout ce qu'ils pouvaient pour me faire craquer. Et j'ai craqué...

— Je l'ai tué ! C'est moi ! Maintenant enfermez-moi, jetez-moi en prison et laissez-moi tranquille !

J'ai hurlé avant de me laisser tomber contre le mur.

Liesel s'est approchée. Elle s'est accroupie et je me suis éloignée d'elle comme un petit animal traqué.

— Ne me touchez pas...

— C'est ce que nous voulions entendre, Daria.

— Vous vouliez m'entendre dire que c'était moi ?

Elle secoue la tête.

— Non. Tu devais seulement nous prouver que ça ne pouvait pas être toi. Tu l'as fait, tu ne sais même pas qui tu es.

Je relève la tête vers elle.

— Nous allons t'aider, c'est d'accord ? Nous savons que ce n'est pas toi qui l'as tué. Il était mort bien avant que les balles quittent le chargeur du pistolet. Tes empreintes concordent peut-être avec celles qu'on a trouvées sur le pistolet, mais elles n'étaient pas les seules. On trouvera le responsable, sois sans crainte. Quelqu'un l'a tué puis fait passer le meurtre sur ton compte. Tu sais qui aurait pu faire ça ?

Aucune idée. Comment puis-je savoir qui me voudrait du mal si je n'en sais pas plus sur moi que mon nom, mon âge et mon état civil ?

Elle me tend la main. Mes yeux voguent alternativement entre son visage et ses doigts tendus. Son collègue m'incite d'un sourire à accepter la main de Liesel.

Je glisse ma main dans la sienne et elle m'aide à me relever. Son collègue nous tient la porte. Grande ouverte. Je passe le pas, presque inquiète de ce qui m'attend derrière. C'est trop facile, c'est anormal. Pourtant, on me laisse sortir pour de vrai.

Au bout du couloir, une dame m'attend. Dans la soixantaine, peut-être. Cheveux blonds striés de longues mèches grises que son chignon serré accentue. Elle me sourit doucement, comme le ferait une mère.

Je jette un regard à Liesel.

— Madame White prendra soin de toi. Elle parle russe, elle aussi. Russe, anglais et français. Chez elle, tu seras en sécurité, personne ne s'en prendra à toi. Elle pourra t'aider avec les formalités d'usage. Ne t'en fais pas.

— Les formalités d'usage ?

— Oui, tu auras besoin d'acquérir ta citoyenneté de Réformiste. Plus personne ne parle le russe ou l'allemand de nos jours. La langue que nous avons employée avec toi n'existe que là d'où tu viens. Tout le monde parle anglais et quelques-uns, le français. C'est la Réforme d'après-guerre.

— Je ne sais pas ce que c'est.

— C'est normal. Madame White est là pour ça, justement. Elle va t'héberger le temps que tu arrives à te débrouiller toute seule.

— Et pour le meurtrier ?

— Nous poursuivons notre enquête, me dit-elle simplement. Ça ira ?

Je hoche de la tête d'un air incertain, qui s'envole aussitôt que je vois de petites rides au coin des yeux brun clair de madame White: elle me sourit. Je connais cette couleur, qui fait écho au lever ambré d'un soleil d'automne.

— Viens, ma belle. Fais-moi confiance, me dit-elle d'une voix aussi chantante qu'un rossignol. Fais-moi confiance.

Confiance. Je peux apprendre à faire confiance. Oui, peut-être, avec le temps.

Dix-huit

NAYDEN
Mon tendre amour,

Je te prie de m'excuser. Jamais rien au monde n'aurait pu m'éloigner de toi, n'eût été la crainte de te voir mourir par ma faute. C'est pourquoi je suis partie. Ne m'en veux pas, c'était la seule chose à faire.

Je t'aime. Si seulement tu savais comme je t'aime.

Contrairement à ce que tu pourrais croire, je ne te demanderai pas de m'oublier, de laisser tomber ou de baisser les bras. Ce que je veux c'est que tu me retrouves, Nayden. Ce que je veux, c'est que tu fasses en sorte que je me souvienne. Je me battrai, oh oui, tu peux me croire. Je me battrai comme jamais pour raviver ma mémoire éteinte. Parce que j'aurai choisi de me souvenir. C'est là où réside le secret, mon amour. On peut choisir de se souvenir.

Aussi fou que cela puisse paraître, c'est Noah qui me l'a fait voir.

Mon petit frère a toujours compris des choses que je me refusais à saisir. Il a compris ce que tous ont choisi d'ignorer. D'abord, qu'on ne peut pas oublier. C'est fondamentalement impossible. Il me l'a fait

comprendre avec Effie, ma petite sœur qui s'est souvenue juste avant de mourir. Noah a aussi compris
qu'on pouvait sortir d'ici. Les trains, Nayden. Ce
sont les trains qui nous sauveront de cet enfer. Ils
ont une raison d'être. Ils sont cette liberté qu'il nous
faut acquérir.

Tu es aussi prisonnier que je le suis. Il y a des murs
tout autour de la ville. De ton côté comme du mien.
D'ailleurs, as-tu déjà vu le monde ? Es-tu déjà sorti
de cette ville ? Et toutes ces langues que tu connais,
d'où viennent-elles ?

Le monde est grand, Nayden, je le sais, je l'ai vu
dans les livres de ta bibliothèque : imagine à quel
point il doit l'être... Et fais en sorte que je choisisse
de me souvenir. Pour que je découvre ce monde avec
toi. Les mots clés, Nayden : « Faites tomber les murs. »
Vise directement l'autorité, attente aux soldats qui
grouillent de partout, montre à tout le monde que le
pouvoir de la Haute République est fragile. Un
soldat à la fois, fais-les tomber. Mets feu à leur
propagande, fais en sorte que les gens se soulèvent,
dévoile-leur la vraie face du monde et enterre celle
qu'on leur a toujours montrée. Attaque-toi au
pouvoir, au parlement s'il le faut. Tu ne seras pas
seul, j'en suis persuadée. Nous vivons prisonniers
depuis trop longtemps. Tu peux le faire. J'ai foi en toi.
Fais tomber les murs pour que je redevienne celle
que j'étais avant de partir.

Fais-moi voir, où que je sois, qu'un mouvement
est en marche. J'ignore où je serai, mais fais du bruit.
Fais trembler la Terre entière pour qu'une secousse se

rende jusqu'à moi et fasse en sorte que je me rappelle, d'eux, de toi, de nous. Parce que je veux désespérément me rappeler, Nayden. J'en aurais fait tout autant pour toi, pour eux et pour nous.

Prends soin d'eux, le temps que je serai absente. Prends soin d'Adam, de Noah, de ma mère, Sofia et de mon père, David. Tu dois sans doute te dire que j'oublie quelqu'un, pas vrai ? Ma petite Effie, mon rayon de soleil… Elle est morte avant que je n'aie le temps de la sauver, parce que j'essayais qu'elle se souvienne. Si tu savais comme je m'en veux. Essaie de bien t'entendre avec Adam : il risque de ne pas apprécier ta présence, surtout s'il croit que c'est de ta faute si je suis partie. Je préfère te prévenir, son tempérament peut être assez explosif.

Ils sont tous avec ta mère. Je les ai envoyés là avant de te libérer. Ils sont donc à quelques kilomètres d'ici. Si tu veux les rejoindre, prends un train, c'est le meilleur moyen. Le transport de la liberté. Demande à Ezra, elle connaît les itinéraires.

Fais tomber les murs. Pour moi, pour eux, pour nous.

Ton unique Flocon de neige, mon amour.
Je t'aimerai toujours,
Emma

— Ezra, peux-tu sauvegarder le message d'Emma et tripler les pare-feu ? Je ne veux pas qu'on pirate ton système. C'est trop risqué, vu la quantité d'informations confidentielles que contient ce message.

— Bien sûr, monsieur. Il me faudra donc deux nouveaux mots de passe.

Je tire l'ordinateur vers moi et j'entre manuellement les trois mots de passe dans l'ordre que je veux qu'elle me les demande: «Flocon de neige», «Jardin de rébellion» et «Ne m'oublie pas». Ezra approuve et je la referme en prenant soin de resserrer toutes les autres protections.

Puis je monte à l'étage pour prendre un peu de repos, réfléchir.

Je dois rejoindre sa famille, mais je dois aussi prendre soin de celle qu'il me reste. Sans oublier que mon père risque de frapper à ma porte très bientôt pour que je reprenne le travail. Il ne me laissera pas tomber comme ça. Je le connais trop bien. Seulement, je dois continuer d'agir comme si je n'avais pas lu le message d'Emma. Je dois aussi prendre soin de Juliette. Ensuite, je dois provoquer le programme de la puce qu'ils ont implantée dans le cerveau d'Em, et protéger ses frères.

Pour qu'elle me revienne, prête à se battre.

Prête à entretenir ce jardin de rébellion. Notre Rébellion. *Faites tomber les murs.*

Je les ferai tomber, mon amour, sois sans crainte.

Tous, les uns après les autres.

Pour toi, pour eux, pour nous.

Dix-neuf

EMMA

J'ai suivi madame White sans vraiment savoir où elle m'emmenait.

Cette dame est rapidement devenue l'unique bouée à laquelle je devrais me tenir dans ce tumulte inconnu.

— Où est-ce que vous m'emmenez ?

— Chez moi.

— Pourquoi faites-vous cela pour moi ?

Elle m'a regardée.

— Qui d'autre le fera ?

— Je ne sais pas.

Elle a hoché de la tête, sans rien dire. Elle m'a tendu le manteau qu'elle tenait sur son avant-bras et m'a aidée à l'enfiler. Elle a ajusté le collet d'un geste et m'a souri.

— Viens, Daria, la voiture nous attend.

Nous sommes montées.

Je compte les minutes qui s'écoulent. Je contemple les immeubles qui défilent en me demandant ce qui leur donne l'audace de défier ainsi le ciel.

Des bâtiments de briques, de pierre et de verre qui s'enchaînent sur un fond moderne : le décor inspire l'histoire et expire le futur. Un ciel bleu s'étend au-dessus de nous. De ceux que j'ai peine à me rappeler. Des traces de neige fondent çà et là d'un printemps qui s'annonce, craintif.

Nous nous sommes arrêtées quelques rues en amont des gratte-ciel, dans un quartier où tout m'a semblé pareil, devant une petite maison en rangée de briques beiges, aux volets bleus et à la porte rouge. Entre une demeure verte et une jaune. Entre des boîtes à fleurs et des allées de pierres.

J'ai compté mille vingt-neuf secondes pour franchir l'allée de dalles grises menant à la porte de chez madame White.

— Bienvenue chez moi, a-t-elle chantonné avant de disparaître après avoir retiré son manteau en coup de vent et posé ses chaussures près de l'entrée.

J'ai refermé le battant d'un air distrait et j'ai sondé l'endroit.

Une toute petite maison, si bien qu'on se trouve directement en entrant face à l'escalier menant à l'étage. Sur la droite, une arche très étroite menant à une minuscule cuisine et à la salle à manger, tout aussi petite.

Une table ronde à peine assez grande pour deux personnes, accompagnée d'un duo de chaises. En son centre, un joli vase de fleurs.

Au fond du couloir, la salle de bain – j'entrevois d'ici l'évier de porcelaine. Sur ma gauche, un porte-manteau où j'accroche distraitement le pardessus que mon hôtesse m'a offert. Je retire mes bottes et les pose sous le crochet, tout près des siennes.

Je m'avance prudemment. Les lattes craquent sous mes pieds : je me sens comme une intruse.

— Est-ce que tout va bien ? me demande madame White de la cuisine.

— Oui.

Je fais un pas vers elle et lui souris d'un air crispé. J'ai répondu trop vite pour que cela ait l'air naturel.

— Tu as faim ?

Je fais non de la tête. *Je meurs de faim.* Je mangerai plus tard.

— Je peux… aller dormir ?

Elle semble légèrement surprise, mais accède à ma demande.

— Bien entendu. Je te montre ta chambre, suis-moi.

Elle gravit devant moi quelques marches en me faisant signe de la suivre.

À l'étage, elle ouvre une porte sur la gauche.

— Ce n'est pas grand-chose, mais…

Je la coupe :

— C'est parfait.

Elle me sourit. C'est une modeste pièce, comme le reste de la maison. Un lit à une place couvert d'un édredon de petites fleurs brodées, une petite commode blanche, un guéridon de même teinte près du lit. Une lampe, une fenêtre à carreaux, des rideaux de dentelle et c'est tout. C'est tout ce dont j'ai besoin pour le moment : un canevas vierge pour repartir à zéro.

— Merci, madame White.

— Ce n'est rien, ma douce. Repose-toi bien.

J'opine du chef et la laisse quitter la pièce. J'ai la gorge étroitement nouée.

Je m'écroule de fatigue.

Je suis assise à table. Devant moi, une assiette, remplie d'un contenu qui m'apparaît flou. Il y a du rouge, du brun et du doré, mais je n'arrive pas à déterminer ce que c'est. Je relève les yeux lorsqu'un marmonnement en sourdine parvient à mes oreilles.

Le visage est flou, comme tout le reste autour. Les contours de la silhouette sont indéfinis, mais je sais qu'il s'agit d'un homme grand, dont le sourire est grand, aussi. Magnifique, sans l'ombre d'un doute.

Il a du brun sur le visage. Le même que dans mon assiette.

J'éclate de rire, mais je ne sais pas pourquoi. Il se barbouille, cette même voix en sourdine dans mes oreilles, mais je n'y vois rien, pas plus que je ne comprends ce qu'il me dit. Il m'a posé une question et je ris de nouveau.

Il n'y a rien d'autre que des formes sans contour fixe. Comme si je souffrais de myopie progressive et qu'on avait enfoncé des bouchons dans mes oreilles.

Il tend la main vers moi et me couvre de cette même couleur qui salit son visage inconnu. Je recule en poussant ma chaise et me lève d'un bond. J'ai l'impression de l'entendre rire pour la première fois. Je suis heureuse, mais je ne sais pas pourquoi.

La silhouette se lève aussi et me poursuit, armé de ce que je crois être une poignée de ce brun. Je pense savoir ce que c'est. Du chocolat.

Je crie en contournant la table, cours en zigzaguant entre tous ces meubles plongés dans le brouillard. Il me rattrape.

L'un de ses bras enserre ma taille; de l'autre, il m'enduit le visage de ce même chocolat qui barbouille le sien.

J'éclate de rire une fois de plus et nous roulons tous les deux au sol. Ses doigts se mettent à courir sur ma taille. Je me tortille sous ses mains et me retrouve dos au plancher, son visage à quelques centimètres du mien.

Ses traits demeurent indéfinissables, tout comme son identité et la raison de sa présence si près de mon corps. J'ignore pourquoi mon cœur s'affole. Mon envie de le presser contre moi m'apparaît aussi insensée que vitale.

Ses lèvres bougent. J'ai l'impression qu'il parle dans un oreiller. Je ne comprends rien. Je lui réponds, sans savoir ce que je lui dis. Il se rapproche. Je le touche sans rien sentir sous mes doigts.

Je me réveille et me dresse sur ma couche. En sueur et haletante, j'ai la gorge sèche.

Je crois que j'ai crié.

Madame White arrive dans la chambre d'un air inquiet. Ses cheveux sont descendus en une longue natte sur le côté. Ils sont beaucoup plus longs que je le croyais. Penser à ses cheveux m'empêche de repasser mon rêve intérieurement.

— Je suis désolée, je ne voulais pas vous réveiller, balbutié-je.

Elle ne porte même pas attention à ma remarque.

— Tout va bien, ma douce ?

— Oui. Pardonnez-moi, madame White. Je…

— Fran.

— Je vous demande pardon ?

— Tu peux m'appeler Fran.

Je tente un sourire à son intention. Une autre façon de me mettre en confiance, j'imagine.

Je passe une main frétillante dans mes cheveux.

— Ce n'est rien, ma belle. Un cauchemar, c'est tout. S'il y a quoi que ce soit, je suis juste à côté, d'accord ? Ça ira.

— Oui. Merci, mada… Fran.

Elle me sourit et referme la porte.

Ce n'était qu'un rêve.

Rien qu'un rêve.

Vingt

NAYDEN

En me réveillant, j'ai vainement souhaité que rien de tout ça ne se fût produit, que tout n'eût été qu'un cauchemar. J'ai roulé sur le côté en tendant le bras, croyant qu'elle serait là, étendue près de moi. Je n'ai rencontré que du vide et un oreiller imprégné de son parfum.

En soupirant, je me suis levé et, après avoir pris une douche, je suis tout de suite allé voir Ezra pour établir une liste des possibilités.

Seulement, dès que j'ai vu autour de moi tout le bordel que j'avais fait la veille dans mon appartement, je me suis dit que tout nettoyer serait la première chose sensée à faire.

J'ai tout de même allumé l'ordinateur en me disant que je pouvais être à la fois productif et responsable de mes actes.

— Comment puis-je vous être utile, monsieur ?

— J'ai besoin d'un plan d'action.

— Je vous écoute ?

— Je dois m'occuper de Juliette et ramener Emma ici.

— C'est impératif, seulement vous ne pouvez faire ces deux choses en même temps.

— Je sais. C'est pourquoi je te demande conseil, Ezra.

— Je vois. Dans ce cas, je vous *conseille* de vous occuper de votre sœur d'abord. La logique étant qu'elle vient de se réveiller. Ramener Emma ici, selon mes calculs, sera impossible sans plusieurs semaines de recherches au préalable. Je me charge donc de mademoiselle Kaufmann, si vous le voulez.

— Comment ?

— En provoquant le nouveau programme qui lui a été implanté. Il y en a un, c'est sûr, sinon elle n'aurait pas oublié. Il me faut d'abord la localiser, ce qui risque de prendre du temps, étant donné l'inactivité de son ancienne puce et le cryptage de la nouvelle. Sans doute le temps nécessaire à ce que vous preniez soin de mademoiselle Keyes.

— Oui, je vois. Donc Juliette d'abord, Emma ensuite. Cela me semble juste…

Une fois tous les livres de la bibliothèque replacés, je me charge de ramasser les morceaux de verre épars au sol, en prenant garde à ne marcher sur aucun.

— Prépare tout de même mon itinéraire pour me rendre chez ma mère.

— Quand comptez-vous partir ?

Je réfléchis. Je dois au moins accorder deux semaines à ma petite sœur. Ensuite, je pourrai m'absenter une journée ou deux avant de revenir m'occuper d'elle. Mais je dois absolument aller voir ma mère et la famille d'Emma pour leur donner des explications.

— Disons dans deux semaines.

— Parfait, je vérifie les itinéraires correspondant à cette date.

— Très bien. Merci, Ezra.

Je retrouve mon appareil photo parmi les débris. Une brève inspection de ma caméra me confirme qu'elle est foutue. Je vérifie tout de même la carte mémoire à l'intérieur. Intacte : c'est tout ce qui compte.

Je l'insère dans mon portable.

Le dossier s'ouvre aussitôt et une bonne vingtaine de photos se mettent à défiler. Je m'arrête sur la première : Emma relevant la tête vers moi, un fin sourire aux lèvres et des mèches blondes au travers du visage à cause d'une bourrasque de vent.

La première photo que j'aie prise d'elle, le soir où nous sommes allés patiner pour la dernière fois.

Ses yeux rivés sur l'objectif de la caméra me transpercent : savait-elle que j'aurais été prêt à mourir pour que l'étincelle dans ses yeux ne s'éteigne jamais ?

Je change de photo, mais ce n'en est pas une. Une vidéo.

Moi qui patine d'abord derrière elle, puis glisse sur le côté pour me retrouver devant. Elle qui relève la tête vers moi. Son air mélancolique qui me désarçonne.

— *Nayden, qu'est-ce que tu fais ?*

— *Je te filme.*

— *Et pourquoi ?*

— *Parce que je veux un million de souvenirs de toi !*

Elle sourit.

— *Pourquoi ?*

— *Pour que le jour où nous serons vieux, nous les regardions ensemble.*

— *Dans ce cas, c'est à mon tour de te prendre en photo et de te filmer !*

— *Non ! Tu es un bien meilleur sujet que moi.*

Elle me lance un de ses regards noirs qui n'ont absolument rien d'effrayant. C'est sans doute pourquoi j'éclate de rire autant derrière la caméra qu'à cette minute.

— *C'est faux ! Nayden, donne-moi cette caméra !*

— *Oh non !*

Elle accélère pour me retirer l'appareil des mains. D'un simple coup de patin, je me dérobe à ses doigts tendus, que j'embrasse au passage. Elle abandonne aussitôt, s'approche de l'objectif – ou plutôt de moi.

— *Nayden ?*

— *Oui ?*

— *Je t'aime.*

J'arrête la vidéo et lui fais faire marche arrière.

— *Nayden ?*

— *Oui ?*

— *Je t'aime.*

Mon cœur se serre. Je fais reculer de nouveau.

Puis une troisième, une quatrième, une cinquième, une sixième, une septième. Je fais reculer la vidéo. Je ne veux qu'écouter sa voix. Jusqu'à ce qu'il n'y ait que ça dans mon esprit.

Je crois l'avoir écoutée une centaine de fois lorsqu'Ezra m'arrête.

— Monsieur Keyes ?

Je sursaute. Passe une main dans mes cheveux et quitte la vidéo, d'une seule touche.

Je dois me ressaisir.

Je passe la porte et rejoins la chambre de ma sœur à l'hôpital en moins de deux.

J'ai à peine franchi le seuil qu'elle se réveille.

— Bonjour, petite fleur.

— Bonjour...

Il y a si longtemps que j'ai entendu sa voix ; elle me surprend presque.

— Comment vas-tu ? Tu reparles...

— Depuis hier. Ils m'ont montré des images et je devais les décrire. Le premier mot que j'ai dit, c'était « arc-en-ciel ».

Ma gorge se noue. Elle parle de la chanson d'Emma.

— C'est ce qu'elle chantait. La fille qui était avec toi.

Elle formule de petites phrases ; après trois mois de coma, je n'en espérais pas tant. Je tire une chaise près d'elle et lui prends la main.

— Tu es souvent venu me voir.

C'est une affirmation et non une question.

— Tous les jours ou presque.

Elle me sourit à son tour. Parler lui demande un effort considérable.

— Tu m'as l'air triste.

— Non, je suis content de te voir.

— Peut-être, mais tes yeux ne le sont pas.

Je soupire.

— C'est elle, c'est ça ? Celle qui est partie, celle qui chantait.

Je déglutis et acquiesce. Je ne veux pas lui mentir. Elle a raison : je suis triste, mais ce n'est ni à cause d'elle ni à cause d'Emma. C'est seulement à cause de moi et de ce que je n'ai pu faire pour *elles.*

— Tu m'aides à me relever ?

— Bien sûr.

Je passe un bras dans son dos et la soulève aussi délicatement que possible. Elle pivote sur le matelas et pose une main sur son front.

— Prends ton temps.

Elle secoue la tête.

— Nous n'avons pas de temps à perdre, Nayden. J'ai déjà perdu trois mois à dormir. Il est hors de question que je reste dans ce lit jusqu'au mois de mai.

— Tu ne peux pas te remettre à marcher comme ça, Juliette.

— Bien sûr que si. Si tu savais comme les médecins s'acharnent à stimuler mon activité cérébrale, toi-même tu ne le croirais pas. Aide-moi au lieu d'être aussi pessimiste, monsieur le rabat-joie !

Exaspéré, je passe un bras autour de sa petite taille pour la soulever du lit. Ses pieds ont à peine touché le sol que ses genoux fléchissent comme tout le reste de son corps. Elle a souffert d'atrophie musculaire. Trois mois sans stimuler les muscles de ses jambes, c'est long.

— On recommence, marmonne-t-elle. Je veux au moins réussir à me rendre aux toilettes toute seule.

— Il y a un fauteuil roulant. Tu veux qu'on s'en serve ?

Elle me lance un regard assassin et je m'esclaffe. Bon, très bien ; pas de fauteuil roulant.

Elle pose un pied à plat, puis le deuxième. Elle doit forcer son cerveau à faire quelque chose qu'il n'a pas accompli depuis des lustres. Elle doit arriver à remettre en marche des circuits neuronaux qui se sont pratiquement éteints. Plus facile à dire qu'à faire.

— On essaie un premier pas ?

— Ouais…

— O.K. À trois – tu veux compter ?

Elle est d'accord. Ça stimulera sa parole et sa mémoire numérique en même temps.

— Un… Deux… Trois.

Elle avance un pied. Je relâche mon étreinte. Juste assez pour qu'elle sente qu'elle avance d'elle-même, bien que ce ne soit vraiment pas le cas. Je la supporte presque à cent pour cent. Déjà, qu'elle ait tendu le bras vers moi est un exploit. Vouloir marcher serait déraisonnable.

Je l'encourage tout de même. Je serais un frère pitoyable si je ne l'aidais pas après douze semaines de sommeil ininterrompu.

— Très bien, continuons. Prête pour un deuxième ?

— Je crois…

— O.K. Compte encore.

Elle s'exécute. Et nous progressons pas à pas jusqu'à la salle de bain. C'est suffisamment d'efforts pour elle. Je la prends tout de suite dans mes bras, elle est épuisée, son visage rougi. Je l'assois sur la chaise qui se trouve dans la salle de bain.

— Attends-moi ici, je vais aller chercher une infirmière.

Elle consent. Je reviens quelques instants plus tard avec une infirmière qui a l'audace de me fusiller du regard.

— Sauf votre respect, Lieutenant-général, c'était extrêmement imprudent de votre part.

— Lâchez-le un peu, râle Juliette. C'est moi qui lui ai demandé de le faire.

L'infirmière me sermonne :

— Elle n'est pas encore suffisamment rétablie pour fournir autant d'efforts physiques. C'est déjà incroyable qu'elle arrive à parler comme avant.

Je fronce les sourcils. Oui, c'est vrai. Je n'avais pas pensé à ça... J'aurai quelques questions pour Ezra en rentrant à la maison.

Je rétorque, d'un ton qui lui fait tout de même faire un pas en arrière :

— Ça va, j'ai compris.

Elle ferme la porte derrière Juliette et elle tandis que je m'assois sur le rebord du matelas, mes pensées allant en tous sens. C'est vrai. Comment est-ce possible qu'elle parle comme avant ? Que sa mémoire soit aussi excellente ? Qu'elle n'ait, dans l'ensemble, aucune séquelle ? Puis d'un seul coup, ça m'apparaît évident : ma mère.

Environ dix minutes plus tard, l'infirmière ouvre la porte et ramène Juliette au lit.

— D'ici une semaine, tu n'auras même plus à t'occuper de moi, Nayden, je me débrouille de mieux en mieux ! s'exclame ma sœur.

— Ne crois pas te débarrasser de moi aussi facilement, jeune fille.

Elle tapote la place à sa gauche et demande à l'infirmière de nous laisser.

Elle est épuisée, mais ne veut pas se rendormir. Des plans pour développer une migraine.

— Parle-moi d'elle.

— D'Emma ?

— Non, de notre grand-mère.

Elle grogne en me lançant un regard lourd de reproches. C'est bien, elle se remet à faire de l'ironie, c'est signe qu'elle se remet peu à peu.

— Que veux-tu que je te dise ?

— Je ne sais pas… Dis-moi comment elle est, comment vous vous êtes rencontrés, pourquoi tu es tombé amoureux d'elle !

Ses phrases s'allongent. Je le constate au nombre grandissant de syllabes qui franchissent ses lèvres toujours aussi roses, comme maquillées de rouge à lèvres permanent. Bien qu'en réalité, c'est une tache de naissance qui colore ses lèvres depuis qu'elle est toute petite. De quoi en rendre jalouses toutes les filles de la Terre ! Sauf que cette tache a toujours agacé ma sœur.

Quoi qu'il en soit, elle adore les histoires romantiques et, bien que celle d'Emma et moi soit d'un genre difficilement comparable aux contes de fées, mon récit demeure assez romantique pour faire apparaître chez Juliette des étoiles dans les yeux.

— Elle est faite pour toi, c'est évident.

— Qu'est-ce que tu racontes !

— Nayden, n'essaie pas de le nier : c'est la première fois que tu me parles d'une fille de cette façon. C'est la première fois que je peux voir cette étincelle en toi s'animer autant. Tu es un preux chevalier, tu avais besoin d'une princesse en détresse.

— C'est loin d'être une princesse en détresse. Elle est courageuse, déterminée, forte. Elle a traversé le mur tous les soirs rien que parce qu'elle avait un travail de ce côté-ci qui permettait à elle et sa famille de survivre. Elle…

Je me détourne et je vois ma petite sœur s'attendrir. Mais il n'en faut pas plus pour que je m'inflige une gifle mentale : *Sois un homme, Nayden ! Ne te détourne pas devant ta petite sœur ! Ce que tu peux être lamentable !*

— Je l'aime…

— Ça se voit, m'assure-t-elle.

— Elle ne vient pas d'ici.

— Un mur, ce n'est rien, quand on s'appelle Nayden Prokofiev.

Elle pose sa main sur la mienne.

— Tu pourrais venir avec moi, dis-je sans m'en rendre compte.

— Où ça ?

— Chez maman.

Ses lèvres s'entrouvrent subtilement. Juliette ignore que maman est partie après qu'elle est tombée dans le coma. Un coma que *j'ai* causé, un jour où *je* conduisais la voiture, n'ayant pas vu qu'elle ne portait pas sa ceinture de sécurité. Perte de contrôle du véhicule : c'est moi, le responsable de son éjection de la voiture par le pare-brise.

Je soupire. Je préférerais, et de loin, que Juliette reste chez notre mère, plutôt qu'ici, à portée de notre père et de sa mauvaise influence. Maman prendrait mieux soin d'elle que moi ; je crois même qu'elle y est pour quelque chose dans le rétablissement rapide de ma sœur.

Je peine à m'occuper convenablement de ma propre personne, alors avoir une fille de treize ans à ma charge…

— Non. Laisse tomber, dis-je.

— Je veux venir.

— Tu veux, mais tu ne peux pas.

— J'y arriverai. Il me faut seulement un peu de temps. Tu vois, je parle déjà plus que tout à l'heure.

Je drape d'un bras ses épaules et la serre contre moi en soupirant.

— Je me suis ennuyé de toi, Juliette.

— Moi aussi.

— De moi ou de toi ? dis-je en riant.

— Les deux. J'en avais assez de voir du noir. Quand tu as emmené Emma ici, c'est la première fois que j'ai véritablement vu la lumière, Nayden. Je n'étais que dans un coma végétatif : je comprenais encore tout ce qui avait lieu autour. Oh, bien sûr, je me souviens de presque toutes les fois où tu es venu, et j'étais toujours contente. Mais quand *elle* a chanté, j'ai senti que je pouvais revenir à ce que j'avais été avant. Tu comprends ?

— Oui.

— Alors, tu imagines ? Si elle a pu amener autant de lumière dans ma vie et faire en sorte que je me réveille, elle ne peut qu'en apporter autant dans la tienne.

— On l'a exilée, Juliette.

— Pas pour toujours. Je me suis endormie et ce n'était pas pour toujours. O.K. ?

— O.K.

— Bon...

Elle ferme les yeux et les rouvre presque aussitôt. Elle tombe de fatigue. Je lui en ai trop demandé.

— Nous reprendrons demain. Repose-toi, dis-je en embrassant le sommet de son crâne.

— Ouais... à plus tard. Nous partons dans trois jours.

— Juliette, grommelé-je.

— Quatre, alors.

Elle s'étend sur le lit et je ramène la couverture sur ses épaules.

— Nous partirons lorsque tu seras prête, Moustique. Pas avant.

— Très bien. Cinq jours, mais pas plus !

— Une semaine.

— Nayden...

— Deux semaines, Juliette. Donne-toi du temps. Si tu ne le fais pas, moi, je le ferai. Tu t'es réveillée il y a à peine quelques jours.

Elle grogne dans sa couverture. J'avais oublié à quel point elle pouvait être têtue.

— Tu auras oublié tout ça demain, complété-je.

Je croise les doigts.

— Tu paries combien ? me défie-t-elle en réajustant la canule d'oxygène sur le rebord de son nez.

— Rien du tout. Endors-toi, maintenant.

— Sept jours, Échalote. Nous partons dans sept jours.

Je fais un pas vers la porte, quand elle m'interpelle une dernière fois.

— Sept jours, Nayden !

— Sept jours… O.K.

— O.K.

Dans sept jours, je vais revoir ma mère.

Dans sept jours, je vais rencontrer la famille d'Emma.

Dans sept jours, je passe à l'étape suivante: retrouver mon Flocon de neige.

En rentrant au loft, je me jette sur Ezra.

— Ezra, il faut que je sache si ma mère y est pour quelque chose dans le rétablissement de ma sœur.

— Je vous demande pardon ?

Je fais les cent pas.

— Quelles sont les chances qu'après trois mois de coma, quelqu'un se réveille sans séquelles ?

— Infiniment minces; j'ai peine à émettre une statistique, monsieur.

— Bien. Et pourtant, Juliette vient contredire toutes ces statistiques. Elle se souvient de tout, Ezra. De tout ce qui s'est passé avant et de tout ce qui s'est passé pendant. C'est comme si… c'est comme si elle n'avait dormi qu'une nuit et la voilà de nouveau réveillée, exactement comme avant.

— Les données auxquelles j'ai accès ne permettent pas de valider une telle hypothèse.

— Peux-tu te connecter aux archives médicales et à son dossier ? Je dois savoir : il y a certainement quelque chose…

— Connexion en cours.

J'arpente le moindre centimètre du salon. Comme je me rends à la cuisine pour me servir un verre d'eau, Ezra m'interpelle.

— Je confirme : note au dossier de Juliette Keyes concernant une activité cérébrale anormalement élevée pour quelqu'un dans un coma végétatif.

— Approfondis, s'il te plaît.

— Ses médecins ont décelé une activité cérébrale supérieure ou équivalente à la norme, malgré laquelle mademoiselle Keyes est demeurée dans l'impossibilité de se réveiller. Les spécialistes affirment que si elle s'était réveillée plus tôt, le choc de son activité cérébrale anormalement élevée l'aurait, dans les faits, tuée.

— Ce qui signifie… ?

— Mademoiselle Keyes n'a survécu qu'en raison d'un programme, oui. Particulièrement ingénieux, d'ailleurs. Il a maintenu au maximum toutes ses fonctions vitales tout en conservant sa mémoire intacte, un peu comme fonctionne une copie de sauvegarde dans un ordinateur.

— Alors, à son réveil, elle avait encore accès à tout, dis-je.

— C'est exact.

— Il n'y avait vraiment aucune chance qu'elle survive sans cela ?

— Beaucoup trop infimes, Nayden. Les analyses médicales affirment que votre jeune sœur serait morte quelques jours après l'accident si l'activité cérébrale n'avait pas été aussi intense grâce à ce programme.

— Peux-tu localiser sa source ? Je ne peux croire que la puce soit complètement indépendante, c'est carrément impossible.

— Elle ne l'est pas, monsieur Keyes. Le serveur central provient de l'ordinateur de votre mère – Julyan.

— Et sans cette puce, Juliette pourrait-elle survivre ?

Un silence suit ma question. Ce n'est pas bon signe.

— Ezra…

— J'ai bien peur que non, monsieur Keyes. Juliette est à présent entièrement dépendante de ce composé électronique. Sans lui, elle mourra assurément.

Je me laisse tomber sur le canapé.

— Est-ce dangereux pour elle ?

— Non, il est entièrement sécurisé. À moins d'avis contraire, le programme ne pose aucun danger pour mademoiselle Keyes.

— Mais elle en dépend quand même…

— Oui.

Je soupire.

— Très bien. Merci, Ezra.

Je suis donc retourné la voir chaque jour de la semaine suivante. Et au septième jour, comme prévu, elle était exactement comme avant, comme si rien n'avait changé.

Flamboyante, pétillante et pleine de joie de vivre, elle aurait pu ramener à la vie une centaine de personnes.

J'ai donc perdu notre pari.

Les médecins ont tout de même hésité à la laisser partir, mais, voyant qu'elle allait vraiment mieux et qu'elle pouvait marcher et parler sans aucune séquelle, ils lui ont donné congé. Son cerveau ne semble donc aucunement atteint: c'est son corps qui, plongé pendant aussi longtemps dans le repos, a le plus écopé. En très peu de temps néanmoins, elle a recouvré suffisamment son équilibre pour marcher sans aide.

Le soir où Juliette et moi rentrons donc à mon loft, avec le peu d'affaires qu'elle avait, nous faisons aussitôt nos bagages dans l'optique où nous devrions partir bientôt.

— Tu as encore ton loft?

Je pouffe doucement de rire.

— Oui. Ça t'a manqué?

— Plus que tu ne pourrais l'imaginer.

Avant, ma petite sœur passait presque toutes ses journées au loft avec moi quand elle n'avait pas d'école et que j'avais des «congés». Bien qu'en étant si haut gradé, j'avais très peu de vacances et je travaillais sans arrêt.

À présent, tout cela, c'est de l'histoire ancienne. J'ai été destitué de mes fonctions, renié par mon père. Je suis un traître à la nation. Et pourtant, je me suis rarement senti aussi libre de toute ma vie.

J'allume Ezra et lui demande de produire notre itinéraire. Le train qui mène chez ma mère passe cette nuit. Je me tourne vers Juliette en soupirant.

— Nous partons cette nuit, donc ? me dit-elle.

Je ferme les yeux en grognant. Elle vient exactement de dire ce que je craignais qu'elle dise.

— Juliette, c'est hors de question. Je ne te réveillerai pas en pleine nuit pour sauter sur un train. Nous pouvons attendre quelques jours.

— Qui a parlé de sauter sur le train ? Nous n'avons qu'à y monter normalement.

— Juliette, on ne peut pas *normalement* arrêter un train pour y monter.

— Et pourquoi pas ?

— Parce que c'est illégal !

Elle me lance un regard de chaton enragé: menaçant pendant quelques secondes, et c'est tout.

— Elle a traversé un mur pendant des mois pour venir ici, elle a vécu de notre côté pendant *des semaines* à cause de toi *sous une fausse identité*. Elle a SAUTÉ sur un train en marche DEUX FOIS et tu refuses de monter clandestinement sur UN SEUL train qui ne bougera même pas ? fait-elle en sautant à pieds joints.

Elle a raison. Je lui fais signe de se rasseoir. Je me laisse choir contre le dossier du canapé, en jurant.

— Nous n'avons qu'à arrêter le train et soudoyer le chauffeur, ajoute-t-elle en haussant les épaules. Ce n'est pas comme si nous manquions d'argent. Et tu sais aussi bien que moi que je ne peux pas sauter sur un train. Toi peut-être, mais pas moi. Donc que fait-on lorsque quelque chose se met en travers du chemin, Nayden ?

Elle me sourit de toutes ses dents. Je ricane.

— On continue d'avancer, complété-je.

— Exact ! C'est ce que papa disait toujours et il a raison. D'ailleurs, je ne comprends pas pourquoi il n'est pas venu me voir. Les médecins l'ont averti, pourtant il…

Je l'interromps :

— Ne parle pas de lui.

— Pourquoi ?

Parce que s'il daigne se pointer ici, je le tuerai même si tu regardes. Parce que je lui ferai exploser la cervelle sans un seul regret. Parce que je le tuerai un jour, qu'il soit ton père, le mien ou le nôtre. Parce qu'il m'a torturé et fait torturer puisque je ne suis pour lui qu'un rebelle de plus à écraser. Parce qu'il est responsable du départ de la seule fille que j'aime véritablement. Parce qu'il nous tuera, Emma et moi, si je ne le fais pas d'abord.

Une expiration monstre glisse entre mes lèvres.

Je lâche :

— N'en parle pas, c'est tout.

Elle fait la moue. Je secoue la tête. Elle reviendra à la charge ; Juliette n'abandonne jamais si facilement. Mais pour l'instant, elle n'insiste pas.

Je me lève et pose nos sacs près de la porte.

— À quelle heure passe ce train, Ezra ?

— À 1 h 33 du matin, à seize kilomètres d'ici.

J'opine du bonnet et me rends à la cuisine pour préparer le dîner. Environ une demi-heure plus tard, je l'interpelle :

— Viens manger, Moustique.

Juliette parle du début à la fin du repas. Une vraie pie ! À croire qu'elle doit rattraper tous les mots qu'elle n'a pu dire que dans son esprit pendant deux ans.

Puis, je la laisse dormir dans mon lit et je m'étends sur le canapé. J'attends quelques minutes pour m'assurer qu'elle s'est endormie avant d'allumer l'ordinateur. Je dois savoir si Ezra a pu localiser Emma.

— Je ne sais toujours pas où elle est, monsieur. Pardonnez-moi. Je continue mes recherches. Seulement, vu l'inactivité de sa puce, mes investigations sont compromises. Elle est en dehors des frontières, certes, mais où ? Je l'ignore. Une fois que vous serez chez votre mère, je crois qu'avec Julyan j'obtiendrai de meilleurs résultats. Notre étendue de recherche sera plus importante, ce qui facilitera la tâche.

— O.K. Continue de chercher quand même, on ne sait jamais.

— Bien sûr. Bonne nuit, monsieur.

— Bonne nuit, Ezra.

Je me cale contre mon coussin et m'assoupis jusqu'à une heure du matin: l'alarme que j'ai programmée sur Ezra sonne. Il est temps de partir. Je me lève sans sentir de fatigue et gravis les marches pour réveiller Juliette.

Je secoue doucement son épaule. Elle ouvre lentement les yeux et prend une profonde inspiration.

— Prête ?

— Si tu l'es, oui.

Je l'aide à descendre au salon.

Je glisse Ezra dans mon sac pendant que ma sœur enfile son manteau et son sac. Je jette un bref coup d'œil au contenu de mon bagage. Tout y est: quelques vêtements, l'argent pour le contrôleur du train et quelques vivres au cas où.

Je vérifie l'heure: 1 h 11. Il faut partir. Je saisis mes clés et nous sortons, prenant soin de verrouiller derrière nous. J'ignore quand je reviendrai – si je reviens –, mais je préfère y croire, cela me donne espoir.

Nous entrons dans l'ascenseur puis montons dans ma voiture. Le temps presse, je risque de devoir faire un peu d'excès de vitesse…

Je suis l'itinéraire d'Ezra jusqu'à la voie ferrée. Quelques minutes s'écoulent avant que j'entende le train et voie les rails vrombir sous la force du convoi. Comment fait-on pour arrêter un train ?

On se met devant. Oui, ça m'a l'air *sensé*.

Je saute sur les rails et agite les bras dans tous les sens. Aussitôt, les freins s'enclenchent et la lumière de la locomotive m'aveugle au même moment où le klaxon résonne dans l'air. Juliette, en retrait, se couvre les oreilles des mains.

Le train ralentit. Je quitte les rails et me protège le visage : la neige virevolte dans tous les sens à l'arrivée de ce monstre de métal.

Le chauffeur descend et se jette pratiquement sur moi, furieux. Ma taille nettement supérieure à la sienne et mon gabarit bien plus musclé que le sien ne semble en rien altérer son humeur maussade.

— Qu'est-ce que vous avez tous à vous jeter devant mon train ? aboie-t-il. Tu vas aussi me dire que tu as vu un chien sur la voie et que j'allais le frapper ?

Je fronce les sourcils ; manifestement, je ne suis pas le premier à se jeter devant son train. *Emma.* Je m'éclaircis la voix.

— Non, vous n'alliez écraser personne à part moi, monsieur.

— Qu'est-ce que tu veux ?

— Un aller simple pour ma sœur et moi. Un arrêt lorsque je vous le dirai, et c'est tout.

Il s'esclaffe.

— Des clandestins ? Tu me fais perdre mon temps, jeune homme, je n'embarque pas de passagers illégaux. Je suis un honnête homme.

Permettez-moi d'en douter, ai-je envie de répliquer en le voyant renifler et enfoncer ses mains dans ses poches.

— J'ai de quoi payer.

Je lui lance une liasse d'argent sortie de mon sac.

Il attrape l'argent, qu'il glisse dans la poche de son manteau.

— Où tu veux aller comme ça, mon garçon? grommèle-t-il en jetant un coup d'œil en biais à ma sœur derrière moi.

— Ça ne vous concerne pas. Alors? Marché conclu?

Je lui tends la main. Il tapote son menton d'un air pensif, mais je sais déjà qu'il a accepté. Je le vois à son langage corporel. J'ai été entraîné pour déceler ça.

— Marché conclu, approuve le chauffeur.

Il serre ma main et nous fait signe de le suivre.

— Tu dois être déterminé pour prendre le train à cette heure, marmonne-t-il.

— Je vous dirai quand arrêter, dis-je sans répondre à sa question.

Il remet les moteurs en marche et nous gagnons rapidement en vitesse. Juliette s'est laissée choir sur un petit banc derrière les commandes du contrôleur; elle me sourit faiblement. Elle tombe de fatigue.

— Endors-toi, Moustique, je te réveillerai lorsque nous serons arrivés.

Elle veut bien; elle s'endort presque aussitôt.

— D'où est-ce que vous venez comme ça, tous les deux?

— Vous posez trop de questions, monsieur.

Il grommèle en s'allumant une cigarette.

— C'est ça, parce que tu ne poserais pas de questions, toi, si on te demandait de monter sur ton train au beau milieu de la nuit ?

J'impose le silence en laissant sa question sans réponse. Je regarde le paysage défiler sans vraiment savoir où je vais. Une petite alarme sur ma montre m'indique que notre route touche à sa fin.

— O.K. Arrêtez-vous ici.

— Comme tu voudras, mon garçon. Seulement, il n'y a rien ici.

— C'est ce que vous croyez.

Il actionne les freins. Je me tourne vers Juliette, qui dort toujours malgré le bruit. Elle se secoue un peu. Je la prends dans mes bras et je descends du wagon.

— Nayden ? marmonne-t-elle.

— Ça va, rendors-toi, Moustique. Nous arrivons bientôt.

Je la sens presque tout de suite ramollir entre mes bras.

— Merci, monsieur.

— C'est ça, grogne-t-il.

Je fais quelques pas dans la forêt avant de m'arrêter pour contempler le ciel un moment et me repérer grâce à l'étoile Polaire. Je dois aller au nord. Je n'ai qu'à la suivre ; elle est plus fiable qu'une boussole.

Je replace Juliette sur mon épaule pour ne pas l'échapper et commence à avancer dans la neige. Heureusement une croûte s'est formée en surface ; je ne m'enfonce pas trop.

Quinze minutes de marche plus tard, je l'aperçois enfin : la chaumière de ma mère.

J'accélère et m'arrête devant sa porte, puis je m'aperçois que j'ai oublié de la prévenir de notre arrivée. Nous voilà chez elle en pleine nuit…

Je pose la main sur la poignée. Verrouillée, bien entendu. Je frappe à la porte en tenant Juliette d'une main, toujours assoupie.

Une lampe s'allume presque aussitôt et la porte s'ouvre de manière hésitante.

Ma mère, exactement comme je me la rappelle, apparaît et déglutit avec peine.

— Nayden ?

Elle tend la main vers ma joue.

— Bonsoir, maman.

Mon ton est plus sec que je ne l'aurais voulu. Sans doute parce que la voir en vie, ici, après qu'elle nous eut abandonnés, Juliette et moi, me donne envie de lui hurler dessus.

Son regard couve tendrement ma sœur.

— Entre, je t'en prie.

Je passe le seuil. Sa main caresse le dos de ma sœur. Je me raidis.

— Est-ce qu'elle est…

— Encore dans le coma ? Non. Elle s'est réveillée il y a une semaine.

— Une semaine et tu l'amènes ici ? À quoi as-tu pensé, Nayden ? me sermonne-t-elle aussitôt.

— Tu penses sérieusement que j'allais la laisser derrière avec notre père ? Ne fais pas l'innocente, je sais que tu y es pour quelque chose. Elle ne se serait jamais rétablie si rapidement. Et puis, tu connais Juliette, elle est aussi têtue que toi…

Ma mère me désigne son canapé après avoir retiré le sac à dos de Juliette.

— Installe-la ici, chuchote-t-elle.

Nous retirons doucement son manteau et la couvrons d'une douillette.

— Pourquoi être venu cette nuit, Nayden ? Il me semble que tu aurais pu attendre au matin si tu tenais tant à venir.

— Parce que j'ai suffisamment perdu de temps et que j'ai demandé à prendre le prochain train qui venait jusqu'à chez toi. Il faut que je retrouve Emma. Il…

Des pas sur ma droite m'alertent. Un entraînement militaire ne s'efface pas si facilement. Je suis toujours sur le qui-vive, surtout maintenant que je suis en cavale.

Mon regard tombe sur un garçon d'environ mon âge. Ses yeux sont bleu clair et ses cheveux, aussi blonds que ceux d'Emma. À sa posture, je vois qu'il a été militaire ; son allure le dénote.

Lui aussi est sur la défensive, prêt à me sauter à la gorge si je fais un mouvement de travers. Je remarque aussitôt ce qu'Emma disait à son sujet : c'est un protecteur dans l'âme, qui essaiera de me tuer si je menace quiconque de sa famille. Je n'en doute pas le moins du monde. Son nom refait surface : Adam.

— Qui es-tu ? grogne-t-il les poings serrés.

— Je m'appelle Nayden. Je suis le fils de ton hôtesse.

Sa mâchoire est tendue à l'extrême.

Dans le couloir, une femme s'approche, ensommeillée. Je devine aussitôt qu'il s'agit de la mère d'Emma, Sofia. Elle et son fils se ressemblent comme deux gouttes d'eau. Son poing vient plus vite que prévu et s'abat directement sur ma mâchoire. C'était prévisible.

Pas ce que j'appellerais un accueil chaleureux de sa part, mais je m'abstiens du commentaire et encaisse sans broncher.

— Adam ! s'écrie sa mère en le retenant de m'asséner un second coup.

— Salaud ! C'est de ta faute si elle est partie, hein ? ! C'est toi qui l'as fait transférer de votre côté !

Je me masse la mâchoire. Sofia et Lauren l'empêchent d'avancer. Juliette, qui a entendu Adam crier, est pleinement éveillée à présent et nous regarde alternativement d'un air hébété, entre deux accès de sommeil.

— Adam, arrête ! Ça suffit !

Il repousse sa mère et se jette de nouveau sur moi. Cette fois, je l'immobilise sans peine et le plaque au mur, les mains derrière le dos. Plus il grogne, plus je resserre ma prise.

— Je n'ai pas demandé à ce qu'elle parte, Adam. Tu veux te défouler sur moi ? Vas-y ! Sache seulement qu'elle a elle-même choisi de partir.

— Je t'interdis de parler d'elle comme ça ! Tu ne la connaissais même pas !

Il se débat. J'augmente la pression sur sa nuque et son bras.

— Adam. Laisse-le parler, lance alors une voix masculine.

Je me tourne brièvement vers lui et me fige sur-le-champ. La couleur de ses yeux me frappe aussitôt : j'y vois ceux d'Emma. Le même iris indéfinissable, qui raconte la même histoire, avec force et courage.

Je relâche Adam. Sofia avance et pose une main dans le dos de son fils pour le calmer.

— Comment t'appelles-tu, mon garçon ?

— Je m'appelle Nayden Prokofiev Keyes. Vous devez être madame Kaufmann, dis-je en lui tendant la main.

Elle joint sa main à la mienne en souriant faiblement.

Je pivote vers son mari, qui me tend la main à son tour.

— Monsieur Kaufmann, opiné-je en lui serrant la main. Pardonnez-moi de faire irruption à l'improviste ; je suis venu aussi vite que j'ai pu.

— Pourquoi tu es ici ? me demande Adam d'un ton venimeux.

Je me retourne dans sa direction.

— Parce que j'ai des explications à vous donner à tous et… je dois retrouver ta sœur, voilà pourquoi.

— N'essaie pas d'être mon ami en me lançant de fausses promesses, lâche-t-il en me fusillant du regard.

— Adam, ça suffit ! claque son père.

— Tu es prêt à m'écouter ou pas ? dis-je en avançant vers Adam.

Il croise les bras sur son torse. Il a tellement de mal avec l'autorité : difficile de croire qu'il a été dans l'armée. Il n'a pas dû y rester bien longtemps. Autrement, il y a un bon moment déjà que ses supérieurs l'auraient cassé. Je le sais, j'ai moi-même joué ce rôle auprès de sergents un peu trop permissifs. C'est sans doute pourquoi tout le monde me craint autant.

— Nayden a raison, soutient ma mère. Nous avons suffisamment perdu de temps et je sais qu'il peut nous aider.

Regard en biais. Je suis devenu trop froid et distant avec ma mère pour la remercier de son aide, même dans les circonstances actuelles. J'ai surtout l'impression qu'elle veut se racheter.

J'inspire à fond.

— Je sais comment la retrouver : il suffit d'arriver à localiser le programme qu'on a implanté en elle et qui la rend amnésique.

David s'immisce :

— Et après ? Que je sache, il est impossible de quitter la République.

— Mon but n'est pas d'aller la chercher. Ce que je veux, c'est faire sortir tout le monde.

Vingt et un

EMMA

Je fais le même rêve depuis deux semaines. Toutes les nuits, sans répit, ce même visage indéfinissable. Ce même soulèvement de mes côtes, ce même rire à mes oreilles et au creux de ma gorge. Même scène floue et même réveil en sueur, haletante. Cette silhouette de garçon semble être la raison des battements de mon cœur ; une passion dévorante m'embrase avant même que je prononce son nom dans le rêve.

Mon incompréhension persiste jusqu'au réveil en cet énième matin. Où suis-je ?

J'ouvre les yeux sur un plafond blanc, dans un lit douillet, entourée d'effluves qui me sont inconnus.

Je pose les pieds sur un plancher de bois dont les rainures ne me rappellent rien. Je me lève et j'ouvre la porte de la chambre : un petit couloir.

Au bout à droite, il y a un escalier, que j'emprunte. Je rejoins la cuisine, épicentre des odeurs.

Une dame aux fourneaux, cheveux blonds striés d'argent. Elle pivote et me gratifie d'un sourire. Je ne lui rends pas. Je ne sais pas qui elle est ni pourquoi j'ai dormi chez elle. Son sourire s'éteint.

— Tout va bien, Daria ?

— Qui êtes-vous ?

— Je te demande pardon ?

Elle s'approche du comptoir. Je recule d'un pas.

— Je suis ton hôtesse, Daria, et tu habites chez moi.

— Non...

— Oui.

— Je ne vous connais pas.

— Bien sûr que tu me connais, qu'est-ce que tu racontes ?

— Pourquoi est-ce que je suis ici ?

— Tu es Daria Rostov, tu te souviens de ça ?

— Je sais comment je m'appelle, je n'ai pas à m'en souvenir ! crié-je les poings serrés.

La dame contourne le comptoir pour me rejoindre. Je recule d'un autre pas et me retrouve coincée entre cette petite dame et la table de la salle à manger.

— Daria... Regarde-moi, me dit-elle en approchant ses mains de mon visage, qu'elle prend doucement entre ses doigts de papier. Tu sais qui je suis, n'est-ce pas ?

Je secoue la tête.

— Oui, tu sais qui je suis autant que tu sais qui tu es. Tu peux choisir de te souvenir de moi. Choisis de te souvenir de ce qui est essentiel. Tu peux le faire.

Pourquoi ces mots font-ils écho en moi comme si on venait de les hurler ? Elle n'est pas la première à m'avoir dit ça. Je le sais.

— Fran... Fran White ?

Elle me sourit d'un air soulagé.

— Ça va. Tu te souviens.

Mon arrivée dans la maison, le trajet jusqu'ici, les deux enquêteurs, la cellule, jusqu'à mon réveil dans la ruelle. Avant cela, c'est le noir complet. J'ai beau y diriger toute la lumière possible, rien n'arrive à éclairer cette part d'ombre en moi.

— Bien. Regarde-moi.

Elle plisse le front.

— C'est étrange. Il y a deux jours, j'aurais juré que tes yeux étaient gris…

C'est à mon tour d'être incrédule. Fran me fait signe d'attendre et elle revient avec un petit miroir qu'elle me tend. Je sursaute. Elle a raison. Mes yeux ne sont pas gris et ils ne l'ont jamais été. J'ai les yeux bleus et verts – ai-je porté des lentilles depuis tout ce temps ?

D'un geste, elle m'invite à m'asseoir à la table et elle dépose devant moi mon petit-déjeuner. Je ne comprends rien à ce qui se déroule.

Je mange. Je n'ai aucune envie de parler.

— Et si nous sortions, aujourd'hui, Daria ?

— Sortir ?

— Oui, en ville. Il y a un marché tout près d'ici et j'ai quelques courses à faire. Tu pourrais venir avec moi. Te familiariser avec les langues de la Réforme pourrait t'être utile.

Apprendre une autre langue avec de tels trous de mémoire ? C'est insensé… Néanmoins, j'accepte. Que puis-je dire ?

J'évite tout contact visuel du reste du repas, embarrassée d'avoir oublié l'identité de Fran et aux prises avec trop de mystères à élucider pour oser engager la conversation.

Fran respecte mon silence. Après quoi, je me lève pour faire la vaisselle.

— Tu chantes merveilleusement bien, Daria, dit-elle, légèrement surprise.

— Non, je ne sais même pas chanter.

Elle fronce les sourcils, me dévisage un bref instant. J'ai chanté et je ne m'en suis même pas rendu compte.

Mes mains se mettent à trembler. Je m'empresse de les enfouir dans le linge à vaisselle pour dissimuler mon angoisse.

Je sors aussi vite et aussi naturellement que possible de la pièce, mais Fran m'interpelle :

— Daria, tu as chanté. En anglais.

Je me fige. Je secoue la tête, les yeux rivés au sol. Je compte les lattes qui me séparent de l'escalier : treize.

— C'est impossible. Je ne parle pas anglais et vous le savez.

— Oui, moi je le sais que tu ne parles pas anglais. Toi, le sais-tu ?

J'arrête de respirer l'espace de quelques secondes. *En profiter pour m'éclipser à l'étage et m'habiller.*

J'inspire, j'expire. J'inspire, j'expire. J'inspire, j'expire. J'ai chanté en anglais. Comment est-ce que j'ai pu chanter en anglais ? Je ne parle même pas anglais ! Je fais les cent pas et, cent quatre pas plus tard, Fran entre dans la pièce, une petite pile de vêtements en main, son sourire épinglé sur son visage légèrement fripé.

— C'était à ma fille. Je crois que vous êtes environ de la même taille. Ça te va ? dit-elle.

J'acquiesce en récupérant les vêtements : il y a trois pantalons, trois chandails, deux chemises. L'une, bleu marin brodée de petites fleurs roses et l'autre, blanche à revers de dentelle au bas des manches et au collet. Joli et délicat. Fran les a faites elle-même, c'est évident.

— Merci beaucoup.

— Ce n'est rien. Oh, et j'ai ça aussi.

Elle me tend un tricot gris délavé à col bateau.

— Il est un peu vieux, mais si tu as froid j'ai pensé qu'il pourrait t'aller.

— Merci, Fran, vraiment.

Elle remue brièvement la tête, un pâle sourire aux lèvres.

— Nous partons dans dix minutes, ça te va ?

— Je serai prête.

J'enfile un jean bleu et la chemise blanche. Ce n'est pas parfait, mais ça fera l'affaire.

Je descends les marches en réajustant la chemise sur mes hanches lorsque Fran me rejoint dans le hall.

J'enfile mon manteau, lace mes bottes et me relève. Ces bottes, c'est la seule chose qui m'appartienne véritablement, à ce que je sache. Je crois que je les garderai toute ma vie si je n'arrive pas à me souvenir de quoi que ce soit d'autre et qu'il me faille bâtir mes souvenirs autour d'elles.

J'écrirai une histoire inventée à propos de ces bottes s'il le faut, ne serait-ce que pour me dire que j'ai des souvenirs, une vie, avec ces bottes aux pieds. J'ai même la vague impression d'avoir un destin lié à ces chaussures. Après tout, j'ai peut-être parcouru le monde avec elles, qui sait?

— Allons-y, ma chère!

Nous marchons six cent vingt-trois secondes avant d'atteindre le marché, qui est bondé.

Je serre les dents, j'essaie de ne toucher à personne. Je ne suis pas bien dans tout ce monde. Fran me chuchote de me détendre.

Un homme se bute à mon épaule en se faufilant; cette simple bousculade me fait faire un bond: on croirait que j'ai été touchée par la foudre.

Je bouscule une autre personne, puis encore une autre en voulant m'excuser d'avoir poussé la première. On me dévisage parce qu'on ne comprend pas ce que je dis. On devine aussitôt que je ne suis pas d'ici. J'ai tout d'une aliénée.

On s'attroupe autour de moi: je suis un animal de foire. Cible de leurs regards, des fléchettes qu'ils me lancent et qui se fichent dans ma peau, je suffoque.

Mon cœur palpite.

Le bout de mes doigts s'engourdit.

Je suis folle.

Je veux m'en aller.

Je *dois* m'en aller.

Il

Faut

Que

Je

M'en

Aille.

Tout de suite.

Je fonce à travers la foule et disparais au fond d'une ruelle. Je cours sans savoir où je vais, ça m'importe peu. N'importe où, mais pas ici. Ici, je ne reconnais rien, ni personne, ni même moi.

Je refuse de foncer dans ce brouillard qui obstrue ma mémoire.

Je fuis, terrifiée de ce qui se cache derrière ce brouillard. J'ai besoin de réponses et je crains ce noir dans mon esprit.

Les poumons en feu et le souffle en bourrasques, les membres douloureux et l'esprit plus lourd encore, ce n'est qu'à un énième détour que je m'arrête, à bout d'énergie. Mon corps ploie vers l'avant en expirant.

Je regarde autour de moi : je me suis arrêtée à un carrefour. Il n'y a même pas d'oiseaux, ni vent, ni arbres. C'est le calme plat à la croisée de ces quatre chemins déserts.

Fran ne m'aura certainement pas suivie, à la vitesse où je suis partie. Cette pauvre dame, avec toute la bonne volonté du monde, ne pouvait rien contre l'incendie brûlant qui me poussait à fuir.

J'examine chacune de mes options. Je ne sais même pas par quel chemin je suis arrivée.

L'inquiétude me ceint la poitrine.

Je me suis perdue. Perdue dans une ville ou personne ne parle ma langue, et où je n'ai jamais mis les pieds auparavant.

Je prends un chemin, n'importe lequel, puisqu'il y en a au moins un qui me ramènera où je voudrais être.

J'avance en comptant chacun de mes pas. Quantifier, c'est la seule chose qui donne un sens au monde dans lequel j'évolue. Parce que c'est la seule chose qui me soit familière. Il me semble que j'ai toujours compté.

Des rires d'enfants et des chiffres qu'on lance en l'air. C'est ce qui me fait relever la tête et emprunter cette rue-là. Je connais l'air de cette comptine : elle m'est familière bien que la langue ne le soit en rien.

Une aire de jeu. Une cour entourée d'une clôture de fer forgé noir, et un portail vers lequel je me glisse.

Un orphelinat. Voilà bien un lieu auquel je pourrais appartenir, me trouvant moi-même sans famille.

Les enfants courent, rient, sautent, enivrés par une envie de vivre bien plus forte que la mienne.

— *Adam ! Par ici !*

Je m'arrête. Un petit garçon d'environ trois ans se tourne vers cette voix de fillette. Adam… Adam… Adam… Je connais ce nom. Il provoque un écho si puissant dans mon crâne que j'ai peur qu'il n'éclate sous l'impact.

Pourquoi, pourquoi, pourquoi, pourquoi ?

Ma lèvre s'ourle en murmurant ce nom tandis que je vois ce gamin qui accourt vers sa jeune amie.

Adam. Il s'appelle Adam.

Quelqu'un s'avance vers moi. Une dame d'une cinquantaine d'années, aux cheveux bruns ternis par l'âge. Elle me semble inquiète. C'est sûrement parce que je ne devrais pas traîner ici, mais je suis incapable de détacher mon regard de ce petit bonhomme qui s'appelle Adam. Je le fixe toujours lorsqu'une main se pose sur mon épaule. Je sursaute.

— Daria ! Te voilà enfin ! Je t'ai cherchée partout ! me dit Fran d'une petite voix aiguë.

Elle débite le tout si rapidement que je dois répéter intérieurement ce qu'elle m'a dit pour le déchiffrer.

La responsable de ces orphelins pose une question à Fran que je ne comprends pas. Je m'éclipse et rejoins l'enfant, qui relève la tête vers moi. Je m'accroupis à sa hauteur.

Il m'examine d'un air mi-intrigué, mi-inquiet. Son jeune âge ne lui permet pas de se méfier des gens autant qu'il le devrait. Il n'a pas encore connu toute la méchanceté du monde. Moi, je l'ai vue. J'ai vu ce monde cruel fait de paroles âpres, d'yeux révulsés de haine et de dégoût, de doigts tendus, voleurs de bonheur. Un monde réel.

Les yeux du petit Adam ont la même couleur que le ciel bleu de cette journée. Ses cheveux, celle des blés au soleil. Il est adorable dès le premier coup d'œil. Comment ses parents ont-ils pu l'abandonner ?

Il me tend sa main, le visage fendu d'un grand sourire qui me déchire le cœur.

— Je m'appelle Adam ! me dit-il dans sa langue.

Je m'éclaircis la voix, presse délicatement sa fragile menotte.

— Et moi, Daria.

Il me sourit, plein d'assurance. Tout est gris dans mon esprit. C'est comme si l'on m'empêchait d'avoir

accès à quelque chose qui m'appartient. Une information protégée, scellée, comme dans un coffre-fort
dont je n'ai pas la clé.

Je nage dans l'ignorance.

Fran me retrouve. Une main sur mon épaule, elle
propose que je la suive. Nous devons nous en aller, je
n'ai rien à faire ici. Oui, elle a raison. Je quitte les
lieux, saluant d'une main ce petit garçon qui me voit
m'éloigner. Je ne pourrai pas l'oublier. Je ne veux pas
l'oublier.

Je peins une étoile qui porte son nom pour que,
petit à petit, je choisisse de me souvenir en contem-
plant le ciel.

Adam.

Qui, pour moi, portait ce nom avant lui ?

Vingt-deux

NAYDEN

J'ai insisté sur le fait qu'Emma, en partant, avait protégé tout le monde, mais cela n'a pas semblé convaincre son frère Adam, qui est revenu à la charge en me traitant de tous les noms possibles. Je l'ai laissé faire, pensant qu'il pourrait ainsi se décharger sur moi, en vain. Dans les faits, ça n'a fait qu'énerver sa mère qui s'est interposée dans le flot d'injures entre son fils et moi.

— Adam, sors d'ici.

— Quoi ?

— Sors d'ici. Va-t'en n'importe où, mais va-t'en.

Il se lève, les sourcils froncés. Sa mère lui fait face.

— Contrairement à toi, peut-être, je veux que ma fille revienne. On m'en a enlevé une, je n'accepterai pas qu'on m'enlève la seconde.

Pour détendre l'atmosphère, je m'empresse de dire :

— Ça va, madame Kaufmann, je comprends l'attitude d'Adam.

— Mon fils a une attitude inacceptable, Nayden, je n'en supporterai pas davantage.

Je secoue la tête.

— Je réagirais de la même façon si ma propre sœur disparaissait du jour au lendemain. Adam, assieds-toi, s'il te plaît.

Il hésite, mais s'exécute. À me voir prendre sa défense, peut-être me détestera-t-il un peu moins... Mon travail de diplomate semble finalement porter ses fruits. Mes réunions d'affaires, mes rencontres avec des militaires, mon entraînement de soldats et les sanctions que j'ai dû appliquer, les rondes que j'ai dû effectuer, les enquêtes et les interrogations que j'ai menées... pour la première fois, tout ça prend un sens.

— Je vais la retrouver. D'accord ?

Comme il ne dit rien, j'insiste :

— C'est en grande partie à cause de moi si elle est partie. C'est à moi de la retrouver. Si je ne l'avais pas fait transférer de mon côté après la fusillade, elle n'aurait pas eu à partir et rien de tout cela ne se serait produit.

Elle serait inévitablement morte, et moi aussi, pour l'avoir laissée s'échapper. C'est un piètre mensonge, mais le seul dont je dispose. Son père, une main sur le visage, me scrute à la loupe. C'est un homme fort. Autant que mon propre père peut l'être. La cruauté en moins.

Il dit :

— Je propose d'ajourner la discussion ici et de retourner dormir. C'est inutile de discuter cette nuit, nous progresserons mieux demain.

— Je suis d'accord. Allez-y, je ne vous retiendrai pas plus longtemps, approuvé-je.

Je me lève à leur suite. Ce faisant, je vois au fond du couloir un garçon à peine plus jeune que Juliette qui s'avance vers nous. Il fixe le plancher, les mains entortillées à la hauteur du plexus comme si elles voulaient tenir quelque chose qui n'y est plus. Je pense aussitôt à la locomotive qu'Emma m'a laissée. Je crois l'avoir glissée dans mon sac. Du moins, je l'espère. Je m'en voudrais de l'avoir oubliée au loft : il manque tant de choses à ce petit garçon présentement.

Noah marmonne, mais personne n'y comprend rien. Notre discussion animée aura sans doute perturbé son sommeil. Je doute qu'il se rendorme de sitôt.

Une main sur ma nuque, je me pince pour me retenir de me traiter de tous les noms. C'est de ma faute s'il s'est réveillé.

— Noah, va te recoucher s'il te plaît, dit Sofia. Nous y allions, nous aussi.

— Je ne veux pas dormir.

— Il reste encore beaucoup d'heures avant que le soleil se lève, poursuit sa mère.

— Je me suis levé avant lui, c'est tout.

Sa voix est incroyablement monotone. C'est la première fois que j'entends et que je vois un autiste. Son trouble semble assez sévère.

Il me regarde enfin, mais pas dans les yeux.

— Je ne le connais pas, marmonne-t-il.

— Ça va, Noah, lui répond son père. Il est gentil.

Le regard du jeune garçon glisse jusqu'à Juliette. Soudain, son expression change.

— Moi, c'est Juliette, lui dit-elle dans un sourire.

Elle lui tend la main, mais il recule.

Aucun contact. En revanche, je me demande si Noah rougit… Il se balance doucement d'avant en arrière, lorgne la mâchoire de ma petite sœur, silencieux pendant plusieurs minutes.

— Elle, c'est Juliette. Juliette. Juuuuliette.

Il sourit en s'entendant étirer ainsi la première voyelle de son nom.

— Et toi, c'est Noah.

— Et moi, c'est Noah, opine-t-il.

Ma sœur se retourne vers moi, tout sourire. Elle a toujours été une altruiste: gentille, douce avec tout le monde, peu importe leurs origines ou leur physique.

Juliette voit les gens d'une seule manière: humaine.

—Tu aimes les trains? demande-t-il sur ces entrefaites.

— J'adore les trains! s'exclame-t-elle.

Le visage de Noah se fend d'un sourire contagieux, qui se transmet à tout le monde dans la pièce.

En elle, il arrive à voir la jumelle qu'il a perdue. En ma sœur, il voit cette moitié qu'il lui manque. Elle parviendra à le combler, j'espère.

Puis, sans prévenir, il change de cap et disparaît au fond du couloir. Si mon ouïe ne me fait pas défaut, il continue de marmonner que Juliette aime les trains.

Sa mère m'adresse un hochement de tête amical, de même qu'à ma sœur. Elle disparaît à son tour dans une chambre, précédée de monsieur Kaufmann. Quant à Adam, il s'attarde un peu, à la fois surpris par l'attitude de son frère envers ma sœur, et content, peut-être...

— Bonne nuit, Adam.

Il se tourne vers moi. Je soutiens sa pupille, opine en soupirant. Il quitte la pièce et ma mère se lève à son tour.

— Je vais te préparer un lit pour dormir.

— Maman, laisse. Je peux dormir dans le fauteuil. Prépare ton lit, je crois que Juliette a pris le canapé. Ça ira pour elle et moi, terminé-je en jetant un coup d'œil à ma sœur.

— O.K. Bonne nuit, les enfants.

Elle prend le visage de Juliette entre ses mains et lui fait une bise sur le front. Elle s'approche de moi pour en faire de même – comme lorsque nous étions petits et qu'elle venait nous border –, mais je me dérobe. Elle baisse les bras tristement.

Je ne me laisse pas atteindre.

Elle s'éloigne, puis reparaît quelques minutes plus tard avec des couvertures et un matelas de mousse, qu'elle déroule près du canapé. Elle me tend l'une des couvertures, sans un mot.

Elle s'endort presque aussitôt. Juliette attend que notre mère se soit endormie pour me demander :

— Noah... qu'est-ce qu'il a ?

Il n'y a absolument rien de péjoratif dans sa question, rien qu'une curiosité à la fois juste et bonne.

— Il est autiste, dis-je en accompagnant ma remarque d'un sourire faible.

— Qu'est-ce que ça implique ?

— Entre autres, qu'il a beaucoup de difficulté à établir des contacts sociaux.

— Oh… Je ne m'en suis pas aperçue.

— Parce qu'avec toi, il a réagi différemment.

— Comment, différemment ?

— Habituellement, je ne crois pas qu'il aurait été en mesure de t'adresser directement la parole.

Elle grimace doucement.

— Dans ce cas, pourquoi l'a-t-il fait ?

Je hausse les épaules.

— Tu pourrais le lui demander.

Elle glousse.

— Peut-être… Il a de beaux yeux. Les mêmes que ton amoureuse, j'ai cru remarquer.

Je l'admets.

— Il est temps de dormir.

— Oui. Bonne nuit, Échalote

— Bonne nuit, Moustique.

Elle tire la couverture jusqu'à son nez et s'endort en un claquement de doigts : comme je l'envie. Pour ma part, je déniche la locomotive de Noah, dont il manque une roue, et la pose sur la table pour l'observer jusqu'à ce que je sombre dans le sommeil. Elle lui sera plus utile qu'à moi.

Vingt-trois

EMMA

Il n'y a plus de neige nulle part et il pleut sans arrêt depuis une semaine. À un moment où il a cessé de pleuvoir, Fran m'a demandé de faire une course pour elle sous prétexte qu'elle devait rester à la maison pour cause «d'arthrite au genou». Il était évident qu'elle voulait me faire prendre l'air pour m'habituer à tout… ça.

Je me fige instantanément.

— Voyons, ne fais pas cette tête! s'exclame-t-elle en me tapotant la joue. Ce n'est pas très loin d'ici et je dois te dire que tu te débrouilles très bien en français depuis quelques jours. Tu pourras le mettre à profit. Regarde, je t'ai même préparé une liste!

Elle me parle constamment en anglais et en français depuis le début de la semaine.

Elle m'a tendu la liste puis elle a pivoté, l'index en l'air, pour revenir quelques instants plus tard avec de nouveaux vêtements de sa conception.

— Je t'ai aussi fait ça, les fois où tu dormais très tard le matin. C'est un petit cadeau.

— Vous n'étiez pas obligée, voyons, dis-je en récupérant malgré moi les vêtements qu'elle me met pratiquement de force dans les bras.

— Ce n'est rien! Il y a une jupe ainsi qu'un chandail, que voici. Il y a aussi des chaussettes de laine et des bas de nylon – que je n'ai pas faits, par contre. Les temps se sont réchauffés: il fait particulièrement beau aujourd'hui. Avec tes bottes, ça sera très joli. Parfait pour ta promenade en ville!

— Je vous remercie.

Elle me pince le nez.

— En français, ma belle, en français!

Exaspérée, je désigne l'escalier d'un geste pour lui signifier que je vais me changer.

J'entre dans ma chambre et enfile le tout.

Je dois avouer que Fran a beaucoup de goût. L'encolure du chandail est un peu grande, mais l'effet lâche complète assez bien mon ensemble. J'esquisse l'ombre d'un sourire à Fran.

— Tu es très jolie, Daria.

— Merci.

Elle fronce légèrement les sourcils.

— Je peux attacher tes cheveux, si tu veux, me dit-elle en un nouveau sourire plein de gentillesse. Approche.

Elle me désigne la chaise tout près de la table. Quelques minutes plus tard, elle me tapote l'épaule pour me dire qu'elle a terminé.

— Merci Fran, c'est très beau.

— Ce n'est rien! Bon, lève-toi, maintenant. Sinon, je sens que tu vas rester collée ici jusqu'à ce que tous les magasins où je veux que tu ailles soient fermés !

Et moi qui tentais d'étirer le temps.

Dans l'entrée, Fran pose mes bottes devant moi. Je les lace sans énergie, me redresse en soupirant.

— On cesse de soupirer ! On se tient droite et on sourit ! Tout ira très bien, Daria.

Je marmonne que je n'en suis pas si sûre.

Elle me tend une veste de jean délavé.

— C'était à ma fille, ça aussi, dit-elle en me tendant le veston ainsi qu'une écharpe vert foncé. Il fait trop chaud pour que tu portes ton manteau de laine. Bon, voici la liste d'endroits où tu dois aller.

J'ai trois endroits où aller : le fleuriste, le boulanger et le marchand de fruits et légumes. Et pour chaque endroit, il est écrit ce que je dois acheter.

Elle me remet également une petite bourse de cuir, que je passe en bandoulière, et deux sacs de tissu, que je glisse dans la bourse. J'ai assez d'argent pour tous ces achats.

Elle me pousse hors de sa maison.

— À plus tard !

— Et si je me perds ?

— Tu ne te perdras pas. Si tu te perds, tu n'auras qu'à demander ton chemin. Vas-y, maintenant !

Je lui lance un regard noir, qu'elle esquive habilement en refermant la porte.

D'abord, je me rends au marché pour les fruits. Ensuite, je me dirige vers le boulanger. Je me fie aux noms de rues et à l'adresse que Fran m'a donnée, mais je tombe dans une impasse.

Je viens de me perdre. Je soupire, pose mon sac et scrute les alentours dans l'espoir de repérer quelque indice familier.

— Tu m'as l'air perdue… je peux t'aider ?

Je fais un quart de tour. Je recule d'un pas instinctif.

— Oh là ! On se calme, je n'ai pas l'intention de te voler. Je veux juste t'aider ! s'empresse-t-il de dire en levant les mains en l'air.

L'inconnu tente un sourire. Le blanc de ses dents détonne avec la couleur chocolat de sa peau. Son sourire est éclatant entre ses magnifiques lèvres pleines couleur café.

Son nez est grand et large, comme le reste de son visage aux traits forts. Il est très grand, son port d'épaules ample et ses bras semblent avoir été sculptés, sous son veston de velours côtelé gris foncé. Virilité et charme. Son sourire s'élargit lorsqu'il constate que je le zieute toujours sans rien dire. Il est beau et il le sait. Sa pupille noisette s'éclaire d'une petite étincelle. Il passe une main dans ses cheveux noirs coupés ras.

— Donc ? Je peux t'aider ?

Je consulte ma liste un moment.

— Je…

— Eh bien, ça y est, tu parles ! s'exclame-t-il en riant.

Je souris en mirant mes bottes.

— Je m'appelle Idriss.

— Et moi, Daria.

Il me tend sa main immense, que je serre dans la mienne, minuscule.

— Alors, Daria, où est-ce que tu vas comme ça ?

— Chez le boulanger.

Je lui montre ma liste d'adresses d'un geste maladroit. Il me sourit de nouveau.

— C'est de l'autre côté, dit-il avec un geste, à deux rues d'ici. Normal que tu te sois perdue. Tu aurais dû suivre l'odeur, c'est bien plus fiable que les noms de rue pour trouver le boulanger.

Je suis son regard dans cette direction.

— Oh… Je vois.

Il me sourit toujours. Je me refocalise sur ma liste.

— Bon, eh bien… j'y vais !

Je tourne les talons, sans avoir dit au revoir. Pas même un merci. *Quel manque de tact, Daria !* J'ai baragouiné le tout dans un français correct, mais mon cerveau ne cessait de me bombarder la traduction russe. Je suis encore dans mes pensées lorsqu'il me rejoint au pas de course, mon sac de fruits entre les mains.

— Tu as oublié ça. Je crois qu'il serait préférable que je t'accompagne… Pour ta propre sécurité, bien entendu, s'empresse-t-il d'ajouter en me faisant un clin d'œil.

J'ai terriblement chaud tout à coup.

Il glisse mon sac sur son épaule et nous reprenons notre marche.

— Manifestement, tu ne viens pas d'ici, souligne-t-il.

— Qu'est-ce qui te fait dire ça ?

— Ton accent.

Je pince les lèvres. Oui, bien sûr que j'ai un accent. Je trouve que je me débrouillais bien pour une fille qui vient tout juste d'apprendre deux langues en même temps !

— T'inquiète, tu te débrouilles bien ! s'empresse-t-il de me confirmer en voyant mon air. J'étais pareil en arrivant.

— Contente de savoir que je ne suis pas la seule.

Mes lèvres se retroussent finement. Je tiens la ganse de mon sac si fort que je pourrais la rompre.

— Heureusement que la vache qui a servi à faire ton sac est déjà morte, sans quoi elle souffrirait le martyre, la pauvre ! ricane Idriss, ses épaules secouées d'un rire que je ne partage pas, en raison de ma gêne paralysante.

Je lâche la ganse presque aussitôt et passe mes mains à plat sur ma jupe.

— Hé, détends-toi un peu ! ajoute-t-il en pinçant le tissu de ma veste à la hauteur de l'épaule.

Je me raidis plus qu'autre chose, mais je tente tout de même un sourire.

— D'où est-ce que tu viens ? poursuit-il pour engager la conversation.

J'ouvre la bouche, la referme. Inspire puis repousse une minuscule mèche de mes cheveux vers l'arrière.

— De loin.

En mon for intérieur, je me frapperais. *Je suis com-plè-te-ment ridicule.*

— Qu'est-ce que tu considères comme loin ?

— Pardon ?

— C'est où, loin, pour toi ? Parce que moi, je crois que je viens d'encore plus loin que toi.

— Et d'où tu viens, toi ?

Je me défile à sa question ; le faire parler m'apparaît salutaire.

— J'ai traversé l'océan pour venir ici.

— L'océan ? Quand ça ?

— Il y a environ cinq ans.

— Tu venais de l'autre côté de l'océan ? dis-je, non sans dissimuler ma surprise.

— Oui, de l'Amérique.

J'ai envie de lui demander si tous les gens ont la peau noire en Amérique, mais je m'en abstiens. C'est la première fois qu'on me parle de cet endroit. J'ignore à la fois où c'est et à quoi ça ressemble… Je ne me rappelle pas avoir vu d'océan non plus. Un détail me chicote, une image gravée dans mon esprit : celle d'une carte portant le mot « Amérique » et l'inscription « Territoire radioactif » au-dessous. Je chasse d'un coup cette image ; je ne sais pas d'où elle vient.

J'ai aussi déjà connu ce teint chaud, ce genre de sourire étincelant, d'yeux rieurs. Où ça ?

— Tiens, c'est juste ici !

Je relève la tête au moment exact où des effluves de pain et de croissants me chatouillent les narines. Idriss se rapproche pour jeter un coup d'œil à ma liste, par-dessus mon épaule.

— De quoi est-ce que tu as besoin ?

Sa proximité me gêne et je fais un pas de côté. Un sourire crispé pince mes lèvres. Je lui tends la liste et en profite pour le regarder, lui.

Depuis que je suis en ville, aucun geste de qui que ce soit ne m'échappe. Je les vois tous : leurs tics, leurs manies, leur port d'épaules et la confiance avec laquelle ils se tiennent debout. Cette assurance que j'envie et que je n'arrive pas à avoir.

Luttant contre mon malaise, je demande au boulanger ce dont Fran a besoin et je sors de la boutique.

— Prochain arrêt ? me demande alors mon accompagnateur.

— Le fleuriste.

— En route ! C'est à deux ou trois pâtés de maisons d'ici.

— Tu n'es pas obligé de me suivre.

— Je n'ai rien de mieux à faire.

Il m'ouvre la route d'un large geste de la main.

— C'est bizarre… commente-t-il en m'examinant.

— Quoi ?

— Que tu ne parles ni français ni anglais à l'origine.

— Je te l'ai dit, je viens…

— De loin, oui ça va, j'ai compris que tu ne veux pas me dire que tu viens de Sovietskaïa.

Je m'arrête brusquement, le dévisage sans retenue. Mon expression est à la fois vrillée de colère et de gêne. Je lui arrache pratiquement le sac qu'il transportait pour moi et marche d'un pas rapide jusqu'à la prochaine intersection, où je ne porte pas attention une seule seconde aux voitures qui passent.

Je traverse.

Une, puis deux voitures me klaxonnent et j'accélère le pas jusqu'à me mettre à courir. Je ralentis une fois de l'autre côté.

On klaxonne toujours : il m'a suivi.

Je jette un coup d'œil par-dessus mon épaule. Il zigzague entre les passants. J'accélère, mais les nombreux passants me ralentissent.

Il me rattrape au moment où j'entre chez le fleuriste. Il pose une main sur mon bras et me tourne vers lui.

— Daria… je te prie de m'excuser, je ne voulais pas t'offenser.

Je me libère de son emprise, l'insulte malgré moi en russe et il ne comprend pas du tout ce que je viens de lui dire. Tant mieux pour moi.

— Laisse-moi tranquille. Je ne te connais pas et je n'ai aucune envie de te connaître.

Il me lâche, lève les mains en l'air.

— Très bien. Je te laisse si c'est ce que tu veux, mais je suis persuadé que ta route recroisera la mienne.

Les traits durcis, je fais un pas dans le magasin tandis qu'il passe de nouveau le seuil dans un tintement de clochette. Qu'est-ce qui peut le rendre si sûr de lui ?

Aussitôt qu'il a disparu, je me sens terriblement seule. Pendant le bref instant de sa présence avec moi, je sentais que j'avais une bouée à laquelle m'accrocher.

— Je peux vous aider, mademoiselle ?

Un homme d'âge mûr tient entre ses mains un chiffon taché de terre, qu'il nettoie. Ses lunettes en demi-lune reposent sur le bord de son nez aquilin.

Je tente un sourire pour me détendre et dépose mon sac au sol avant de sortir ma liste.

— Je viens pour madame White, dis-je.

Son visage s'éclaire aussitôt : il répond rapidement à mon sourire tout en posant son chiffon sur une étagère, entre deux pots de fleurs.

— Tu dois être Daria ! Fran m'a appelé il y a quelques minutes pour me dire que tu passerais pour elle. J'ai sa commande, attends-moi deux petites minutes, ma belle.

Il débite le tout si rapidement que je dois répéter ce qu'il m'a dit à quatre reprises pour bien déchiffrer le message.

Je déambule entre les rangées de fleurs. Leurs effluves embaument l'air de mille et un parfums qui, à chaque pas que je fais, sont d'une composition différente de la précédente. Des fleurs de toutes couleurs et de toutes formes. Certaines en bourgeons et d'autres parfaitement écloses. Une pouponnière dédiée à la nature. Je lève les yeux vers le plafond, complètement en verre, d'où pendent d'autres plantes.

— Voilà, voilà ! s'exclame-t-il en revenant à sa boutique. Daria ?

Je fais un pas dans l'allée principale.

— Je suis là.

J'accompagne même ma remarque d'un petit geste de la main presque naturel. *Je fais des progrès époustouflants !*

— Voilà donc ses pousses de phlox blanc. Il lui faudra les planter très bientôt si elle veut qu'ils fleurissent au printemps.

— O.K., acquiescé-je sans être certaine d'avoir compris, tout en recueillant les petites fleurs à peine germées.

— Ensuite, les semences de coussins d'argent, celles d'ancolies koralle, et enfin, les graines pour le pavot d'Orient.

— Tout ça ?

— C'est ce qu'elle m'a demandé ! ricane-t-il. Elle risque de revenir la semaine prochaine pour d'autres encore.

Je pousse une longue expiration qui lui arrache un éclat de rire.

Je glisse les semences dans mon sac à bandoulière et je pose sur le comptoir l'argent qui lui revient.

— Bonne journée, Daria !

— À vous aussi.

Je dois maintenant retrouver mon chemin. Je soupire, regarde autour en quête d'un point de repère. Je décide de prendre à droite. Je finirai bien par m'y retrouver d'une manière ou d'une autre. Avec ou sans Idriss.

Je traverse de nouveau à l'intersection, sans courir ni me faire klaxonner cette fois, mais quelqu'un me bouscule et une partie de mes effets se retrouvent éparpillés en pleine rue.

Je grommelle – en russe ! – tout en ramassant le contenu de mes sacs, lorsqu'une paire de mains couleur chocolat vient me porter secours : ce sont les mains de celui qui m'a foncé dedans.

Je lève les yeux vers Idriss, qui est tout sourire, fier de son coup.

— Je t'avais dit que j'allais recroiser ta route, Daria. Tu devrais regarder devant toi, plutôt que vers tes pieds, ça t'évitera des ennuis.

— Dis plutôt que tu l'as fait exprès.

— Presque… Je te raccompagne ?

C'est davantage une affirmation qu'une question, mais je préfère me dire qu'il me demande la permission. Il ramasse mes sacs.

— Tu te rends où ?

— Chez madame White.

— Madame White… madame White… La vieille dame qui doit avoir au moins un milliard de fleurs chez elle ?

— C'est ça.

— Je vois. Direction rue des Flandres !

J'hésite quelques instants, durant lesquels j'arque les sourcils d'un air incrédule. *Il ne me lâchera pas d'une semelle, celui-là.* D'autant plus qu'il connaît la seule personne en lien avec moi… étrange.

Il mène la discussion à lui seul, semant des blagues ici et là, dont la majorité m'arrache bien plus qu'un sourire, au mépris de tous mes efforts pour rester silencieuse. À mon grand étonnement, je comprends tout ce qu'il me raconte.

— Depuis quand vis-tu ici ?

— Un mois.

— Et tu parles français depuis… ?

— Deux semaines, tout au plus. J'essaie, mais mon accent s'acharne.

Il ricane.

— Ça ne fait rien, ça te permet de te rappeler d'où tu viens.

Le problème, c'est que je ne m'en souviens pas. Je pince les lèvres.

Nous nous arrêtons devant l'allée de madame White.

— Terminus, tout le monde descend ! s'écrie Idriss.

Je lève les yeux au ciel, un rire amusé au creux de la gorge. Je m'empresse de franchir l'allée jusqu'à la porte ; je donne quelques coups sur le battant avant d'entrer.

— Fran, je suis là ! dis-je d'une voix forte avant de me rendre compte que je viens de le dire en russe.

Je fais brièvement face à Idriss, qui me sourit.

Fran arrive dans le vestibule, beaucoup trop rapidement pour ce que son arthrite au genou devrait lui permettre. Je pose les sacs près de l'escalier.

— Tiens, tiens ! Idriss ! Tu as croisé la route de ma nouvelle petite protégée, à ce que je vois.

— Oui, madame, j'ai pensé qu'un peu d'aide lui serait utile.

— Tu as bien fait. Merci beaucoup, mon garçon ! le remercie-t-elle en tapotant sa joue avant de récupérer les sacs.

— Vous vous connaissez ?

— Bien sûr ! Tout le monde connaît Idriss.

— Tout le monde me connaît, répète-t-il en haussant les épaules.

Je profite de leur petite discussion pour m'éclipser à la cuisine après avoir retiré mes bottes d'un petit coup de pied.

Idriss s'apprête à repartir.

— Maintenant que la gente demoiselle est de retour à bon port, je crois que ma mission est terminée. Mesdames, je tire ma révérence et vous souhaite une agréable fin de journée.

— À toi aussi, mon beau garçon. Au revoir !

— Au revoir, Daria ! lance-t-il, en posant un pied dehors.

Je souris brièvement.

Fran ferme la porte.

— Un peu d'amabilité, Daria, voyons !

— J'ai été très aimable, rétorqué-je en rangeant les fruits.

— Aimable, si tu considères qu'être aimable implique de ne dire ni au revoir ni merci et de ressembler à un énorme bloc de glace !

— Je n'ai pas demandé son aide !

— Raison de plus pour être gentille ! Franchement, Daria… me dit-elle d'un ton gorgé de reproches. C'est un très bon garçon et il est comme toi.

— Comment ça, « comme moi » ?

— Lui non plus n'a aucune idée d'où il vient.

— Il m'a dit qu'il venait…

— De l'Amérique, oui. C'est ce qu'il dit à tout le monde, mais au fond, il ignore autant que toi d'où il vient. Et puis, c'est impossible qu'il vienne de l'Amérique, c'est un territoire totalement inhabité et inhabitable à cause de la radioactivité du continent. D'une certaine façon, vous vous ressemblez.

Oui. C'est sans doute pourquoi il était si résolu à recroiser ma route.

Je repense alors au bambin. J'ai connu quelqu'un du nom d'Adam. Je le sais, je le sens. J'ai aussi connu quelqu'un avec la même couleur de peau qu'Idriss : hâlée par la chaude caresse du soleil. Je le sens, ça aussi.

J'ai remarqué un livre contenant une carte du monde qui mentionnait l'Amérique.

Je souhaite de tout cœur que l'arrivée du printemps fasse éclore mes propres fleurs, celle que recèle mon jardin de souvenirs. En dépit de l'amnésie, je sais qu'il n'est pas vide – que sous les apparences, il est envahi, enseveli de mauvaises herbes. Il me suffira de les enlever pour révéler la vraie nature de mon jardin.

Combien de fleurs me faudra-t-il désherber avant d'enfin arriver à celles qui en valent vraiment le coup ?

En attendant, ce n'est rien de plus qu'un cercle vicieux. Un cycle constant qui, toutes les deux semaines, me fait tout oublier les deux précédentes.

Vingt-quatre

NAYDEN

Je suis un animal dans une cage trop petite. Je tourne en rond à la recherche d'une aiguille dans une botte de foin.

Je me sens comme un fou dans un corps lucide : voilà bien un mois que je cherche et toujours aucune trace d'Emma. Nulle part. Rien.

Malgré tout, je continue de protéger sa famille et la mienne comme elle me l'a demandé, sauf qu'un détail m'a échappé : son jardin. J'ai oublié d'entretenir son « jardin de rébellion », et le printemps vient de se pointer.

Ici, chez ma mère, je suis inutile. Pendant qu'Ezra et Julyan cherchent, je ne réussis qu'à m'énerver davantage et je crains d'énerver Noah du même coup.

Heureusement que ma petite sœur est là. Elle est un véritable baume pour lui, comme la troisième sœur qu'il lui manquait désespérément. Et Juliette l'aime autant que s'il s'agissait de son propre frère. Un jour, enfin, j'ai une bonne nouvelle.

— Nayden, je l'ai trouvée, lâche ma mère.

— Quoi ?

Me voilà sur mes pieds en un claquement de doigts. Rapidement, Adam, son père et moi nous retrouvons derrière ma mère pour consulter l'écran de son ordinateur.

— Je l'ai trouvée : elle est en dehors des frontières. À un peu plus d'une centaine de kilomètres d'ici.

— 128,3 kilomètres pour être précis, ajoute Ezra.

— Comment peut-elle être si près et en dehors des frontières tout à la fois ? dis-je en fronçant les sourcils.

— Voyons, Nayden, réfléchis un peu ! Ils ne peuvent pas l'avoir exilée à l'autre bout du continent ! Tous ceux qui sortent des frontières sont instantanément localisés par la Réforme. Ce qui signifie…

— … qu'à partir du moment où ils sont sortis, ils avaient environ une heure pour la déposer quelque part avant de se faire prendre, complété-je à sa place. D'accord, je vois.

— Oui. La frontière de la République est la plus militarisée du globe et est constamment sous surveillance par la Réforme en raison du danger et de l'instabilité que notre gouvernement représente pour eux. Heureusement que ton père exerce un contrôle absolu sur cette frontière, sans quoi il n'aurait jamais pu faire sortir Emma. Ils ont probablement brouillé les caméras de surveillance pour pouvoir passer, puis ils l'auront relâchée dans la première ville abordée.

Je commence à voir où ma mère m'amène, et je n'aime pas ça du tout.

— Où veux-tu en venir, Lauren ? grogné-je.

— Tu ne pourras pas aller la chercher sans te faire tuer, Nayden.

— Affirmatif à 96,9 %, confirme Ezra.

Ma mère renchérit :

— On lui efface la mémoire toutes les deux semaines, si je me fie au cryptage de sa puce. Et elle doit se battre sans arrêt pour récupérer ses souvenirs. Ce qui signifie que même si tu allais la chercher, elle ne se souviendrait pas de toi. Qu'elle soit Insoumise lui facilite la tâche – sans pour autant la lui rendre facile.

Je renverse une chaise dans un accès de colère. Noah s'agite. Je m'en veux aussitôt et préfère partir de la maison avant de causer davantage de dommages. Je fais les cent pas en jurant. Il faut que je fasse quelque chose pour mettre fin à mon sentiment d'impuissance : voilà bientôt une semaine entière que je pense partir. Je crois bien que le moment est arrivé. Il me faut une route, quelque chose. Un chemin, un sentier à emprunter qui me fera avancer pour de vrai.

Je rentre à l'intérieur et saisis mon bagage, déjà bouclé depuis quelques jours. Je me saisis d'Ezra, sous l'œil dubitatif de ma mère.

Lauren me laisse faire : elle savait que tôt ou tard, j'en aurais assez d'être là.

— Nayden ! Qu'est-ce que tu fais ? me crie Juliette.

— Je pars.

— Où ça ?

— De l'Autre Côté. Il faut que je trouve un moyen de faire revenir Emma.

Je m'apprête à sortir.

— NAYDEN !

Son petit cri aigu réussit à me retenir. Elle soupire si fort: c'est à croire que toute son âme vient d'y passer.

— Tu m'as promis de me protéger. Si tu meurs, tu ne respecteras pas ta promesse. Pas plus que tu ne respecteras celle que tu as envers Emma et les membres de nos deux familles, ajoute-t-elle.

C'est à mon tour de soupirer. Adam sort du couloir, jette un sac sur son épaule.

— Je t'accompagne.

— Non, rétorqué-je d'un ton ferme.

— Si, et tu ne t'y opposeras pas. Je sais ce que tu veux faire en retournant en Basse République, ma sœur faisait ça avant qu'Effie…

Il ne termine pas sa phrase. Il ne la terminera sans doute jamais. Je ne lui reprocherai pas non plus.

— Adam, reste ici, lui dis-je. Ils vont avoir besoin de toi.

— Je veux t'aider. Et puis, tu auras besoin de moi là-bas, je la connais comme le fond de ma poche. Je me sens inutile ici.

Tout comme moi, pensé-je alors. Si nous travaillons ensemble, en équipe, peut-être qu'il changera d'avis sur mon compte…

— N'essaie pas de me convaincre. Je viens, et c'est tout. Juliette, prends bien soin de mon petit frère, ajoute-t-il en posant une main sur son épaule en guise de pacte.

— Bien sûr, Adam, c'est promis. À condition que toi, tu prennes soin du mien.

Il hésite un petit moment et finit par tomber d'accord. Juliette peut convaincre n'importe qui en quelques mots à peine. Parfois même sans parler : un seul regard suffit.

Je m'en vais. Adam n'aura qu'à me rattraper s'il souhaite tant m'accompagner. Seulement, je n'ai pas fait deux pas vers la porte que Juliette me crie après.

Je prends un air las.

— Tu ne me dis même pas au revoir ?

Mes épaules s'affaissent sous le poids du monde que je porte pour elle, pour eux, pour nous. Je lui fais signe d'approcher.

— Viens là, Moustique.

Elle accourt aussi vite que lui permettent les dernières séquelles de son coma, et me saute dans les bras.

— Prends garde aux couteaux, Échalote. Je n'ai pas envie de ramasser tes morceaux.

Je pouffe de rire dans ses cheveux. Elle embrasse ma joue dès que je la repose.

— C'est compris ? répète-t-elle plus fermement.

— Oui.

— Parfait.

Elle se rassoit au salon, près de Noah, d'un air confiant. Les parents d'Adam nous souhaitent à tous deux bonne chance. Ma mère et moi échangeons une expression entendue. Elle travaillera de son côté et moi, du mien.

Je marche d'un pas rapide entre les arbres jusqu'à la petite clairière, à une vingtaine de mètres de la voie ferrée. Je sors Ezra de mon sac et appuie sur une touche aléatoire pour qu'elle s'active.

— Le prochain train jusque chez Emma ?

— Dans trente-six secondes, monsieur. Je préfère vous dire qu'il ne contient que dix-sept wagons, vous devrez faire vite pour le rattraper.

— Tu n'aurais pas pu me le dire avant ?!

— J'ignorais vos intentions jusqu'à maintenant, Nayden.

Le train gronde déjà. Je la remets dans mon sac le plus rapidement possible. Sac à l'épaule, je rajuste les ganses. Je jette un coup d'œil à Adam : il est prêt.

Les rails vrombissent. Cet engin fait plus de bruit que le ciel et la Terre réunis.

Dix-sept wagons. C'est peu, quand on a moins de quarante secondes de préparation.

La locomotive pointe le bout de son nez. Je recule pour me donner un élan.

— Tu y arriveras ?

Dix mètres. Cinq mètres. Trois mètres. Je saute. Je m'accroche à la première poignée qu'il m'est possible de voir. Tout comme Adam, qui me suit de peu et s'accroche au wagon à ma gauche.

L'acide lactique enflamme mes bras tandis que j'essaie de trouver une porte pour que nous nous y infiltrions tous les deux ; le convoi passe si près des arbres qu'on ne pourra pas tenir très longtemps.

Je jette une œillade à Adam pour voir comment il se débrouille, et là, son pied droit glisse sur le rebord de métal. Il se rattrape de justesse, mais je dois tout de même empoigner le col de son manteau pour lui éviter de tomber. Il grogne sous l'effort. Je le tiens toujours d'une main puis parviens à trouver, de l'autre, un levier pour la porte.

Dans un ultime effort, je hisse Adam et le balance dans le wagon – étrangement vide – dès que je vois une ouverture. Je m'y précipite à mon tour et me laisse choir sur le dos, le souffle aussi haletant que mon compagnon. On m'a appris à calmer mon rythme cardiaque et à soutenir une respiration efficace en période d'effort physique. Adam aussi connaît ces techniques, visiblement.

Je tire la porte pour la refermer. Le vent cesse de vriller dans mes oreilles ; je donne un coup de poing qui se veut amical contre l'épaule d'Adam. Au regard qu'il me lance, je doute qu'il l'ait vu du même œil.

— Pas trop mal en point ?

— Je te déteste.

— Tu m'en dois une, tu sais.

— Ça compensera pour la disparition de ma sœur, grommèle-t-il, les paupières encore closes.

Je consulte l'heure à ma montre. Si avec Juliette il m'a fallu une heure en train, il m'en faudra peut-être une de plus pour me rendre chez Emma. Je sais où c'est : je m'y suis déjà rendu à trois reprises, les soirs où je la suivais pour mon enquête… Je prends appui contre la cloison de métal, tout près de la porte, afin de garder un œil sur le paysage.

— Tu me détestes tant que ça ? Même pas un merci ? Je viens quand même de te sauver, non ?

D'un ton sarcastique et empli de mépris, il lance :

— Merci, Nayden… Maintenant, va crever, gosse de riche.

C'est plus fort que moi, j'éclate de rire. Ça ne semble pas le ravir, mais je ne peux m'en empêcher.

— Va au diable.

— J'y veille bien, répliqué-je.

Il se dresse sur ses coudes en soupirant. Je vois aux commissures de ses lèvres qu'il se retient pour ne pas rire aussi. Ça l'amuse, au fond, de me détester. Il balaie les lieux du regard, puis tombe sur moi. Pas le choix de poursuivre la conversation.

— Excuse-moi si je n'ai pas encore trouvé de raison de t'aimer.

— Ça me va, dis-je en haussant les épaules.

— Il va falloir que je m'y fasse, pas vrai ?

Je plisse légèrement les paupières tandis que ses yeux me transpercent de part en part. Un trait de famille indéniable.

— Que tu te fasses à quoi ?

— À ce que tu sois amoureux de ma sœur.

Je suis soulagé, je ne veux pas lui mentir. Feindre un air surpris ne me ressemblerait pas ; j'acquiesce donc. *Oui. Je suis amoureux d'Emma. Comme un fou, comme le damné d'amour que je ne pensais jamais devenir.*

— Si tu lui fais du mal, je t'arrache la tête à mains nues. Sois sans crainte, ta mort sera lente et douloureuse, je m'en assurerai personnellement. C'est compris ?

— Tout à fait, Adam, opiné-je du menton.

255

— O.K.

Il me tend sa main, que je serre fermement dans la mienne pour sceller notre accord.

— Ton Flocon de neige, ma Coccinelle.

Je relève aussitôt la tête vers lui. Comment le sait-il ?

— Tu parles dans ton sommeil, désolé.

— Je n'ai rien dit de compromettant, j'espère ?

— Non. C'est Noah qui t'a entendu et qui s'est mis à répéter ça. J'ai compris que ça venait de toi.

— Je vois.

— Ne t'en fais pas, personne d'autre ne le sait.

— Ça m'est égal.

Je hausse les épaules.

— Ça ne change plus rien, à présent.

Maintenant que je ne peux même pas m'arracher à la République pour aller la chercher... Il faut croire qu'il me faudra travailler à distance à mettre fin au programme de sa puce pour qu'elle arrête d'oublier. Le hic, c'est que je me trouve dans l'impossibilité de faire les deux en même temps. Je compte donc envoyer un message à Julyan pour qu'elle se charge de cette partie. Particulièrement celle qui consiste à provoquer une amnésie toutes les deux semaines : il faudrait l'arrêter, donner à Emma un répit. Je n'ose même pas imaginer combien il doit être déstabilisant de ne plus se souvenir de quoi que ce soit tous les quatorze jours. Il y a de quoi devenir fou...

Si nous arrivons à neutraliser cette partie de son programme, au moins, nous ferons avancer un peu les choses. Puis je dois respecter ma promesse et entretenir son jardin. Nous devons faire sortir tout le monde d'ici. La famille d'Emma et ce qu'il reste de la mienne, mais aussi tous les gens qui vivent depuis trop longtemps en Basse République.

— Tu tiens vraiment à elle ?

— Plus qu'à ma propre vie.

Il pouffe de rire, les yeux rivés sur le plancher du wagon.

— Quoi ?

— J'ai toujours espéré que l'homme qui aimerait ma sœur me dise ça. Le monde dans lequel nous avons grandi n'était clément pour personne. Et malgré cela, Emma n'a jamais été comme les autres. Elle est mature et brave, elle l'a toujours été. Elle voyait du bon dans toutes les situations, une raison de se retrousser les manches dans chaque moment d'adversité. Caleb était bien, mais j'ai toujours senti qu'Emma valait plus que mon crétin de meilleur ami.

Un temps.

— Quand nous étions jeunes, les autres enfants la traitaient de folle dès qu'elle traversait la rue, parce qu'elle comptait sans arrêt. Quand elle ne comptait pas, elle chantait. Ça les agaçait terriblement. Les enfants ne sont pas toujours gentils, tu sais ? Alors ils se sont mis à lui lancer des pierres. Pour qu'elle arrête de compter et de chanter en dansant pieds nus sous la neige en pensant que les étoiles tombaient du ciel. Pour qu'elle arrête de croire que la pluie signifiait que les nuages étaient tristes. Pour qu'elle fasse comme tous les autres et qu'elle arrête de rêver. Comme elle était différente, je la protégeais. Moi, je voulais qu'elle reste telle quelle, mais aussi parce que la voir rêver me donnait espoir. Alors j'ai écopé de toutes les pierres qu'elle a pu recevoir et je l'ai protégée.

Il sourit à peine. Parler de sa sœur l'apaise et me rend heureux.

— C'est peut-être pour ça qu'elle était la seule à véritablement comprendre Noah. J'ai beau essayer… ça ne donne rien, il parle une langue qui ne me dit rien. D'ailleurs, Emma a changé lorsque Effie et Noah sont venus au monde. Comme si elle avait compris qu'il lui faudrait arrêter de rêver pour un petit moment, le temps qu'ils vieillissent et qu'ils puissent rêver avec elle. Et puisque je n'arrive pas à comprendre Noah, je fais comme avec elle : je le protège.

Je secoue la tête. Adam doit comprendre qu'elle se souviendra sans aucun doute d'eux avant moi. Après tout, sa famille est une énorme part de sa vie.

— Tu seras toujours là pour elle, Adam, et de ce que j'ai entendu à ton propos, tu es le meilleur frère qu'une famille pouvait espérer. Ne force pas les choses avec Noah… Emma me disait que c'était à lui de faire tomber le mur, pas à vous. Et puis, n'oublie pas que tu restes son frère, tu n'es pas remplaçable à ses yeux, crois-moi.

— Bien sûr, mais tu vois ce que je veux dire, non ? Je voulais un homme qui soit digne d'elle. Un homme qui puisse prendre soin d'elle et l'aimer vraiment.

Il passe une main sur son visage avant d'esquisser un petit sourire.

— Ne me déçois pas. Ta tête te va mieux sur les épaules qu'au sol.

Je ricane. Il tient vraiment à elle.

— Je crois qu'on arrivera peut-être à s'entendre. Peut-être.

Il répète ce dernier mot en levant le doigt en l'air. Le train effectue un virage sur la droite. Je jette un coup d'œil dehors.

On arrive tout près de la maison des Kaufmann. Seulement, elle a été réduite en cendres. Et rien ni personne n'est venu ramasser les dégâts.

Le soleil, encore haut dans le ciel, semble plomber les ruines. Je me lève, pousse la porte. D'un coup, le vent s'infiltre, transformant en tornade le simple courant d'air qui sifflait dans le wagon.

Adam se lève à son tour. Ses épaules s'affaissent à la vue de la maison.

— Je suis désolé.

— Ça va. Ce n'est pas de ta faute. On y va ?

— Ouais.

— O.K. À trois.

— Un… Deux…

— Trois.

Nous sautons tous les deux. D'un seul et même élan. Nous roulons dès l'instant où nos pieds touchent le sol. Il n'y a ni neige ni rien d'autre qu'une terre mouillée par le printemps pour amortir notre chute. Nous nous relevons le plus rapidement possible ; des vêtements trempés par le dégel en début de mission, nous préférons éviter.

Je me relève le premier, non pas à cause de mon atterrissage mieux réussi, seulement à cause de mon entraînement plus intensif. Je sais comment atterrir, peu importe la hauteur, la vitesse et le type de sol. Adam… un peu moins.

Habile comme il est, il aurait fait l'un des meilleurs soldats de mon régiment, mais il manque cruellement de pratique. Il se relève, estomaqué, frappant sur son sternum pour se remettre du choc.

Je pose une main sur son épaule.

— Ça va ?

— Ouais. Ça devrait aller.

— Viens, il ne faut pas rester à découvert.

Il obtempère et me suit aussi vite qu'il en est capable.

Je me dissimule dans l'ombre de la maison voisine et laisse Adam reprendre son souffle. Il mire ce qu'il reste des décombres : le piano, miraculeusement encore debout. Même couvert de suie et presque entièrement détruit, il est encore reconnaissable. La porte d'entrée est appuyée sur le châssis de bois encore debout ; les soldats y ont peint un mot : « Insoumis ».

Adam jette un coup d'œil aux alentours et part en courant vers la maison. Je lâche un juron : ce n'est pas prudent. Ils ont vraisemblablement fait croire aux voisins et aux gens du quartier que toute la famille avait péri dans l'incendie. Se balader dans le coin n'est certainement pas une bonne idée si l'on souhaite passer incognito.

Adam s'attarde à soulever le couvercle du piano ; voilà qui m'apparaît terriblement stupide.

— Adam, qu'est-ce que tu fabriques ?

— Il faut que je voie quelque chose…

— Voir quoi ?

— Si elle l'a fait.

— Mais fait quoi ?

Je monte le ton sans pour autant hausser la voix.

— Laissé notre trace.

Il se tourne vers moi, souriant, pour me montrer leurs six noms gravés là.

— C'est tout ce que je voulais voir. On est toujours là, Nayden, debout. C'est ce qu'elle voulait. Qu'on laisse notre marque.

Il repose le couvercle noirci, et je désigne le chemin. Je serais prêt à parier qu'une patrouille approche.

— On bouge *maintenant*.

— On bouge, approuve-t-il.

Nous nous engageons au pas de course dans chaque ruelle qu'il nous est possible d'emprunter, pour semer les soldats. Il y a beaucoup plus de militaires que je ne l'aurais cru… Ça risque d'être un peu plus compliqué que prévu. Je ne devrais pas m'en étonner pourtant. Chaque jour, le nombre de militaires augmente, accroît chez les gens le sentiment de crainte, d'oppression. C'est ainsi qu'on arrive à les tenir sous silence : en leur coupant tout moyen de rébellion. Il est temps que cela change.

On est au beau milieu de l'après-midi, complètement à découvert. Il faut absolument trouver un endroit où se cacher et, maintenant que la maison des Kaufmann est en cendres, je n'ai aucune idée d'où aller.

J'arrête Adam au détour d'une ruelle sans caméras ni soldats.

— Adam, as-tu une idée d'où nous pourrions aller ? Il faut se cacher, établir un plan, sans quoi nous risquons de nous faire prendre aussitôt. Ça grouille de gardes, ici.

— Oui, tu as raison, dit-il.

— Il n'y aurait pas quelqu'un qui pourrait nous aider ? Un ami, un parent, quelqu'un de confiance dans le coin ?

Il réfléchit à toute vitesse, je le vois à ses yeux qui se baissent vers le sol pour revenir vers moi, d'un bond : il a trouvé.

— Il y a quelqu'un, oui. Viens, suis-moi.

Je n'ai d'autre choix que de lui faire confiance ; autrement, je nous vouerais à l'échec.

Une trentaine de minutes plus tard, après nombre de détours pour cause d'excès de surveillance, nous nous arrêtons enfin devant une demeure d'apparence modeste. Et c'est peu dire.

Une petite maison, coincée entre deux autres et qui semble aussi grande que la paume de ma main. Adam regarde à gauche, puis à droite, et traverse la route au pas de course. Je lui emboîte le pas et me charge de faire le guet pendant qu'il frappe à la porte.

Une dame d'une soixante d'années vient ouvrir. Ses cheveux sont tirés en un chignon serré, accentuant ainsi ses traits déjà sévères. Ses longs doigts osseux se posent sur le battant de la porte, son autre main sur sa bouche pour en retenir un hoquet de stupeur. Ses yeux foncés témoignent d'une surprise, mais, plus encore, d'une inquiétude alarmante qui tend un muscle de sa mâchoire découpée au scalpel.

Adam soupire doucement. Il n'a pas quitté la dame des yeux et elle non plus. C'est à peine si elle m'a jeté un coup d'œil. À mon avis, elle le croyait mort.

— Madame Hänzel, nous avons besoin de votre aide.

Vingt-cinq

EMMA

Je patine sous une pluie d'étoiles. Ce même garçon au visage flou à ma gauche. Je suis maintenant certaine qu'il ne fait pas partie que de mon imaginaire. Il est bien réel ; autrement, je ne rêverais pas aussi souvent à lui.

Il appartient à ce passé qui m'échappe. À mes souvenirs indéfinis, à ma mémoire inaccessible. Et je veux désespérément le connaître.

Je me réveille en sursaut, je vois un plafond blanc. Mains transies de froid et de sueur, je m'assieds.

Je m'appelle Daria Rostov. J'ai dix-sept ans. Je suis orpheline. Je vis chez une vieille dame qui s'appelle Fran White et qui a une passion presque obsessive pour les fleurs. Je parle russe. Le français et l'anglais, pas encore tout à fait, mais j'y arriverai bientôt.

Nous sommes mercredi, au mois d'avril. Quel jour ? Ça, par contre, je l'ignore – je devrais consulter le calendrier plus souvent.

Je me répète ça matin et soir : j'ai trop peur d'oublier le lendemain.

Je vis dans une peur constante de l'oubli.

Je me douche puis vêts un jean bleu foncé et la chemise fleurie que m'a offerte Fran. En la boutonnant, je me rends compte que ma cicatrice à l'abdomen en forme de demi-lune a pris un aspect rugueux au toucher, comme si elle venait de finir de cicatriser totalement.

Je comprends aujourd'hui que mes marques ne s'étendent pas qu'à mon esprit. Elles me tatouent le corps aussi.

Je termine de m'habiller, tresse mes cheveux, descends directement dans l'entrée et enfile mes bottes. *Je choisis de me souvenir. Je fais ce choix conscient et délibéré.*

— Daria, qu'est-ce que tu fais ?

Je jette un coup d'œil à l'horloge au mur. J'ai toujours détesté les horloges ou tout ce qui indique le temps. Ça me rappelle amèrement qu'une journée de plus qui passe peut encore m'éloigner de mes souvenirs.

Je déteste les horloges.

Il est 10 h 22.

— Je sors. Est-ce que ça va ? Je reviens dans une heure, maximum.

Elle semble surprise, tâche de se ressaisir aussi vite que possible pour ne pas m'inquiéter.

— Oui. Oui, bien sûr ! Reviens pour le dîner, d'accord ?

— C'est promis ! À plus tard !

J'attrape mon pull gris et l'enfile rapidement avant de jeter ma bourse de cuir sur mon épaule.

La rue : une douce brise printanière chatouille la peau de mon visage. Le soleil plombe et de gros nuages cotonneux occultent le ciel par endroits.

Je me rends au marché, le point de départ de ma fuite lors de ma première sortie : j'aimerais me souvenir par où j'avais filé.

Il faut que je me rende à l'orphelinat pour voir Adam. Je ne l'ai pas oublié et je me suis promis de ne pas le faire. Il m'aidera à écarter le brouillard dans mon esprit.

Une main se pose sur mon épaule. Je fais volte-face.

— Daria ! Qu'est-ce que tu fais ici ?

Je souris au jeune homme qui se tient devant moi.

— Salut, Idriss !

Il écarquille les yeux, porte une main à son cœur comme s'il venait de recevoir un coup de poignard. C'est à mon tour d'écarquiller les yeux.

— Seigneur, qu'avez-vous fait de la Daria froide et distante qui ne me disait même pas bonjour ? !

Il se lance à genoux devant moi et se prosterne. Je vire aussitôt à la couleur des tomates du cultivateur d'en face qui arque le sourcil en voyant Idriss au sol.

— Merci, grand Dieu, de votre générosité et d'avoir permis à Daria d'enfin voir la lumière !

— Idriss. Idriss ! Relève-toi, bon sang, tout le monde nous regarde !

Il éclate de rire et se relève en effectuant une longue révérence.

Je lui claque l'épaule du revers de la main.

— Ça suffit ! Arrête !

Il s'esclaffe, mi-froissé, mi-amusé.

— Excuse-moi pour l'autre jour, dis-je alors.

Une fois de plus, il arrondit les yeux. Il en va presque à se prosterner de nouveau: son genou fléchit... mais je l'en empêche d'un regard noir. Il lève les mains en l'air et se reprend.

— Ça va, tu es pardonnée.

Il m'adresse un clin d'œil.

— Alors, où tu vas comme ça ? me demande-t-il.

Je réplique moi-même par une question:

— Qu'est-ce que tu fais dans le coin ?

— J'ai demandé congé à mon patron aujourd'hui.

— Je vois.

— Donc, tu vas où ?

— Je veux aller à l'orphelinat.

Un pli se forme entre ses sourcils.

— Pourquoi est-ce que tu veux aller là ?

— J'ai quelqu'un à aller voir. Tu sais où c'est ? Je risque de me perdre si j'y vais toute seule. L'unique fois où j'y suis allée, c'était complètement par hasard.

— Oui, bien sûr. Je t'y emmène, allons-y.

J'approuve et tâche de le suivre dans la foule. Le contact d'autrui m'apparaît beaucoup moins toxique qu'il y a quelques semaines. Idriss se retourne régulièrement pour voir si je le suis toujours.

— Par ici.

Il me désigne une ruelle un peu plus loin.

— Tout va bien ?

— Oui. Je n'aime pas beaucoup les foules. Je m'y sens coincée, scrutée et prise au piège. Comme si j'étais dans une cage sans serrure.

Il hoche de la tête.

— Qu'est-ce que tu fais comme travail ? lui demandé-je.

— Je suis un simple employé de bureau. Paperasse et tout ça, pour la Réforme.

— Ah, je vois. Tu aimes ?

— Non, mais j'ai un emploi.

— Et tout le monde te connaît parce que… ?

— Parce que je suis moi ! s'exclame-t-il en écartant les bras.

Je lève les yeux au ciel.

— Non, sérieusement, je ne sais pas.

Il hausse les épaules.

— J'ai toujours parlé à tout le monde, il me semble. Et je n'aime pas la solitude. Je suis un homme de foule, bien que mon petit cubicule ne m'offre pas ce loisir.

Je dois me repasser en boucle ce qu'il a dit pour comprendre. J'ai beau avoir fait des progrès en français dans la dernière semaine, je ne saisis pas toujours toutes ses subtilités, en dépit de la lenteur avec laquelle Idriss me parle. J'apprécie ses efforts.

Il me fait signe de tourner. Trois cent quatre-vingt-quatre secondes plus tard, j'aperçois le portail de fer forgé de l'orphelinat et les enfants qui jouent.

Cette simple vision réussit à me faire sourire.

— Pourquoi voulais-tu venir ici, Daria ?

— Il y a un petit garçon que je voulais voir.

Je m'avance ; Idriss me talonne.

— On n'a pas vraiment le droit d'être ici, tu sais ?

Je ne réponds pas et m'avance vers la cour. Je cherche, parmi les enfants, celui aux cheveux blonds et aux yeux couleur ciel.

Il me voit en premier et accourt au portail. Moi qui croyais qu'il m'oublierait, j'ai un pincement au cœur.

Je m'accroupis à sa hauteur.

— Bonjour, Daria !

— Salut, Adam.

Ma lèvre s'ourle à la prononciation de ce nom. Ce n'est pas la première fois que je le dis. Je le sais, je le sens.

— Quel âge as-tu, mon bonhomme ?

— Trois ans ! s'écrie-t-il en exhibant fièrement quatre de ses doigts devant mon visage, entre les barreaux de fer.

Je souris doucement, baisse l'un de ses doigts et les compte.

— Trois doigts, mon grand.

Ses joues rosissent légèrement et je pince affectueusement son nez pour le faire rire. Il chasse ma main d'un geste, en riant, et je m'aperçois soudain qu'il tient quelque chose dans les petits doigts boudinés de son autre main. Derrière lui, je vois la responsable de l'établissement s'approcher. Elle n'a pas l'air enchantée par ma présence.

Idriss me chuchote à l'oreille :

— Daria, il vaudrait mieux s'en aller, maintenant.

— Attends une minute… Qu'as-tu dans la main, Adam ?

— Une locomotive!

Il me la brandit au visage, en passant son bras dans la grille, manquant m'écorcher la peau. D'un coup, c'est comme si j'avais reçu un choc en plein cœur. *Une locomotive jaune. Il tient une locomotive. Une. Locomotive. Jaune.*

Je me fige. Je suis paralysée, statue de marbre qu'on vient tout juste d'achever. Je suis transie d'un sentiment de déjà-vu, qui s'apparente à un souvenir lointain mais présent.

— Daria, il faut vraiment s'en aller. Je crois bien qu'elle a appelé la police.

— Idriss, il tient une locomotive.

Il se fait plus insistant, me tire par le bras, voyant que je ne bouge toujours pas et que je continue de contempler l'objet que cet homme miniature tient dans sa main.

— Oui, les enfants ont toutes sortes de jouets, et celui-ci a de la chance d'avoir une locomotive. Viens, Daria. Il faut vraiment s'en aller.

— Il a une locomotive, Idriss…

Un sifflet me fait sursauter, et mon petit Adam aussi, qui recule précipitamment, apeuré et inquiet. Il faut que je le rassure. *Tout ira bien, Adam! C'est promis! Il faut seulement que je m'en aille, mais je reviendrai. Ces gens ne feront pas de mal, ni à toi, ni à moi.*

J'aimerais lui dire toutes ces choses, mais je n'y arrive pas. Je n'ai qu'une langue dans ma tête et, encore une fois, c'est du russe. On me tire vers l'arrière.

— Mademoiselle, vous n'avez pas l'autorisation de vous adresser aux enfants. Veuillez quitter les lieux, s'il vous plaît.

Le garde de sécurité débite tout si rapidement que je fais à peine attention à ce qu'il dit. Je ne le vois même pas : je n'ai d'yeux que pour le train de mon petit Adam.

Idriss se charge de répondre à ma place :

— Tout va bien, monsieur. Nous partions justement. Je m'occupe de la demoiselle. Viens, Daria ! insiste-t-il à mon oreille.

Je fixe toujours Adam. Adam et sa locomotive. J'ai déjà vu ça, connu ça. Je le sais ! C'est un souvenir bien réel !

J'ai un frère.

Peut-être même plus d'un.

Je le sais grâce à ce petit garçon, qui me regarde m'éloigner.

— Adam !

Je crie son nom ; il veut avancer vers moi. Peut-être sent-il la même chose que moi et veut-il se rattacher à quelqu'un qui pourrait être sa famille. Je veux être sa famille s'il veut bien être la mienne. Il tente un autre pas, plus rapide, ainsi qu'un troisième, vers l'unique porte de sortie.

La dame l'arrête, le retient fermement par le bras. Ses yeux s'emplissent de larmes. *Ne pleure pas, mon chéri. S'il te plaît, ne pleure pas. Tout ira bien, tu verras.*

Idriss prend carrément la décision de partir à ma place. De toute façon, les gardes de sécurité me barrent la route. Je dois me battre. Me battre pour me souvenir, c'est tout ce qu'il me reste.

J'ai eu un frère. Je le sais, je le sens.

J'ai eu un frère et il s'appelait Adam, comme ce gamin qui a arrêté de pleurer, heureusement.

Idriss m'entraîne plus avant: il m'a même pris la main. Sans doute avait-il peur que je revienne vers la cour. Je n'en sais rien, mais je vais à sa suite. Il s'arrête une fois que nous avons quitté complètement le périmètre.

Il lâche ma main, me zieute, les sourcils froncés.

— Daria, tu as chanté.

— Quoi?

— Tu as chanté pour qu'Adam arrête de pleurer.

— Ne raconte pas n'importe quoi! Je ne sais pas chanter, je l'ai déjà dit à Fran.

— Si, tu as chanté et tu chantes même très bien *en anglais*.

— Idriss, je ne sais pas chanter.

— Tu chantais une berceuse, Daria, en anglais.

Je m'adosse au mur avec l'envie de me laisser tomber tant je suis bouleversée.

Les mains d'Idriss me rattrapent de justesse. J'ai chanté en anglais une berceuse à un petit garçon qui s'appelait Adam et qui aime les trains.

En mon for intérieur, tout se bouscule. Un kaléidoscope de souvenirs me prend d'assaut, à la vitesse grand V. Le petit Adam se superpose à deux autres garçons. Blonds, eux aussi. Comme moi.

J'ai une famille. Je sais chanter. Et j'ai deux frères.

Vingt-six

NAYDEN

Madame Hänzel a troqué son allure de sexagénaire accueillante pour un masque d'une dure froideur; sa peur va de pair avec la possibilité de se faire prendre par notre faute.

— Adam, que fais-tu chez moi, pour l'amour du ciel?

— Nous avons besoin de votre aide.

— Oui, ça, j'ai bien cru le comprendre quand tu as frappé à ma porte. Ce que je ne saisis pas c'est comment vous êtes parvenus jusqu'ici tous les deux? Personne ne sait où j'habite, certainement pas un ancien élève de l'établissement où j'étais secrétaire!

— Vous ne l'êtes plus?

— N'essaie pas de te défiler, dit-elle en pointant un doigt osseux.

Adam danse un moment d'un pied à l'autre. Nous nous tenons debout, dans le vestibule.

— Je vous ai suivie. Une fois, pendant une ronde, lorsque j'étais soldat. Je voulais savoir où vous habitiez, parce que je savais que vous étiez différente des autres, que vous pourriez m'aider au besoin. Et j'en vois aujourd'hui la nécessité, madame Hänzel.

— Je la vois aussi, Adam. Seulement, vous ne devriez pas être ici. Surtout pas ce jeune homme-là.

— Vous savez qui c'est ? s'étonne-t-il en me jetant un bref coup d'œil.

— J'espère surtout que toi, tu sais qui t'accompagne, rétorque-t-elle aussitôt.

— Oui je le sais, sans quoi je ne me serais jamais présenté ici, madame Hänzel. D'où le connaissez-vous ?

— Je reconnaîtrais le fils du général Prokofiev les yeux bandés, dit-elle en croisant ses bras maigres sur sa poitrine, comme prise d'un frisson. Ne prends pas cet air surpris, Nayden. Les gens de ce côté du mur te connaissent bien plus que ceux d'où tu viens. Parce que nous, nous avons raison de te craindre. Et qui ne connaît pas son père, le général Prokofiev, l'homme le plus influent du conseil intérieur ?

Elle s'arrête comme si elle se retenait d'ajouter un autre adjectif à sa définition. Je vois la suite de sa phrase s'écrire dans son visage : *terrifiant... cruel... abominable ?* Tous les qualificatifs s'appliquent ; mon père est un meurtrier et je me suis battu toute ma vie pour ne pas l'imiter.

J'ai échoué.

Le nombre de doigts que je possède n'est pas suffisant pour recenser tous les décès à mon compte. Mes doigts sont lourds de morts. Indirectement, j'ai tué des milliers de gens, tout comme *lui*, parce que j'ai vécu du côté d'un mur où tout était plus facile.

Parce que j'étais un haut gradé dans l'armée et qu'il me fallait exécuter des ordres de gens plus haut placés que moi encore.

J'ose tout de même espérer avoir plus de valeur que cet homme frigide et sans cœur. Aucun homme qui tue sans raison n'a de valeur à mon sens. Et celui qui aurait dû me montrer l'exemple était lui-même cet antagoniste que je refusais d'être.

Je n'avais d'autre choix que de suivre cet *exemple*, faut-il croire.

— Il est avec moi, pour Emma.

Les lèvres pincées de madame Hänzel s'entrou-vrent de surprise.

— Elle est encore en vie ?

— Oui. Exilée, mais en vie, complété-je pour Adam.

Elle fronce les sourcils une fraction de seconde, durant laquelle mille questions défilent sur son visage.

— Comment se fait-il que tu sois encore en vie, Adam ? demande-t-elle. Ils ont incendié votre maison.

— Oui, mais nous n'étions pas là.

— Ils ont retrouvé des corps, cinq corps, mon garçon… Je vois qu'il ne s'agissait pas des vôtres.

Je me fige autant que mon compagnon de route. Ils ont fait mourir des gens pour faire croire à la population qu'il s'agissait des Kaufmann. Typique de mon père, je dois bien l'admettre, mais ils ont oublié quelqu'un : Noah. Adam passe deux mains à plat sur son visage décomposé.

Notre hôtesse nous fait signe de la suivre et de nous asseoir dans la salle à manger. De longues minutes s'écoulent avant qu'elle se décide à reprendre la parole.

— Si vous voulez faire quelque chose, les garçons, il vous faudra de l'aide. Je suis prête à vous aider, mais mon aide a ses limites, tout comme ma vie. Vous n'y arriverez pas tout seuls. Pas en étant seulement deux, aussi courageux et déterminés que vous puissiez l'être. Il y a des gens, des Insoumis, qui seront prêts à vous aider. Ils veulent la même chose que vous, au fond – on veut tous la même chose. On veut tous sortir d'ici, vous ne croyez pas ?

— Bien sûr, mais comment les rassembler ? demandé-je.

— Fais preuve d'ingéniosité, mon garçon. Emma avait déjà commencé, je crois. Poursuivez dans la même optique.

— Vous saviez ce qu'elle faisait ?

Elle fait oui.

— Les gens en ont parlé pendant des semaines, particulièrement du soldat qui a été retrouvé mort dans la Galerie. Puis ils se sont mis à oublier, pour se concentrer sur leurs problèmes quotidiens. Principalement quand les raids ont repris avec plus d'ampleur et que les gens se sont remis à avoir peur de mourir. Ils peuvent se souvenir de l'espoir. L'étincelle n'est pas encore tout à fait éteinte, il suffit de la rallumer.

C'est à mon tour d'acquiescer. *Leur redonner la force, rallumer les flammes.* Je jette un coup d'œil à Adam, qui hoche de la tête d'un air décidé.

Oui. Nous pouvons le faire.

— Très bien. Et si nous arrivons à ranimer leur espoir, nous faisons quoi après ? Nous les laissons se faire anéantir par le gouvernement ? C'est tout ce qu'il a toujours voulu, en fait ; ça serait complètement insensé de les pousser dans cette direction, ajouté-je. Nous ne pouvons pas les monter contre la République pour qu'ils se fassent tuer immédiatement.

— Non, bien sûr. Mais sache qu'il y aura des morts, Nayden. Aucune guerre – parce que c'est ainsi qu'il faudra l'appeler –, ne s'est soldée sans sacrifice. Assurons-nous que le nombre de morts ne soit pas trop important, c'est tout… Il faut donc trouver un moyen de faire sortir les civils et en informer la population le moment venu, pas avant.

— Pourquoi dans cet ordre ? demande Adam.

— Parce qu'ils vous restitueront cette porte de sortie à la première occasion.

Il nous faut une porte de sortie qui puisse accueillir tous les civils. Quelque chose qui ne s'arrête pas facilement au cas où les dirigeants de la Haute République voudraient nous empêcher de fuir.

— Les trains. Ce sont les trains qui nous permettront de décamper d'ici, dis-je en pensant à la lettre d'Emma.

Ils se tournent tous deux vers moi, l'une souriante, l'autre déjà victorieux.

— Ça me semble un bon plan.

— Un début de plan. Les garçons, vous n'y arriverez pas seuls, nous rappelle fermement madame Hänzel. Il vous faut de l'aide. Des gens comme vous, prêts à se battre. Ce ne sont certainement pas de vieilles dames dans mon genre qui iront manifester dans les rues.

Ceux de la nouvelle génération. Ce sont eux qu'il faut aller chercher. Ce sont eux qui se battront.

— Et si nous commencions par des messages? propose Adam. Un peu partout de ce côté de la ville, afin de repérer ceux qui réagissent: les Insoumis. Nous n'aurions qu'à rassembler ceux qui pensent comme nous.

Je secoue la tête.

— Non, il doit y avoir un autre moyen. Plus facile et moins risqué. Il nous faudra secouer leur programme, c'est certain. Mais ça, je peux le faire avec Ezra, nul besoin de descendre dans la rue…

Je fais basculer mon sac devant moi et en sors mon ordinateur. Je n'ai besoin que d'une chose: Ezra. Avec elle, je pourrai recruter des Insoumis bien plus efficacement que par n'importe quel autre moyen.

Bien sûr, Ezra à elle seule ne suffira pas – il faudrait un millier d'ordinateurs comme elle pour y arriver –, mais ce sera déjà un début. Ensuite, nous descendrons dans les rues pour entretenir le jardin d'Emma et voir si tout ça aura mené à quelque chose.

Au mieux, les Insoumis nous suivront. Au pire, nous devrons les forcer à le faire. Et je ne garantis pas que cela sera facile : je peine déjà à désactiver la puce d'Emma...

Je pose Ezra sur la table à café en face de moi.

— Tu crois pouvoir arriver à arrêter les programmes d'une population entière juste avec Ezra ? me demande Adam, dont le ton trahit un certain pessimisme.

Mais je ne lui en tiens pas rigueur ; moi aussi, j'ai des doutes.

— Adam a raison : il faut les secouer de l'intérieur, ajoute la dame. Mais si vous ne faites que ça, vous ne réussirez qu'à les rendre fous, vous comprenez ? Il faut user de stratégie.

— Très bien. Donc, il faut quelqu'un sur le terrain et quelqu'un sur le plan informatique. Je suggère que tu te charges de la partie robot-puce-de-je-sais-pas-quoi – je n'y connais rien là-dedans.

Je grimace.

— Je refuse de te laisser seul dehors. Surtout que tu es censé être mort... Et puis, je suis beaucoup mieux entraîné que toi. Ezra peut travailler toute seule pendant mon absence, ce qui signifie que je t'accompagnerai.

— Je n'ai pas besoin d'une nounou, grogne Adam.

— Qui a dit que je serais ta nounou, Kaufmann ? Je compte sur toi pour te défendre tout seul ! Je ne suis là que pour surveiller tes arrières. Tu imagines la tête que me ferait Emma si elle apprenait qu'il t'était arrivé quelque chose alors que j'étais là ?

Mes yeux s'arrondissent d'eux-mêmes rien que

d'y penser. Aussi bien le garder en vie si je tiens à la mienne! Je parviens à arracher un sourire à Adam, qui secoue doucement la tête, comme chaque fois que nous évoquons sa sœur.

Je reporte mon attention sur mon portable, toujours fermé. Je pose les coudes sur mes genoux, mains jointes, et me mets à réfléchir tout haut:

— Ce qu'il faudrait, c'est un moyen d'insinuer ma propre propagande dans l'esprit des gens, de manière à compromettre les effets du programme de la République.

— Tu as une idée, peut-être? Parce que moi, à ce niveau, je suis à court, réplique Adam.

— De la provocation, répliqué-je fièrement. Il me faudra me connecter au réseau interne, aux dossiers de programmation, puis à toutes les puces pour créer mon propre logiciel ou, du moins, une réplique de celui des Insoumis. Ce logiciel dissoudrait toutes les idées préétablies dans l'esprit des Asservis. Bien que j'aie un peu la touche en informatique, je ne crois pas être en mesure de faire… ça! J'ai déjà piraté le serveur de mon gouvernement, testé ses pare-feu, créé des virus, des systèmes de sécurité, mais absolument rien qui se compare à ce que je dois faire. Je connais une seule personne capable d'une chose pareille…

Or, contrairement à ce qu'on pourrait penser, je n'ai aucune envie de travailler avec cette personne. Pourtant je devrai, de toute évidence, laisser de côté mon aversion si je souhaite le mieux pour notre plan.

Qui de mieux placé pour démonter un logiciel, circuit par circuit, que celui – ou plutôt celle – qui l'a créé ? En l'occurrence, ma mère. Et Julyan, bien sûr.

Je dois donc ravaler tout orgueil ou ressentiment. Beaucoup plus facile à dire qu'à faire, auprès de celle qui nous a également abandonnés, ma sœur et moi, après l'accident. C'était un bon moment pour fuir et s'éloigner, j'en conviens : mon père avait toute son attention sur ma sœur, pour une fois. Mais son geste demeure : elle est partie.

Je suis un homme d'honneur et de parole, mais, plus encore, un orgueilleux. Le nier serait hypocrite. Cet orgueil est mon plus grand défaut.

Comme quoi il faut parfois sacrifier une part de soi beaucoup plus sombre si l'on souhaite ramener la lumière.

J'ai des milliers de flambeaux à rallumer ; j'arriverai à tolérer l'extinction temporaire de mon orgueil si c'est pour mener un peuple entier à la révolution.

Vingt-sept

EMMA

Mes paupières palpitent. On m'appelle. J'ai mal à la tête. Une douleur lancinante, criarde, pire que la voix qui continue de m'appeler. D'ailleurs, sa voix n'est pas vraiment aigüe, simplement agaçante à travers ma terrible migraine.

J'ouvre les yeux sans rien voir. On soupire – de soulagement, me semble-t-il. Les voix sont toujours en sourdine : deux personnes. Je repose sur une surface moelleuse. L'une d'elles m'y aura déposée, car je n'ai aucun souvenir de m'y être étendue moi-même.

On a bouché mes oreilles avec du coton. On m'a obstrué la vue, d'un voile étrangement opaque. Je tente de me cambrer, mais on me repousse doucement contre le canapé. Quelqu'un disparaît de mon champ de vision embrouillé. Il revient, ou plutôt *elle* revient avec un verre d'eau.

Je pose mes doigts sur le verre, qui m'apparaît glacé ; je le porte à mes lèvres. L'autre main à mon front, je me redresse.

— Que s'est-il passé ?

Un murmure, à peine. La dame me répond, dans la même langue que la mienne : le russe.

— Tu t'es évanouie, Daria. Heureusement qu'Idriss était avec toi au moment où c'est arrivé : il t'a ramenée à la maison. Tu as dû te cogner la tête. Vas-y doucement.

Le garçon plisse le front, lui demande une traduction.

— Elle ne s'est pas cognée, madame White. J'étais avec elle.

— Voyons, mon garçon. Elle s'est cognée, c'est évident. Sinon, pourquoi aurait-elle si mal à la tête ?

— Elle ne s'est pas cognée, madame !

— Qui est Idriss ?

Je viens de parler. Tous les deux se tournent vers moi, me dévisagent comme si j'étais une extraterrestre. Je n'ai absolument rien saisi de ce qu'ils ont dit.

— Daria, c'est moi, Idriss ! s'exclame le jeune homme.

Je remue la tête. Mes yeux s'écarquillent. Oh non. Oh non, oh non, ça recommence ! Je m'appelle Daria. Daria Rostov. J'ai dix-sept ans. Je vis chez une vieille dame qui s'appelle Fran White. Elle adore les fleurs et moi j'ignore ce que j'aime.

Ma respiration s'accélère, mon cœur palpite, tente de s'extirper de mon torse oppressé par une émotion panique.

Il tend la main vers moi. Je recule, je voudrais me fondre dans les plis du coussin, me dissoudre dans les couleurs du tissu et n'être rien de plus qu'un objet désuet du décor.

La dame vient de nouveau de lui parler. Je n'y comprends rien. Il ne bouge pas d'un centimètre, malgré le ton sec qu'elle a employé avec lui. Si j'étais à sa place, je partirais. Moi, je partirais si j'en avais l'occasion. Il se lève, très lentement, sans me quitter des yeux. Pas plus que je ne laisse mon regard voguer ailleurs.

— Daria…

Il expire bruyamment, avale des paroles que je devine âpres à l'intention de madame White, et s'engage vers la sortie.

Je ramène mes jambes à ma poitrine. Voilà drôlement longtemps que je tiens ce verre d'eau, me semble-t-il. Je le dépose par terre aussi calmement que possible. Madame White s'assoit près de moi sur le canapé. La porte de l'entrée claque.

— Daria?

Je ne fais pas un mouvement. Ma tête est trop lourde. Je préfère regarder le sol, attendre que tout fasse sens. Dans les entrailles du non-dit, je cherche des réponses; je vois danser des dizaines de points d'interrogation et d'exclamation, sur fond de page noire.

— Daria? Regarde-moi.

Je tourne mon visage vers le sien, grave: sérieux et triste à la fois.

— Ce qui est arrivé cet après-midi continuera d'arriver si tu continues à vouloir fouiller le passé.

Contente-toi de te souvenir de l'essentiel et de l'instant présent.

— Que savez-vous de cet après-midi ? Vous dites que je me suis cogné la tête.

— C'était un mensonge pour Idriss. Il n'y a pas cru, visiblement.

Je me fige sur le coussin. J'ai cessé de bouger. Les secondes passent et je sens chacune d'elles s'infiltrer par les pores de ma peau pour crisper mes muscles tendus à l'extrême.

— Je ne comprends pas ce que vous me racontez.

— Ce que j'essaie de te dire, Daria, c'est qu'il faut que tu oublies. Si tu essaies de te souvenir de ce qui s'est passé avant aujourd'hui, ce sera de plus en plus récurrent.

— Qu'est-ce qui sera de plus en plus récurrent ?

— Tes moments d'amnésie. Tu ne dois pas te souvenir, c'est pour cela que tu oublies. C'est un mécanisme d'autodéfense qui veut te protéger d'événements traumatisants de ton passé. Se réveiller aux côtés d'un mort, dit-elle, c'est suffisant pour que ton cerveau refuse que tu te souviennes.

Je louche sur mes mains, qui se sont entortillées d'elles-mêmes. Je compte mes doigts. Je recommence. Il m'en manque. Je recompte : j'en ai douze, cette fois. Je recommence. Dix : le compte est bon, je peux reprendre mes questions.

— Mais si je *veux* me souvenir ?

Je relève les yeux vers elle lorsqu'elle a un petit hoquet. Pas de surprise – de désolation.

— Tu ne le pourras jamais. Oublie ce qu'il s'est passé avant aujourd'hui, autrement, ce n'est pas une vie !

— Dans ce cas, pourquoi ai-je oublié ce garçon, Idriss ?

— Peut-être parce que ton cerveau souhaitait te défendre contre une menace imminente. Qui sait ? C'est un gentil garçon, mais peut-être qu'il te rappelle une ancienne époque ?

Je bats des cils comme si ce simple geste pouvait tout éclaircir.

— Tu dois vivre, ici et maintenant, Daria.

J'hésite. Non, je ne peux pas. Pour envisager l'avenir, je dois savoir d'où je viens. Reculer pour mieux avancer.

Néanmoins, j'acquiesce. Elle a peut-être raison.

Seulement, pourquoi aurais-je aussi oublié Idriss s'il fait partie de ce maintenant.

— Viens là.

Elle me tend les bras et je m'y love en soupirant. Elle caresse gentiment mes cheveux, pose sa joue de papier sur le sommet de mon crâne.

— N'essaie plus de te souvenir, Daria… N'essaie plus.

Ne plus me souvenir, ça signifierait arrêter de me battre. Mais en y repensant bien, pourquoi est-ce que je me battais ?

Il est là. Encore. Ce garçon aux traits qui se définissent enfin. Il est magnifique. Et son sourire l'est plus encore. Sa peau lisse et légèrement dorée est barbouillée de chocolat dont il s'est enduit lui-même pour m'amuser. Ça a réussi : j'explose de rire. Sa voix, par contre, je peine toujours à l'entendre. Il n'y a que son visage que je vois aussi clairement que s'il était en face de moi.

Ses épaules larges, ses muscles bien définis, les veines saillantes de ses avant-bras larges et forts, la perfection de son torse que moule son t-shirt noir. Ses cheveux brun foncé, presque noirs, assez longs pour y enfouir mes doigts, et légèrement redressés à son front à force d'y passer la main. Ses iris m'apparaissent aussitôt comme deux collines du vert le plus verdoyant, bercées d'une aurore qui durera l'éternité.

Et ses yeux n'en ont que pour moi : pour mon sourire qui fend mon visage en deux, pour le bonheur qui m'illumine de l'intérieur et jaillit de ma peau à m'en rendre plus brillante que les étoiles.

Le même manège se répète : il se lève pour me barbouiller à mon tour ; je m'enfuis, criant, gesticulant en tous sens pour lui échapper. Pourtant, ce que je désire le plus à cette minute, c'est que ses bras se referment sur ma taille.

Entre ses mains, sur mon cœur qui bat, je peux sentir une pression, plutôt glacée. Celle d'un métal : deux plaques qui se soulèvent à chacune de mes inspirations.

Il y pose sa main, sous mon chandail. Son front se presse contre le mien. Il ne m'a toujours pas quittée des yeux.

Il approche sa bouche de la mienne, puis l'éloigne dès que je m'arc-boute pour réduire la distance insupportable qui nous sépare.

Il répond tout bas à ce que je lui ai dit une fraction de seconde plut tôt. Je voudrais lire sur ses lèvres, si mes yeux pouvaient se détacher des siens. Mes oreilles aussi refusent de m'obéir et de filtrer l'information qui y bourdonne. Qu'a-t-il dit?

De douces paroles, sans doute, car j'en ressens une jubilation dans ma poitrine. Ce qu'il m'a dit, je le sais. Ce que je lui ai dit aussi. Et je me le répète intérieurement à l'infini, jusqu'à ce que l'écho de mon cœur ait visité tous les recoins de l'univers.

«Jusqu'à ce que le soleil éclate et que la lune tombe du ciel», lui ai-je dit.

Et sa réplique?

«Mon unique Flocon de neige.»

Je me réveille en sueur, mais sans cris. En sursaut, mais sans peur ni angoisse. Mon cœur s'est engagé dans un marathon qui consiste à parcourir la circonférence entière de la Terre, quitte à courir dans l'océan, pour finir dans ses bras.

Voilà pourquoi je me bats: pour lui, pour cet homme aux yeux verts de mer bordés d'écume dorée. Ce jeune homme à l'aspect indéfinissable.

Je choisis de me souvenir.

Pour moi, pour lui, pour nous tous et ceux qui continuent de faire partie des mémoires obscures.

Parce que je me le suis promis.

Le jour se lève et je reviens à moi dans une pièce baignée de lumière. Je m'appelle Daria Rostov et j'ai dix-sept ans. J'habite avec une vieille dame. Elle s'appelle Fran, Fran White.

Hier, je me suis évanouie parce qu'une part de moi refuse de se souvenir.

Idriss. Je répète intérieurement ce nom en boucle, jusqu'à frôler la folie. Je l'ai rencontré par hasard il y a peu de temps parce que je m'étais perdue en ville.

Oui, c'est ça.

Il m'a aidée à retrouver mon chemin et, hier, il m'a conduite à l'orphelinat parce que je le lui ai demandé. Pourquoi est-ce que je voulais aller à l'orphelinat ? À cause d'un petit garçon du nom d'Adam qui aime les trains. Voilà, je me souviens. Je parle le russe, l'anglais et le français. Du moins, j'essaie. Oui, ça me revient. Je peux me souvenir. J'ai raison de vouloir me souvenir. Il le faut, parce que des gens m'attendent.

Je fouille dans la petite table de droite, je tombe sur une panoplie de vieux papiers sans importance. Puis, un vieux cahier auquel il manque plusieurs pages ainsi qu'un stylo. Je couche mes idées sur le peu de feuilles qu'il reste. Ça m'aidera à me souvenir davantage.

Je pose mes pieds sur le plancher. La pièce tourne. Je dois fermer les yeux pour faire arrêter le carrousel. J'ai la désagréable sensation qu'on martèle l'intérieur de mon crâne, qu'on y fracasse des milliers de coupes de cristal pour m'empêcher d'avoir accès à cette mémoire que je devrais pourtant être en mesure d'atteindre.

Il faut que je prenne l'air.

Je passe mes bas de nylon et ma jupe, ainsi que le chandail à manches courtes vert foncé. J'attache mes cheveux en une queue de cheval et je descends les marches en tâchant de ne pas me laisser affecter par cette migraine.

— Daria, qu'est-ce que tu fais ?

— Je sors, dis-je dans un français impeccable.

— Je ne crois pas que ce soit une très bonne idée, me réprimande-t-elle.

J'enfile mes bottes. Je passe le veston de jean bleu pâle ainsi que ma bourse de cuir en bandoulière, et sors en coup de vent.

— Daria !

Fran m'enjoint de revenir. Je fais la sourde oreille et commence à courir.

Je suis en quête d'un souffle d'une vie passée. Je cherche un sentier éclairé qui me guiderait jusqu'à chez moi. Un chemin qui me ramènerait à moi-même, telle que j'étais jadis.

Je cours, comme électrifiée d'une énergie sans précédent qui réussira peut-être à réactiver mes souvenirs.

Je cavale sans savoir où je vais, sans craindre la route de devant parce que celle d'où je viens qui m'effraie est celle que mes pas ont déjà foulée. Tout ce temps que j'ai perdu, je veux le retrouver. J'y cours avant qu'il ne m'échappe comme celui qui danse derrière. Je le précède dans cette chanson pour qu'il n'ait pas la chance de me filer entre les doigts dans la mesure suivante.

Un jour, je serai voleuse de temps. J'enfouis chaque seconde qui passe dans mes poches. Je les garde aussi précieusement que possible, aussi avare que cela puisse paraître, parce que je suis cupide d'un temps qui n'a jamais véritablement fini de s'achever.

Je zigzague entre les passants, dont quelques-uns laissent échapper des cris de surprise lorsque je passe un peu trop près.

Ce n'est qu'une dizaine de minutes plus tard que je m'arrête, à bout de souffle et à bout de temps. Je prends appui sur un mur. Le ciel gronde et de grosses gouttes se mettent à tomber d'un ciel aussi sombre que ces mémoires que je tente d'éclaircir. Trempée de la tête aux pieds, je regarde à gauche et à droite.

Pour la première fois, la perspective d'être perdue ne m'effraie pas. Je ne voudrais être nulle part ailleurs qu'ici, sous ce ciel qui gronde et ces nuages qui sanglotent.

— Daria !

Mon visage se fend d'un sourire quand je vois Idriss à quelques pas de sa voiture, sous un parapluie. Il fronce les sourcils en faisant non de la tête. Derrière lui, la portière côté conducteur est ouverte.

— Qu'est-ce que tu fais là ?

— Je ne sais pas.

— Depuis combien de temps tu es là ?

— Je ne sais pas, dis-je en riant.

Je passe une main sur mon visage. Je dois crier pour me faire entendre sous le vacarme de l'orage.

— Il y a quelque chose que tu saches ? s'esclaffe-t-il.

Je louche sur un mur de briques avant de revenir à lui.

— Oui. Je peux choisir de me souvenir.

Il porte son poids sur son autre jambe, la main qui ne tient pas son parapluie vient de se glisser dans la poche de son pantalon.

— Je te raccompagne quelque part ?

Je fais signe que non.

— Ça va…

— Je n'ai pas l'intention de te raccompagner chez Fran, si c'est ce que tu crois. De toute façon, elle ne veut plus que je te voie.

Je glousse et fais quelques pas entre les flaques d'eau.

— Ne reste pas sous la pluie comme ça !

— Tu ne travailles donc jamais ? demandé-je sans porter attention à son conseil.

— Non, on est samedi.

— Oh.

— Tu veux venir chez moi ? Ça sera toujours mieux qu'ici.

Je joue avec un caillou du bout du pied. Il me désigne sa voiture d'un geste du bras.

— Je t'offre le trajet. Tu viens ?

Je fais un autre pas vers l'avant, puis cède.

— O.K.

Il contourne rapidement sa voiture pour m'ouvrir la portière. Je m'y engouffre, dégoulinante. Il prend place derrière le volant après avoir jeté son parapluie sur la banquette arrière. Je passe une main dans mes cheveux et me penche un moment avant de reporter mon attention sur Idriss.

— Je vais avoir besoin de ton aide, Idriss.

Il m'offre un rictus et démarre.

— Ah bon ? Pour faire quoi ?

Nous parcourons une bonne centaine de mètres, puis :

— Pour que je me souvienne.

— Tu ne m'as pas dit que tu pouvais choisir de le faire ?

— Oui, mais je n'y arriverai pas toute seule. On a tous une raison de se battre et je crois avoir trouvé la mienne, mais j'ai besoin de ton aide pour me le confirmer. J'ai une famille à retrouver.

Étonnamment, il pouffe de rire.

— Je veux bien essayer, Daria. Je veux bien t'aider.

Je hoche de la tête, confiante, tandis que je serre les dents pour ne pas qu'elles claquent. Je suis frigorifiée, mais je refuse de le laisser voir. La pluie était très froide.

— Nous arrivons bientôt, Daria. Je peux monter le chauffage, si tu veux.

Je fais signe que non, par orgueil, et me rends compte que mes cheveux dégoulinent énormément – on croirait que je sors de la douche sans avoir pris la peine de les essorer. Idriss effectue un virage à droite et un dernier sur la gauche, dans une entrée débouchant sur un grand stationnement extérieur. Je me dévisse le cou vers la vitre arrière et fronce les sourcils à la vue de cet immense bâtiment d'allure industrielle.

— C'est ici que tu habites ?

— Oui, j'ai un petit appartement au troisième étage. Comme une vingtaine d'autres jeunes.

— Je pensais que toutes les maisons étaient identiques à celle de madame White.

— Oui, à cause de la Réforme, les maisons se ressemblent toutes en fonction du quartier où l'on réside. Il advient que ce secteur-ci est assez restreint : pratiquement toutes les maisons sont identiques, à quelques exceptions près. Ici, c'est un quartier plus prisé par la jeunesse.

Je ressemble à un poisson hors de l'eau alors que mon cerveau tente d'assembler ce qu'il vient de me dire en un tout cohérent... sans résultat. J'ai beau avoir fait énormément de progrès avec sa langue, je ne suis pas préparée à des mots aussi complexes. Je demande à Idriss de répéter.

Il répète plus lentement, en ajoutant quelques précisions chaque fois que je hausse les sourcils. Il balaie ses paroles d'un geste.

— Allez, rentrons avant que tu ne meures d'hypo-thermie.

J'opine d'un petit coup de menton et sors aussi rapidement que mes membres crispés me le permettent. Je suis de nouveau assaillie par un torrent de pluie froide ; Idriss s'empresse de me protéger sous son parapluie.

Il ouvre la porte principale et me pousse presque à l'intérieur. Il secoue son parapluie dehors avant que la porte se referme d'elle-même, tout en grognant :

— Je déteste la pluie ! Je déteste la neige ! Je déteste tout ce qui tombe du ciel !

— J'aime bien la pluie et la neige.

Il me fusille du regard.

— Ça, c'est parce que tu n'es pas une fille normale.

— Qu'est-ce que la normalité ? rétorqué-je aussitôt.

— Il n'y a que les gens anormaux qui se posent des questions sur la normalité, parce qu'ils n'en font pas partie. Cela confirme donc mon hypothèse : tu n'es pas une fille normale. Ce qui, dans ton cas, n'est pas nécessairement une bonne chose, ajoute-t-il avant même que j'aie la chance de le contredire.

Il me fait signe de le suivre. Nous entrons dans une grande pièce qu'il me dit être la salle commune ; elle sert également d'accueil, et son apparence moderne et quelque peu rude se dénote jusque dans les matériaux ayant servi à sa construction. Du béton et du métal, essentiellement. Nous sommes loin de la paisible odeur des fleurs et des chaleureuses boiseries de chez Fran ! Pourtant, spontanément, je me sens beaucoup mieux ici.

Idriss pousse la grosse porte métallique et gravit les premières marches. Je reste sur le pas, face à cet escalier interminable, me demandant pourquoi il n'y a pas d'ascenseur. Il s'esclaffe à mon air pantois.

— Au fait, qu'est-ce qui t'a pris de prendre l'air par un temps pareil ?

— Il faisait beau quand je suis partie, dis-je.

— Et consulter les prévisions météo, ça ne te disait rien ?

— Tout ce que je voulais, c'était sortir. Donc je suis sortie.

Il m'attend sur le troisième palier, m'ouvre et me fait signe de passer.

Nous débouchons sur un grand couloir de la même apparence «béton-et-métal». À la différence qu'ici, il y a des portes tous les trois mètres environ. Un garçon du même âge qu'Idriss, aux traits anguleux, émerge de l'un des appartements. Il porte un très beau veston de cuir noir et un jean noir. Je n'ai toujours pas vu son visage, dissimulé par une partie de ses cheveux bruns, assez longs, qu'il ne cesse de ramener vers l'arrière. En six secondes il l'a déjà fait quatre fois. Il se tourne dans notre direction. Ses yeux sont gris orage. Gris couleur de pluie ou comme ce garçon trouvé mort près de moi, une nuit d'hiver où des milliers d'étoiles tombaient du ciel.

Je suffoque de panique, sans en avoir l'air, prisonnière d'un corps paralysé dans lequel une tempête fait rage à m'en briser les os.

— Salut, Philippe ! s'exclame Idriss en échangeant une poignée de main avec lui juste devant la porte d'en face.

— Salut, Idriss. Tu vas bien ?

— Impeccable ! Et toi ?

— Super… Elle a les lèvres drôlement bleues, la

fille qui t'accompagne, lâche-t-il en passant beaucoup trop près de moi à mon goût.

— Ouais, j'ai encore joué les héros et sauvé une demoiselle en détresse.

Je rétorquerais quelque chose si je n'avais pas perdu ma langue au fond d'un puits de frayeur. Le garçon me tend la main. Je baisse les yeux de stupeur.

Philippe se penche légèrement vers moi.

— Il est de tradition de serrer la main si on nous la tend, souffle-t-il.

Ressaisis-toi, Daria. Ressaisis-toi!

Je lève une main tremblante et moite. Je suis complètement trempée: il pourra mettre cette moiteur sur le compte du mauvais temps, pas de mon anxiété.

— Philippe, fait-il.

— Daria.

Cet écho discordant m'appartient-il vraiment? Du coin de l'œil, je vois Idriss passer une main sur son visage.

— Alors, tu...

— O.K.! Ça suffit, Dom Juan! Je l'ai sauvée avant toi, alors remballe tes airs chevaleresques! s'exclame Idriss pour le couper dans son élan.

Idriss passe un bras autour de mes épaules, me faisant sursauter.

— C'est ça, Superman, continue de rêver, grommèle l'autre, au bord de l'exaspération.

— Au revoir, Casanova!

Même si je n'ai absolument rien compris à leurs références, j'ai assisté, penaude, à un échange des plus malaisés. Je me laisse porter sans un mot de plus ni même un sourire pour Philippe, qui me salue justement de la main. Nous entrons dans l'appartement d'Idriss.

Il referme la porte derrière nous en soupirant.

J'ai toujours aussi froid.

Je détaille les lieux d'un œil attentif : un grand carré neutre, avec quelques touches de couleur. Un canapé, une table munie de chaises non identiques, une cuisine de petite taille, une chambre séparée par un demi-mur de béton dont l'autre moitié est en verre partiellement opaque. Il n'y a qu'une fenêtre, sur le mur de droite ; celui-ci donne sur un autre mur de briques à cause de l'irrégularité évidente du bâtiment.

Je retire mes bottes et les pose près de la porte. Je retrousse les orteils en sentant mes chaussettes trempées sur le plancher de béton.

— Suspendons tes vêtements avant que tu m'actionnes pour pneumonie. Viens avec moi.

Idriss tourne à la jonction, où un grand paravent de métal fait office de séparation entre la cuisine et sa chambre. Il se dirige aussitôt vers une commode, au fond de la pièce. Il tire un premier tiroir, puis un deuxième, où il déniche un vêtement, puis un second, qu'il me lance avec désinvolture. Je les attrape de justesse.

— La salle de bain se trouve derrière l'unique porte, juste là, dit-il en me la désignant de la tête.

— D'accord. Merci beaucoup.

— Laisse-moi ton veston, qu'on puisse au moins l'étendre.

Je le retire d'une main maladroite et le tends à mon ami d'un geste tout aussi gauche. Comme je m'apprête à poser la main sur la poignée de porte, il me demande :

— Pourquoi as-tu eu cette réaction avec Philippe tout à l'heure ? Il t'a fait penser à quelqu'un ?

— Oui.

— Qui ça ?

J'hésite : je le lui dis ou pas ? Non. Je ne lui dis pas, c'est trop terrifiant. Pas pour lui, mais pour moi.

Je ne réponds pas et entre dans la salle de bain pour enfiler les vêtements secs. Je me regarde dans la glace.

J'éclate de rire : il m'a prêté un grand pull-over et un énorme pantalon de coton, dans lesquels je pourrais me fabriquer trois autres vêtements. Je fouille brièvement ses armoires. Enfin, je tombe sur une serviette de douche avec laquelle j'entreprends d'éponger un peu mes cheveux. J'étends ensuite mes hardes, en espérant qu'elles sèchent un peu ; je quitte la salle de bain, les mains nouées dans la poche ventrale du gilet.

Idriss lève les yeux vers moi... pour éclater de rire tout comme je l'ai fait quelques minutes plus tôt.

— Tu te fous de moi, ou quoi ?

Il laisse libre cours à son fou rire pendant que moi, je lutte pour garder mon air sérieux et ne pas m'y abandonner aussi.

— Désolé, Daria! C'est ce que j'avais de plus petit! Je ne pensais pas que tu pouvais disparaître ainsi sous aussi peu de vêtements! Hé ho, Daria! Où es-tu? Je ne te vois plus sous cet amas de coton! Attends! Ne bouge plus, je vais essayer de t'épargner de la noyade textile!

Il fait mine de me lancer une bouée. Je ne bouge pas d'un iota, mais je finis par succomber aussi.

Je tire la chaise la plus près et m'y laisse choir. Idriss va à la cuisine, et revient avec en main deux tasses d'un contenu fumant et très parfumé. Il me tend l'une d'elle.

— Tiens, ça t'aidera à te réchauffer.

Je récupère la tasse et jette un œil à ce qu'elle contient. Ça a la couleur du café, mais en plus clair, et l'odeur est plus sucrée, moins amère et plus appétissante.

— C'est un café *latte*. Tu connais?

— Pas vraiment. Fran n'a que du thé chez elle.

— J'en ai aussi, si tu préfères.

— Tu as du thé chez toi? Tu es une vieille dame, ou quoi?

— C'est excellent pour se détendre, espèce d'hippopotame de coton enragé. Je peux changer mes manières hospitalières si tu continues!

— C'est bon, ça va! dis-je en levant une main en l'air pour me défendre.

— Bois donc avant que ça tiédisse!

Mes doigts sur la tasse de céramique, la chaleur me réchauffe doucement.

— Trêve de plaisanteries ! Nous avons un sujet plus sérieux à aborder, lâche-t-il après avoir pris une longue rasade de son café.

J'opine discrètement, les yeux toujours rivés sur le bord de la table.

— D'ailleurs, tu n'as pas répondu à ma question.

— Et je n'ai toujours pas l'intention d'y répondre.

— Je ne t'aiderai pas si tu n'es pas honnête avec moi.

— C'est inutile que je te le dise, Idriss. Ça ne changera rien du tout, je t'assure.

— Très bien, d'accord ! Je n'insisterai pas. Que veux-tu de moi ?

— Je veux que tu m'aides.

— Oui, ça, j'ai cru le comprendre. Ce que je veux savoir, c'est comment je puis t'aider.

Je pose à mon tour mon *latte* sur la table entre nous.

— Je vais te faire un résumé de la situation, si tu veux bien.

Il me fait signe de poursuivre.

— Tous les jours, j'arrive à me souvenir un peu plus. Je croise des éléments de ce qui me semble être ma vie d'avant et mes souvenirs remontent à la surface. Seulement, toutes les deux semaines – tout dépend de ce dont je me souviens –, j'oublie de nouveau. Je me réveille sans vraiment savoir où je suis, qui je suis ni avec qui je suis. Alors, je me répète des éléments simples de mon nouveau quotidien afin de me souvenir et d'agir normalement sans alarmer personne. Jusque-là, tu me suis ?

— Je crois, oui. Continue.

— Plus je me souviens, plus j'oublie. Je sais, dit comme ça, c'est un peu paradoxal. D'ailleurs, j'ignore de combien de temps je dispose avant de tomber dans les vapes et de tout oublier encore. Ce que je voudrais, c'est arrêter d'oublier ou au moins me souvenir plus longtemps.

— Note ce dont tu te souviens, chaque fois que tu te souviens. Relis tout ça, tous les matins. Garde les souvenirs en surface, pas au fond de l'océan.

Je secoue la tête, passe une main dans mes cheveux.

— J'ai déjà commencé avec l'essentiel, mais j'ai peur que Fran tombe sur mes notes. Elle non plus ne veut pas que je me souvienne… Ce qui serait pré-férable, c'est que quelqu'un d'autre conserve tout ce dont je me souviens, pour me le rappeler. Un peu plus chaque jour, par exemple.

— Tu parles de moi, là ? demande-t-il.

— Oui.

Il prend une longue gorgée de son café.

— Tu veux qu'on commence ?

— Oui, j'aimerais bien. Je ne sais pas combien de temps il me reste avant ma prochaine période d'am-nésie. Peut-être quelques jours.

— Ouais… O.K. Donne-moi une minute, que je trouve de quoi écrire.

J'opine du bonnet et le suis du regard jusqu'à ce qu'il disparaisse derrière le paravent métallique, qui est perforé par endroits. Je l'entends fourrager dans ce qui me semble être une boîte, grommeler en bou-geant ses affaires, puis je vois son ombre redevenir droite, dans un bruit de papier qu'on déchire et qu'on chiffonne.

Il revient après quelque temps, que j'ai passé à zieuter l'horloge en la maudissant d'exister. Devant mon visage, Idriss brandit un carnet et un stylo, qu'il secoue pour capter mon attention. Il reprend place et ouvre le carnet. Je tends la main vers la reliure, où il reste quelques bouts des feuilles qu'il vient juste d'arracher et de chiffonner.

— Tu n'avais pas besoin d'arracher des pages de ton carnet pour moi, Idriss.

Il balaie mes paroles d'un haussement d'épaules.

— Ça ne fait rien, je n'y tenais pas vraiment, ce n'était que de vieilles listes d'épicerie.

Son malaise, pour autant, ne m'échappe pas. Qu'y avait-il sur ces pages ? Pourquoi avoir mis tant de temps derrière le paravent si elles ne voulaient rien dire ? Et pourquoi ne pas les avoir arrachées devant moi, s'il s'agissait de vulgaires listes d'épicerie ?

— Très bien, commençons. De quoi te souviens-tu, Daria ?

— Commence par écrire mon nom et mon âge.

— O.K. Quel est ton nom de famille ? Je ne crois pas le connaître.

— Rostov. Et j'ai dix-sept ans.

— Très bien, c'est noté. C'est ainsi qu'on l'écrit ? me demande-t-il en tournant le carnet vers moi.

Je suis tentée de lui dire que je n'en ai aucune idée, puis je me ravise. Je ne me rappelle pas avoir jamais écrit mon nom…

— Oui, c'est ça.

Je lui énumère tout ce dont je me rappelle: mes deux frères, les langues que je parle et mon rêve récurrent. Comme j'y arrive, je ferme brièvement les yeux, tente de percer le brouillard qui s'épaissit, s'épaissit, s'épaissit dans ma boîte crânienne. Noir opaque. J'ai la migraine juste de m'imaginer tendre la main vers ce souvenir qui ne remonte pourtant qu'à cette nuit.

Je sens comme un espoir, une clarté dans le brouillard, une raison de me battre pour percer cette obscurité. Quelque chose de puissant… de l'amour. Idriss note le tout.

— C'est déjà pas mal.

J'esquisse un sourire, referme les mains sur ma tasse encore tiède.

— Je peux aussi écrire depuis combien de temps tu es ici.

— Oui, c'est une bonne idée… si seulement je le savais.

— Tu veux jeter un coup d'œil au calendrier? Ça pourrait aider?

— D'accord.

Il se dirige vers le vestibule et plonge la main dans son veston. Il en ressort un appareil rectangulaire d'environ six centimètres de large par le double de longueur, d'apparence très lisse et étrangement mince: un demi-centimètre au maximum.

Idriss revient et, après avoir appuyé sur quelques touches invisibles, fait glisser l'objet sur la table jusqu'à moi. Je le rattrape aussitôt, de peur qu'il tombe au sol, et consulte l'écran, les sourcils froncés.

— Ne dévisage pas mon téléphone portable comme ça ! Il va s'offusquer !

Sa remarque m'arrache un sourire tandis que je me penche un peu plus vers l'engin électronique.

— C'est tactile. Tu n'as qu'à glisser le doigt vers la droite pour voir les mois précédents et vers la gauche pour voir les mois à venir. Là, l'écran affiche le mois dans lequel nous sommes.

— Nous sommes en mai ? que je m'écrie en agrandissant les yeux de surprise.

— Oui, le 2 mai, pour être exact.

— Je ne savais pas…

— Depuis combien de temps n'as-tu pas consulté un calendrier ? me demande-t-il, éberlué.

— Depuis avant le mois d'avril, assurément.

Il pouffe de rire.

— Quand je suis arrivée, il y avait encore de la neige, il me semble.

— Les dernières tempêtes remontent au mois de mars.

— C'est d'ailleurs un soir de tempête que je me suis réveillée.

— Laisse-moi réfléchir…

Il se cale contre le dossier de sa chaise, un bras passé nonchalamment par-dessus. Je scrute les dates dans l'espoir qu'une d'elles se manifeste à moi par un déclic quelconque, pour que je sache que c'est ce jour-là que ma vie a changé pour toujours.

— Une grosse tempête ?

— Non, une bordée de neige comme on en voit souvent. Rien de particulier.

Il plisse les paupières et inspire un bon coup.

— Daria, tu n'aimeras pas ce que je vais te demander, mais je vais le faire quoi qu'il en soit. Es-tu celle qu'on a retrouvée dans la ruelle avec le garçon mort, la nuit du 10 mars ?

Je déglutis.

— O.K. C'est bien toi, conclut-il en passant les deux mains sur son visage en jurant contre ses paumes. C'est pour ça que tu as eu cet air lorsque tu as vu Philippe : parce qu'il lui ressemblait ?

— Seulement les yeux, arrivé-je à articuler en pointant mon œil d'une main tremblante.

— Bon sang, Daria ! Je suis vraiment désolé…

— Ça va. Tu ne pouvais pas savoir.

— Tu veux que j'écrive ça aussi ?

— Pour le garçon ? Non. Ça, c'est quelque chose que je préférerais oublier. Que je l'aie connu avant ou pas.

— Je comprends.

Il soupire, j'aimerais aussi en être capable, mais je suis encore trop tendue.

— Comment l'as-tu appris ?

— C'est un voisin qui a appelé la police après avoir entendu des cris ; la nouvelle n'a pas pris de temps à circuler… On t'a retrouvée tout près d'ici.

Bien sûr… Dans une si petite ville, plutôt un secteur, il n'est pas très surprenant que la nouvelle se soit répandue rapidement.

— Tu as une idée de comment je pourrais reprendre contact avec ma famille ? demandé-je sur ces entrefaites.

Il réfléchit un moment.

— Le problème, c'est que nous détenons bien peu de renseignements sur la dernière République, m'informe-t-il.

— Vous savez pourtant qu'elle existe ?

— Oui, bien entendu, mais personne n'en parle jamais. C'est un peu comme une prison... Nous savons qu'elle est là, mais personne ne tient vraiment à y aller.

— Je ne pourrais donc pas m'y rendre si je le voulais ?

Il me fait les yeux ronds.

— Daria, cette République est la plus militarisée du globe. Personne n'y entre et personne n'en sort.

— J'en suis pourtant sortie.

— Touché...

— Et il n'y a vraiment aucun moyen d'obtenir des renseignements de qui que ce soit ?

Il fait la moue.

— Non... Tout ce qui entoure Sovietskaïa est très...

— Nébuleux.

— Oui.

Je ne peux m'empêcher de penser : *Exactement comme mes souvenirs.*

Je baisse les yeux sur ma tasse maintenant vide et jette une œillade à l'horloge. Il est bientôt l'heure de dîner.

— Il faudrait que je parte. Fran risque de s'inquiéter.

Je me lève pour récupérer tous mes vêtements malheureusement encore humides et m'éclipse pour me changer. Je ressors vêtue en « moi ».

— Je te raccompagne.

— Non, ça va. Il vaut mieux pas : si elle apprend que j'étais avec toi, je pense qu'elle ne me laissera plus jamais sortir. Tout ira bien, je retrouverai mon chemin.

— Attends, je vais au moins te tracer un itinéraire.

— C'est gentil, merci.

— Jette-le avant de rentrer, par contre.

— D'accord, dis-je en riant.

Il en parle comme s'il s'agissait d'une mission ultra secrète. Ça me plaît de penser que c'en est une.

— Donc, je conserve tout ça, dit-il en désignant le carnet.

Il me tend un petit bout de papier : l'itinéraire.

— Puis, je verrai ce qu'on peut en faire pour stimuler ta mémoire.

J'enfile mes bottes poisseuses et récupère mon veston de jean, vraiment trop mouillé. Je le noue à ma taille et croise les doigts pour que la pluie ait cessé.

— Merci pour le café et pour le carnet de notes.

— Aucun problème.

Il m'enlace gentiment et me souhaite une bonne fin de journée. Je prends l'escalier et sors de l'immeuble.

J'inspire une longue goulée d'air frais, la main contre la ganse de ma bourse. Je place ma main en visière pour me protéger du soleil enfin sorti, et je regarde de gauche à droite avant de traverser la rue. Une fois de l'autre côté, je consulte la note d'Idriss pour emprunter la première rue qui y est inscrite.

Je suis son itinéraire à la lettre et retrouve en un temps record la rue où habite Fran. Je fais un pas en avant, prête à m'y engager, et je prends soudain conscience que j'ai toujours le papier d'Idriss en main.

Je rebrousse chemin de quelques mètres, trouve une poubelle à côté d'un banc de bois. Je m'apprête à jeter la note lorsque je remarque qu'Idriss a ajouté quelque chose au verso.

Ne choisis pas de te souvenir.

Bats-toi pour arrêter d'oublier.

Je souris. J'ai semé quelque chose, et maintenant je dois le regarder fleurir. Et si pour ce faire je dois confronter celle qui m'héberge et est complice de mon amnésie, alors je le ferai. Parce que moi, je choisis de me battre pour mon existence.

Vingt-huit

NAYDEN

J'ai toujours cru au courage, cette capacité de se surmonter soi-même.

J'ai gardé foi en le courage d'une famille face à l'adversité ; celui d'une personne seule, devant l'obstacle en apparence insurmontable ; en celui des gens malades, prêts à se battre pour vivre – ma sœur en est un bon exemple, à mon humble avis. Mais jamais encore je n'avais assisté au courage d'un peuple entier prêt à se soulever pour sa liberté, quitte à en mourir. Depuis un mois, ce n'est pas que le soleil qui plombe sur la ville : des frappes aériennes ciblées dans le but de nous terroriser ainsi que des messages clairs et menaçants de la Haute République quant à notre extinction se sont mis à pleuvoir au-dessus de la ville. Et malgré tout, il y a quelque chose d'autre, une force tout aussi puissante – sinon plus – qui au même moment, s'est mise à déferler. Elle est là, palpable.

Le goût de la liberté.

Ma mère a accepté de nous aider, elle-même secondée par Noah : le petit est excellent en informatique, plus particulièrement quand il interagit avec Julyan ou Ezra. Souvent, nous devons décoder ce qu'il dit, ou ce qu'il pense; puis, sa pensée mène toujours à quelque chose de concret qui nous permet d'avancer.

En peu de temps, les effets de la déprogrammation se sont mis à se faire sentir. Par petits groupes, les gens ont arraché les affiches et certains sont même parvenus à s'enfuir avant de se faire prendre. Pendant ce temps, je me suis chargé de distraire l'attention des soldats avec Adam afin d'éviter le plus de morts possible, bien qu'il y en ait passablement eu dans les dernières semaines...

Nous sortons presque toutes les semaines. Ezra désactive les caméras pour une durée qui se synchronise d'elle-même sur ma montre. Dès qu'il ne reste qu'une minute à notre couverture, nous courons aux abris. Notre but: briser les murs de cette société oppressante.

Nous agissons rapidement, souvent en quelques minutes, parce que c'est tout ce dont nous disposons une fois sur le terrain. Nous frappons sans nous poser de question. Nous tuons tout soldat qui nous barre la route.

C'est pourquoi ces heures, ces minutes et ces secondes qui terrifiaient tant mon amour, je les passe à loucher sur la caméra coincée entre deux murs là-haut, le bas de mon visage caché sous un foulard et arborant une casquette militaire dérobée à un soldat que j'ai tué à quelques rues d'ici.

Je transperce cette caméra du regard, pistolet au poing tandis que derrière moi, le fruit de nos efforts commence à mûrir : les vitrines de magasins où les gens allaient chercher leurs maigres rations éclatent, les flammes lèchent chaque mur à proximité, les briques s'écrasent à mesure que les murs tombent sous le poids d'un courage qui flamboie de liberté.

Sans même prendre la peine de faire exploser la caméra de surveillance, je tourne les talons, sans un regard vers l'objectif par lequel je parierais que mon père épie. *Eh bien, qu'il épie.* Qu'il contemple ce que nous faisons aujourd'hui. Insoumis et plus jamais esclaves de ce gouvernement.

Je repère bientôt Adam, pris à déverser toute sa rage sur les affiches, auxquelles il met feu avant même qu'elles quittent les murs sur lesquels on les a collées. Je le rejoins au pas de course.

— Adam ! Il faut partir maintenant !

— Nayden, nous ne pouvons pas partir tout de suite ! Regarde-les !

— J'ai dit qu'il faut partir. Le prochain escadron ne tardera pas à arriver.

Je me fie à ma montre : si nous ne partons pas maintenant, ce sera un bain de sang auquel on assistera, et pas à une démonstration de bravoure. Il faut que je le fasse comprendre à Adam, et vite. Je vois d'ici l'adrénaline battre à ses tempes et faire briller ses pupilles d'un éclat de fureur qu'il me sera difficile de calmer.

Nous sommes près d'une cinquantaine. Ce n'est pas aujourd'hui que nous allons faire tomber *le* mur, mais c'est un début.

— Adam, pense à eux. Il faut les faire partir ! Qu'ils se dispersent et disparaissent avant que les soldats n'arrivent et ne les rattrapent ! Ils ne sont pas assez forts pour s'en prendre à eux. Les caméras fonctionnent par intermission ; profitons-en.

— Nayden…

Je le foudroie du regard et, cette fois, ce n'est pas l'allié qui parle, mais le lieutenant-général. Il comprend enfin : il se rue vers ceux qui brisent encore les vitres et tente à son tour de les convaincre de s'enfuir. Heureusement, la majorité se met à se disperser.

Plus qu'une dizaine de personnes à faire partir.

Les soldats sont déjà là. Ils font feu. *Merde.* Je cours dans tous les sens pour attirer leur attention sur moi plutôt que sur les civils. Au début, ma tactique fonctionne. Les projectiles m'effleurent… j'ai beaucoup trop de chance, cela risque de se retourner contre moi tôt ou tard.

Je pousse le reste des Insoumis à partir. L'un d'eux, en tombant dans mes bras, meurt d'une unique balle dans le cœur tirée par un soldat auquel il tournait le dos. Je le repose aussi doucement que possible bien qu'il y ait urgence, et me précipite vers Adam. S'il meurt, je ne me le pardonnerai jamais, et Emma non plus. Il se penche juste à temps : une balle fait éclater le ciment du mur devant lequel il se tenait. Je le prends par le bras et le tire vers la ruelle.

— Il en reste encore !

— Nous n'avons pas le temps.

— Nayden, nous ne pouvons…

— Nous n'avons pas le temps, Adam ! Tu veux vivre ?

Il ne me répond pas.

— Oui ou non ? !

— Oui, bien sûr.

Un des soldats nous hurle de nous rendre et fait feu là où nous nous sommes cachés. Pas pour nous atteindre, mais pour tuer une adolescente que je vois tomber à quelques mètres de nous. Je sors une grenade de ma ceinture, tire la goupille et lance au hasard. Elle explose dans les airs au-dessus d'eux. J'espère que l'onde de choc suffira à nous donner un sursis.

— Cours ! que je crie en poussant Adam.

Nous détalons, laissant derrière nous des flammes et des corps. Je fourre mon pistolet dans le holster que je porte à la cuisse, et cours aux côtés d'Adam dans l'espoir de trouver une issue. Selon mon évaluation du terrain, moins de vingt secondes leur suffiraient pour nous rattraper par n'importe laquelle des rues que nous empruntons.

Une seule pourrait nous donner un peu plus de temps – souhaitons que ce soit la bonne.

Mon souhait tombe à l'eau : un petit escadron nous barre la route. Je dégaine mon pistolet et tire avec précision. J'exécute trois d'entre eux, et Adam élimine les deux autres après s'être mis à couvert derrière un mur. En moins de sept secondes, ils gisent tous morts au sol.

Je respire calmement, trop pour mon rythme cardiaque, que je sens s'affoler. Gauche. Droite. Nous récupérons les munitions au sol et enjambons les corps pour poursuivre notre course. Le nombre de soldats que nous croisons commence à diminuer et nous nous rapprochons de notre lieu de cache. Non pas chez madame Hänzel, mais quelques pâtés de maisons plus loin. Si nous allions directement chez elle après chaque descente dans les rues, notre couverture tomberait. C'est pourquoi nous choisissons, Adam et moi, un endroit différent chaque fois. Seulement, cette fois, nous avons eu beaucoup moins de temps que les autres pour y penser et j'ai tôt fait de comprendre que nous nous trouvons beaucoup trop près de chez notre hôtesse.

— Adam, il faut contourner la maison de madame Hänzel, sinon elle risque d'avoir des ennuis, dis-je en posant une main sur son épaule pour qu'il s'arrête.

— D'accord, par où veux-tu qu'on passe ?

— Longeons la clôture par la gauche et revenons ensuite par le sud. Nous bifurquerons à l'ouest un peu plus tard pour revenir sur nos pas.

— O.K. Allons-y.

Nous nous remettons à courir, évitant les caméras. Il faut en éliminer le moins possible et simplement les désactiver par intermission : plus tard, elles auront leur raison d'être, et ce ne sera pas pour nous surveiller. Pour le moment, elles sont terriblement nuisibles parce que dès qu'ils auront un visuel sur nous, ils nous localiseront.

Nous devons donc bouger rapidement et avec efficacité. Mais je crains que nous ne fassions plus long feu. Adam a de l'endurance et moi aussi – beaucoup, même –, mais nous restons humains. Nul ne peut courir à cette vitesse de longues minutes d'affilée. D'ailleurs, je commence déjà à sentir la chaleur irradier les muscles de mes jambes. Adam doit être dans le même pétrin que moi et nous avons encore un bon kilomètre à franchir avant de rentrer.

Nous arrivons enfin près de la clôture à la frontière du monde : une barrière haute de près de trente mètres.

Environ deux cents mètres plus loin, je fais signe à Adam qu'il nous faut aller au sud maintenant. Il agrée et nous longeons les bâtiments. Toutefois, les bâtiments se font rares par endroits depuis les explosions, et nous parcourons alors plusieurs mètres – au risque de nous vendre – avant de pouvoir nous recacher.

Je lève la tête vers une caméra qui nous suit à la trace. Il faut nous séparer le temps de brouiller les pistes.

— Pars dans cette direction ; je pars de ce côté. Rejoignons-nous dans environ trois cents mètres, dis-je en lui désignant le point de rencontre. Ça te va ?

Il fait signe que oui et s'éclipse rapidement. J'en fais de même, tout en sachant que je pars là où les soldats seront massés.

J'ai à peine franchi une vingtaine de mètres qu'un escadron s'arrête devant moi, prêt à faire feu. J'ai tout juste le temps de me plaquer sur le mur de droite et de recharger mon arme pour faire feu aussi. Malheureusement pour moi, il ne me reste que huit balles et je suis dans un cul-de-sac.

Huit balles. Mes chances sont minces. Je lorgne vers la rue perpendiculaire à celle où ils sont tapis. Face à moi, un grand immeuble sans porte, que je pourrais faire sauter pour me faufiler. Je regarde à gauche.

Il y a cet escalier extérieur à moitié écroulé que je pourrais emprunter, mais le temps que je monte, ils m'auront rattrapé et ce sera une vraie fête pour eux de me faire la peau.

Tant pis, c'est ma seule issue. Je tente le coup.

Je franchis en un bond les quelques mètres qui me séparent de cet escalier de métal en partie décroché de son mur. Je monte les premières marches sans trop de problèmes, jusqu'à la moitié : il manque au moins quatre marches entre celle où je me trouve et la prochaine, plus haut. Je recule un peu et c'est suffisant pour faire chanceler l'escalier vers la gauche. Je me rattrape aussitôt en me projetant vers la droite afin de rééquilibrer le tout, lorsqu'ils se mettent à faire feu vers moi, d'en bas. *Génial.*

Je prends une demi-seconde pour les étudier et tire sur celui qui avait le plus de chances de m'atteindre. *Plus que sept balles, Nayden. Utilise-les judicieusement.* Je prends appui sur le peu qu'il reste des rampes et me donne un élan. Je saute, me rattrape à l'aide des avant-bras sur le plat de la marche rouillée. Je me hisse et enjambe les dernières marches qu'il me restait à gravir. Une balle se loge dans mon épaule à l'instant où je pose le pied sur le toit.

Il faut croire qu'il y en avait au moins un dans le tas qui savait tirer : la plaie commence déjà à me faire terriblement mal.

J'atterris sur le toit plat d'un immeuble d'environ quatre étages. Je ne prends plus la peine de réfléchir et me contente d'agir. J'ai été entraîné pour ça.

Je cours vers le prochain toit, saute sans une seule hésitation au mépris des trois mètres qui séparent les deux bâtisses. Il faut que je m'éloigne et, pour le moment, mon plan fonctionne à merveille. Je progresse rapidement en dépit de l'élancement à l'épaule, saute sur tous les toits qui se succèdent. Une fois repéré le point de rencontre que j'ai donné à Adam, sept ou huit toits plus loin, je me rends compte qu'il me faut à présent trouver un moyen de descendre. Je fais le tour et localise finalement ce que je cherchais : un mur de briques avec des fenêtres. Leur châssis me permettront de descendre… du moins, je l'espère, car ma blessure risque de me ralentir.

Je m'agrippe au rebord et effectue une rotation rapide de cent quatre-vingts degrés, suspendu par les mains, avec une épaule qui m'élance et les pieds contre le mur de briques. J'opère une translation vers la gauche et me laisse tomber sur le châssis.

Comme la semelle de mes bottes est glissante, je m'accroche au haut de la fenêtre et saute à pieds joints dans l'immeuble. La vitre a éclaté du premier coup. Je roule dans la pièce, qui ressemble à un entrepôt désaffecté et est plongée dans l'obscurité. Je repère la porte de sortie et m'engage dans la cage d'escalier.

Une fois en bas, je décoche une seconde balle pour faire sauter la serrure, puis me sers de mon épaule encore valide pour défoncer la porte. Je débouche sur la rue en coup de vent. Les pas des soldats martèlent le sol. Il faut que je bouge, mais je doute d'en avoir le temps ; je me faufile donc entre deux bâtiments et m'accroupis derrière un énorme conteneur, aux aguets, pistolet au poing. Je lorgne ma plaie en grimaçant. Bon sang, quel genre de balle a-t-il utilisé ?

— Aucune trace du fugitif ? lance leur sergent.

— Aucune, monsieur.

— Fouillez le secteur, il doit être quelque part. Vous deux, de ce côté ; toi avec moi et vous trois, explorez le secteur ouest. Vous avez l'autorisation de tirer à vue.

— Et s'il y a des civils ?

— Qu'est-ce que tu n'as pas compris, minable ? Civil ou pas, tu tires. Je les veux tous morts. Plus personne ne doit être dans les rues, est-ce clair ?

— Oui, Sergent.

— Exécution.

Ils s'éloignent, ce qui me donne la chance de bouger un peu et d'adopter une meilleure perspective. Je dois tout de même rester caché pendant près de deux minutes avant de rejoindre le point de rencontre au pas de course.

C'est donc deux rues plus loin que je siffle quatre coups pour avertir Adam de ma présence. Il sort de l'ombre et me retrouve.

— Tu n'es pas blessé ?

— Non. Mais toi, oui, par contre, dit-il en désignant mon épaule du menton. Tu savais que tu allais tomber sur les soldats : c'est pour ça que tu m'as envoyé dans l'autre direction.

C'est un reproche, pas une question.

Nous devons maintenant passer le périmètre de recherche : les patrouilleurs nous savent dans le coin. Je lui fais signe de se dépêcher.

Encore quelques mètres à courir avant de nous arrêter. Quelques pâtés de maisons, et je pourrai éteindre le feu qui irradie de douleur dans mon bras gauche.

Chez madame Hänzel, je me laisse tomber sur une chaise, complètement lessivé. Adam en fait autant, tout aussi abattu. Quant à notre hôtesse, elle s'empresse de soigner ma blessure. Je lutte contre la fatigue pour lui donner un coup de main.

— Nayden, que tu t'endormes ou pas ne changera rien au fait que je dois t'extraire une balle de l'épaule. À ta place, je me laisserais gagner par le sommeil plutôt que de lutter et de souffrir davantage.

— Ce serait faible de ma part de m'évanouir, madame Hänzel, marmonné-je en retirant mon t-shirt.

Elle soupire et tire une chaise pour s'y asseoir.

— Tu as été brave, aujourd'hui, Nayden. Très brave. Tu n'es pas un lâche et tu le sais.

— Je dormirai après que je me serai assuré que tout est réglé.

— Ezra se charge déjà de tout ça, mon garçon ! s'exclame-t-elle. Si tu tiens à rester en vie, capitule et endors-toi.

Je secoue la tête.

— Ça ira très bien. Que je dorme maintenant ou dans deux heures n'y changera rien.

— Tu devrais profiter de ces deux heures de sommeil, parce que dans deux heures, qui sait ce qu'il adviendra !

— Elle marque un point ! commente Adam en passant une main lasse sur son visage.

— Tu n'es pas mieux placé pour parler, lui reproché-je.

— Là, c'est lui qui marque un point, mon garçon. Maintenant, Nayden, ne bouge plus, je te prie.

Je serre les dents en sentant la balle s'extirper de la plaie ; puis, je l'entends tinter sur la table.

— Voilà, c'est fait. Je te fais un bandage et vous allez tous les deux me faire le plaisir d'aller au lit ! Vous vous doucherez demain ; de toute façon, ils ont coupé l'eau tout à l'heure.

— Nous irons, c'est promis, répond Adam à ma place.

Elle approuve d'un hochement de tête et me bande l'épaule en deux temps trois mouvements. Je me laisse tomber sur mon lit de fortune – une simple couverture légèrement molletonnée au sol en guise de matelas, un oreiller en galette et une douillette élimée. Et pourtant, rien ne me semble plus confortable à cette heure où l'épuisement me gagne à la vitesse d'un train grande vitesse.

Malgré tout, mes dernières pensées, avant que le sommeil me gagne, restent dirigées vers Emma.

Bientôt, je la reverrai. Je ne l'ai pas oubliée, nonobstant l'été qui vient et les mois que je laisse derrière à fomenter ce qui, je l'espère, la ramènera à moi. Ce que nous avons accompli aujourd'hui, et les jours précédents, n'était que le commencement. Ce qui viendra ensuite aura des échos, peut-être suffisants pour que mon Flocon de neige me revienne enfin. Emma a été l'unique raison qui m'a fait apprécier l'hiver plus que n'importe quelle autre saison, en dépit de sa rudesse. Parce que dans cette brutalité hivernale, j'ai connu cette jeune femme qui a su rendre l'hiver plus doux. Que je doive faire tomber un mur ou des centaines, je le ferai. Le règne de terreur doit prendre fin.

Vingt-neuf

EMMA
En rentrant, je me suis fait bombarder de questions par madame White. Pourquoi est-ce que j'étais partie si longtemps ? Avec qui j'étais ? Pourquoi étais-je partie sans lui dire où j'allais ? Pourquoi étais-je aussi trempée ? Pourquoi, pourquoi, pourquoi.

J'ai réprimé une forte envie de contracter les poings et j'ai plutôt choisi ce qui me semblait le plus juste : lui dire tout simplement que j'avais eu besoin d'air. C'était une partie de la vérité.

Malheureusement pour moi, elle ne s'est pas contentée de ce maigre prétexte. Alors je lui ai dit que je m'étais fait prendre par la pluie et qu'ensuite j'avais attendu que l'orage se calme avant de rentrer. Ça a semblé lui plaire, du moins m'a-t-il semblé que c'était une meilleure explication. Malgré tout, je n'ai pu m'empêcher d'être un tantinet arrogante, ce qui, en revanche, ne lui a pas plu...

— Fran, je ne vois pas où est le mal ! Je suis sortie, c'est tout ! J'ai droit à ma liberté et je n'ai pas à constamment vous dire où je vais ! Après tout, c'est vous qui vouliez que je sorte.

Elle me lance un regard noir et s'approche. Je reste le plus immobile possible et redresse le menton.

— Ici, tu es chez moi et tu te conformes à *mes* règles. Elles ne te plaisent pas ? Tu n'as qu'à prendre la porte et à te débrouiller si tu te crois si brillante, mais souviens-toi d'une chose : j'aurais pu les laisser t'emmener dans un asile, comme ils voulaient initialement le faire, mais tu es ici aujourd'hui. Tu as une dette envers moi, jeune fille.

— Je n'ai jamais demandé votre aide. Vous me l'avez offerte, alors je l'ai prise.

Elle hausse les sourcils en ricanant. Je ne sais pas ce qui me retient de lui arracher ce sourire. Ma dignité, peut-être ? Et puis, pourquoi cette méchanceté à mon égard, tout à coup ?

— À votre place, je ne parlerais pas trop rapidement, Fran. Je suis parfaitement consciente de ce que vous avez fait pour moi et je vous en suis *reconnaissante*. Pas redevable. Alors, faites-moi ce plaisir et descendez de votre piédestal.

Comme je tourne les talons pour monter à l'étage, la voilà qui m'agrippe par le bras. Elle est drôlement forte pour une femme de son âge.

— Sale insolente soviet ! Qui te crois-tu pour m'insulter de cette façon ? !

— Moi, vous insulter ? Qui me crache présentement le mot « soviet » au visage ? Oui, je suis une Soviet et je préfère de loin l'affirmer plutôt que me terrer dans l'ombre d'un passé qui m'effraie, comme vous le faites.

Elle me lâche instantanément et s'écarte. *Touché.* J'avais raison. Voilà plusieurs semaines que j'y pense entre mes réminiscences. Fran vient du même endroit que moi, de la même République que moi, mais, contrairement à elle, je n'en ai pas honte, moi. Et je n'ai pas non plus raison d'en avoir honte. Elle, par contre, ses souvenirs la terrifient et la hantent : je le vois à ses yeux qui se noient, à ses mains qui tremblent et à ses épaules qui s'affaissent. Elle ne veut pas que je me souvienne parce qu'elle-même a peur de son passé.

Rapidement, son histoire se dessine dans mon esprit et j'arrive enfin à comprendre.

— Arrêtez de vous interposer entre ma mémoire et moi. Commencez par faire la paix avec la vôtre avant de vouloir empiéter sur la mienne. Votre fille et vous venez du même endroit que moi, pas vrai ? Mais elle n'a jamais cessé de vouloir se souvenir. N'est-ce pas ? Elle est en asile, maintenant ? On l'a internée ? Alors, cet avenir que vous auriez voulu pour votre fille, vous l'avez projeté en moi. Je ne vous laisserai pas m'empêcher de me souvenir simplement parce que votre fille est devenue folle à lier. Je ne suis pas comme elle et je ne le serai jamais.

Cette fois, je monte les marches en jetant un bref coup d'œil à Fran, tétanisée du fait que j'aie pu voir si juste.

Je marche vers la salle de bain et me fais couler une douche bien chaude. J'ai terriblement besoin de me départir de mes vêtements humides et de me réchauffer. Après une vingtaine de minutes sous l'eau bouillante, j'ose enfin mettre le pied dehors pour me changer. Des vêtements secs me font le plus grand bien.

Après quoi je m'éclipse dans ma chambre pour y rester jusqu'à ce que je sente les effluves du dîner monter à l'étage, en même temps qu'un air de tension qui restera la semaine durant.

Dès qu'il y a des courses à faire, je me porte volontaire et je sors. Fran ne m'en empêche pas et ne me pose jamais de question. Elle accepte et me laisse faire. Ce qui me permet également de voir Idriss tous les jours, ou presque.

Ensemble, nous reforgeons ma mémoire, recollons les morceaux qui se sont brisés et ajoutons d'autres pièces au puzzle.

Aujourd'hui, par contre, il décide de changer de formule.

— Où allons-nous, cette fois ?

— Tu verras.

Dans un rictus, j'accélère le pas à sa suite tandis qu'il s'éloigne sans me porter attention. Les fois d'avant, nous sommes allés dans un café pour noter ce dont je me souvenais, nous avons marché dans les rues et observé chaque vitrine afin de voir si l'une d'elles pourrait me remémorer autre chose.

Cette fois, je n'ai aucune idée d'où il m'emmène. Jusqu'à ce qu'il s'arrête au coin d'une rue, face à une porte de verre, qu'il m'ouvre.

Un magasin de musique.

— J'ai une course à faire pour un ami, me dit-il. Profites-en pour fouiner là-dedans. Tu sais chanter, peut-être que tu sais faire autre chose en lien avec la musique ? dit-il en haussant les épaules. Après toi !

Il me fait signe d'entrer et me suit de quelques pas sautillants. C'est un grand magasin. Bien plus grand à l'intérieur qu'il n'y paraît de l'extérieur ! Il y a des instruments absolument partout : saxophones, trompettes, guitares acoustiques et électriques, une batterie et divers éléments pour la compléter... La famille entière de violons y est aussi ; bref, l'arsenal complet du parfait musicien se trouve dans ce magasin.

Je marche lentement entre les rayons. Ces instruments ne demandent qu'à trouver preneur pour honorer leur valeur.

Je progresse à pas feutrés dans cet univers musical qui m'interpelle et m'accueille comme on reçoit une vieille amie. Idriss est déjà au comptoir avec le commis. Je les entends discuter, mais seulement comme un lointain écho que l'appel de la musique arrive sans problème à surpasser.

Je frôle les violons au passage, laisse traîner mes doigts le long des contrebasses, mes doigts tapoter la peau des tambours... jusqu'à ce que je remarque, au fond de la pièce, un piano à queue noir.

Je m'arrête aussi brusquement que si j'avais été frappée par un train.

J'avance jusqu'au banc du piano, m'y tiens debout, les yeux rivés sur l'instrument, dont les touches ont été laquées à la perfection. Le vernis du bois est impeccable, sa couleur également : un noir plus profond que l'onyx – je peux presque m'y mirer. Je contourne le banc, m'assois mains sur les cuisses.

Je n'ose pas.

Je voudrais, mais je ne peux pas.

Mes mains semblent attirées par les touches, mes doigts se languissent presque. Quelques centimètres à peine me séparent des premières notes. Une tentation forte, tenace, qui s'accroche à moi comme la vie à un mourant. Je n'ai encore jamais eu autant besoin de quelque chose. Mais jouer quoi ? Je n'en ai aucune idée. Lui, il le saura peut-être.

Ma première note, un joli do de la main droite et de la main gauche, suivie d'un deuxième de la droite et d'une double note de la gauche rapidement imitée par mon autre main. Et ainsi de suite. Les croches s'enchaînent, les noires entrent à leur tour dans la composition d'une mélodie légère et douce. J'enchaîne les notes sans même avoir à y penser pendant que ma musique fait vibrer l'air autour.

Il n'y a plus que ce piano et moi. Ces notes qui jaillissent sous mes doigts et la puissance de cet instrument pour y répondre. Je progresse lentement, doucement, sans me brusquer ni me précipiter, parce que c'est ainsi que la mélodie demande à être jouée. Je ferme les yeux pour me laisser moi-même porter par cet air où chaque note s'anime plus que la précédente, dans une euphonie qui prendra malheureusement bientôt fin. C'est sans doute pourquoi j'ai une légère retenue en jouant la dernière note.

C'est un soupir d'étonnement qui me fait rouvrir les yeux.

— C'est la première fois que j'entends quelqu'un jouer cette pièce de cette façon, dit le commis.

— Je crois qu'on a quelque chose à ajouter à ta liste, Daria. Qu'en dis-tu ?

J'esquisse malgré moi un sourire et laisse retomber mes mains sur mes genoux.

— Tu veux acheter le piano ? me demande soudain l'employé, béat.

— Non, merci, je n'en ai pas les moyens, dis-je.

— Dommage... il aurait enfin trouvé le bon propriétaire.

— Oh, il le trouvera sans doute, mais ce ne sera pas moi.

Je me lève en caressant une dernière touche.

— On y va ? dis-je après un petit moment.

Idriss veut bien, remercie le commis avant de changer de cap pour sortir. Je lui adresse un signe de la main en passant près de lui et le dépasse en réprimant mon envie de mirer le piano une dernière fois avant de partir. Je rejoins Idriss à l'extérieur, qui m'attend, carnet en main.

— Je formule ça comment ? Artiste, virtuose ou prodige ?

Je le claque sur l'épaule.

— Arrête de raconter n'importe quoi.

Il s'esclaffe et fait mine de se protéger avec le carnet, qu'il tient dans le but de parer un prochain coup. Je prends appui à côté de lui, contre le mur, les bras croisés.

Il descend le petit cahier de sur son visage.

— Non je suis sérieux, où as-tu appris à jouer comme ça ?

Je hausse les épaules, les yeux rivés sur le trottoir.

— Je ne sais pas. J'ai l'impression d'en avoir joué toute ma vie. Je me suis sentie appelée par ce piano et je lui ai répondu.

Il note ce que je viens de dire.

— Qu'est-ce que j'ai joué, au fait ?

— *Clair de Lune* de Claude Debussy. C'est étrange que tu aies joué ça, c'est une très vieille pièce. Du genre vraiment très ancien !

Il se tourne vers moi, épaté, et je ne peux que l'imiter sans comprendre. Il y a eu un déclic dans son cerveau.

— Au fond, c'est toi, la vieille dame ! Et ce visage ce n'est qu'un masque ! Oh ! Voilà ton secret ! Où est donc ta peau de vieille toute fripée, que je puisse voir à quel point tu es hideuse sous cette apparence de jeune fille sublime ?

Il me pince la joue et tire exagérément dessus.

— Aïe ! Mais arrête, ça fait mal !

— Il est drôlement bien collé, ton masque ! Où l'as-tu acheté, que j'aille m'en procurer un aussi ?

Je tape sèchement son poignet pour qu'il me lâche et il éclate de rire.

— Tu trouves ça drôle ? Attends que je retire le tien, sale vieillard qui a du thé chez lui !

Il détale aussitôt et je cours à sa suite.

— Tu cours drôlement vite pour un centenaire ! que je lui crie tout en prenant garde à ne bousculer aucun passant dans ma course.

— Je ne peux pas dire la même chose de toi, tu commences à te fossiliser ! s'exclame-t-il en s'arrêtant brièvement pour me balancer sa réplique au visage.

J'ouvre la bouche, offusquée, mais d'autant plus amusée par notre jeu ridicule.

— Attends que je te rattrape, vieux débris !

Il se remet à courir et je le talonne de près. Plusieurs personnes s'exclament à notre passage, mais ça m'est complètement égal. Je m'amuse pour la première fois depuis longtemps.

Idriss tourne brusquement à gauche dans un parc et je dois battre l'air des bras pour suivre sa trajectoire. Il contourne rapidement les balançoires en se cramponnant au poteau. La pluie des derniers jours a rendu le sol boueux : je m'enfonce au premier pas. C'est alors que j'ai une idée.

Je me penche aussi vite que possible vers le sol et j'attrape une grosse poignée de boue. Je me redresse, et lui lance mon projectile.

— Le fossile a plus d'un tour dans son sac !

Il ne peut esquiver la motte, la reçoit en pleine joue. J'éclate de rire à voir l'air qu'il fait. Seulement, mon rire est rapidement interrompu par son expression assassine ; puis, à son tour, il se met à me jeter de la boue.

— Tu ne perds rien pour attendre ! s'emporte-t-il, gamin.

Il se lance à ma poursuite, terre mouillée en main. Je lâche de petits cris aigus dès qu'une motte passe trop près ou, au contraire, dès que j'en reçois un peu trop. Il perd rapidement l'équilibre dans la vase. Je tente de m'écarter, voyant qu'il risque de tomber et de m'entraîner dans sa chute, mais en vain. Je m'affale dans une grande flaque, puis me ressaisis et m'assieds au sol. L'eau de la terre commence déjà à imbiber mes vêtements. *Oh, Seigneur! Que pensera Fran, maintenant?*

Je jette un coup d'œil au grand gamin à ma gauche, qui s'assoit à son tour.

—Je te ferai remarquer que c'est toi qui as commencé, me reproche-t-il en s'essuyant le visage sur un coin de son t-shirt.

—J'en prends l'entière responsabilité! Au fait, j'espère que la course de ton ami a survécu.

Il tire le petit paquet hors de son sac messager et le brandit fièrement.

—Toujours intact! Ce qui le détruirait, par contre, c'est...

Il n'a pas le temps de finir sa phrase qu'une pluie torrentielle se met à tomber, au mépris du soleil qui continue de plomber.

Je rejette la tête vers l'arrière en riant.

—... de la pluie, achève-t-il en grognant. Il ne manquait plus que ça!

Il range ce qu'il était allé chercher dans le magasin de musique, soupire.

—T'ai-je dit à quel point je détestais la pluie?

—Oui, je crois que tu me l'as dit, ricané-je.

Je me lève et lui tends la main pour l'aider à se relever. Il l'accepte en grommelant.

— Au moins, nous serons propres en rentrant ! dis-je pour dédramatiser la situation.

Je me remets à rire, ce qui parvient à le faire sourire.

— C'est étrange de voir à quel point tu t'illumines face aux petites choses de la vie.

Je passe une main dans mes cheveux.

— Je crois simplement que c'est important de trouver de quoi sourire dans chaque acte du quotidien. C'est ce qui permet de rendre la vie plus... vivable.

— C'est une belle façon de voir les choses.

Je fais signe que oui, et regarde mes bras virés au brun grisâtre, qui tranquillement s'éclaircissent et reprennent leur couleur naturelle sous la pluie.

— Je vais rentrer, je crois.

— Oui, moi aussi.

— À plus tard, Idriss, et merci pour la visite au magasin de musique !

— Tout le plaisir était pour moi, dit-il en exécutant une révérence ridicule.

Je le pousse sur l'épaule et tourne les talons.

Comme nous quittons le parc, Idriss m'appelle une dernière fois :

— Daria !

Je me réfugie sous un arbre.

— Oui ?

— Je crois qu'il est temps que tu te souviennes pour de bon.

Je fais la moue.

— Pourquoi dis-tu cela ?

— Ta lumière doit manquer à ceux que tu as laissés derrière. Il est temps que tu entres vraiment dans la danse, tu ne crois pas ? Tu n'en as pas assez de regarder faire les autres ?

— Et si je n'ai jamais appris à danser ?

— Laisse tes pieds te guider. Au fond de toi, tu sais déjà le faire ; il suffit de t'en convaincre. Arrête de penser, agis.

Je tressaute. Il sourit.

— Je ne suis pas le premier à te dire cela, n'est-ce pas ?

Je secoue la tête.

— Donne un sens à tes souvenirs. Secoue-toi ! Choisis de te battre ! Prends les rênes avant qu'il ne soit trop tard. N'aie pas de regrets comme Fran... ou comme...

— Ou comme qui ?

— Non, laisse tomber. Agis, c'est tout.

Entrer dans la danse. Il faut que j'entre dans la danse. Je suis si près de la piste. Il a raison, j'en ai plus qu'assez d'attendre mon tour.

Trente

NAYDEN

Je me fais réveiller en sursaut ce matin du mois de juillet, par un Adam survolté qui me secoue pour me tirer d'un sommeil lourd de la présence d'Emma.

Ses cheveux virevoltant autour de son visage délicat, les doigts repliés à la hauteur de la mâchoire, ses yeux d'une couleur indéfinissable qui me transpercent de son amour...

Ce n'est pas sur son visage à elle que j'ouvre les yeux, mais sur celui – beaucoup trop près du mien – de son grand frère.

— Nayden ! Nayden, réveille-toi, fainéant ! Ils sont sortis ! Ils ont répondu à l'appel, ça a marché ! Julyan et Ezra ont réussi ! Viens voir, vite ! Lève-toi, nous n'avons pas une minute à perdre !

Je bats des cils sans prendre conscience immédiatement de ce qu'il me raconte.

Il court à la fenêtre et me fait signe d'approcher.

Ils ont effectivement répondu : juste en face de la maison de madame Hänzel, où nous nous trouvons toujours, un slogan : *Faites tomber les murs.* À croire qu'Emma est de retour.

J'opine lentement, satisfait. Déjà, je peux entendre les bris de vitres, humer les colonnes de fumée qui s'élèvent vers le ciel. Déjà résonnent les cris de liberté scandés par la foule des rues.

Depuis près d'un mois, nous restons en vie de peine et de misère. À chaque manifestation, plus d'Insoumis se joignent à nous et plus de bombes tombent du ciel. J'attendais avidement ce jour où nous serions assez nombreux pour nous défendre et nous soulever de telle sorte que rien ni personne ne pourrait nous arrêter. Nous sommes désormais plus forts que ces murs entre lesquels on nous a confinés, plus forts que ceux qui veulent nous arrêter. Nous avons deux armes qu'ils ne possèdent pas : le courage et l'espoir.

Je suis encore à épier dehors quand on me jette un pantalon et un t-shirt. Noirs : c'est de circonstance.

— Habille-toi, gosse de riche. Nous avons une rébellion à mener !

J'attrape le tout puis m'habille en vitesse. Pour sa part, Adam est déjà prêt – on jurerait qu'il s'est endormi habillé. Je suspends mes plaques à mon cou, sous mon chandail, et enfile mes bottes le plus rapidement possible. Je masse mon épaule, toujours sensible nonobstant les semaines écoulées. C'est tout de même supportable ; voilà un mois que je me suis fait tirer dessus.

— Les garçons, qu'est-ce que vous faites ?

Nous nous tournons vers madame Hänzel, qui, les bras croisés, émerge tout juste de sa chambre, le visage encore bariolé de marques d'oreiller.

— La rébellion est en marche, Rosa, l'informe Adam en sautant dans ses bottes, la main sur la poignée de la porte.

J'enfile ma veste pour me donner l'illusion d'un gilet pare-balles. Pour le moment, je n'ai qu'un holster à la cuisse contenant un des deux pistolets que j'ai volés; j'ai passé l'autre dans la poche intérieure de mon veston. Je suis loin d'avoir l'équipement que j'arborais à l'époque où je descendais en raid dans les rues. Au total, je n'ai que seize balles et deux grenades. J'ai également quelques poignards, glissés dans ma ceinture, mais c'est tout. Adam est à peu près dans le même pétrin que moi... Quand ils ont remarqué que nous volions les armes des militaires tués, ils ont arrêté de porter des pistolets et des munitions de surplus, ce qui a rendu le larcin plus ardu. Mes munitions sont largement insuffisantes, au cœur d'une rébellion.

Je tends la main vers ma casquette et mon foulard... ils sont inutiles. C'est à visage découvert que je compte me battre aujourd'hui.

Madame Hänzel inspire profondément, nous examine alternativement comme s'il s'agissait de la dernière fois qu'elle nous voyait. C'est peut-être le cas.

— Bonne chance, les garçons, dit-elle.

Il est inutile d'ajouter quoi que ce soit. Je balance mon sac sur mon épaule. Il ne contient essentiellement qu'une seule chose: mon ordinateur. Je risque d'en avoir besoin si je veux alerter quelqu'un d'autre qui se trouve en dehors de ces frontières que nous voulons à tout prix franchir.

— Prêt ?

J'opine du bonnet.

— C'est parti ! s'exclame Adam en ouvrant la porte à la volée, plus heureux que jamais.

Nous sortons aux premiers rais de soleil. Nous sommes aussitôt engloutis par une mer de monde qui se dirige, armes et poings brandis, vers le mur.

Ce mur que tout le monde souhaite détruire.

Nous courons parmi eux avec en tête une seule idée : gagner notre liberté.

Trente et un

EMMA

Je marche dans la rue, en direction du fleuriste. Fran a encore besoin de fleurs. Chemin faisant, des exclamations sourdes et des babillages m'arrêtent. Une vingtaine de personnes se sont réunies sous le téléviseur holographique d'un café, à un grand carrefour. En grandes lettres, on peut lire : *La dernière République plongée en pleine guerre civile.* Et à droite : *En direct.*

Je m'approche de la foule, tâchant de comprendre ce que les gens disent à travers leurs murmures étouffés.

J'essaie ensuite de suivre ce que le journaliste raconte, mais les marmonnements enterrent tout. Je me penche vers un homme d'une cinquantaine d'années qui se concentre sur l'écran, une tasse à la main, le seul qui ne semble pas déjà en conversation.

— Que se passe-t-il ?

— Le dernier État hors de la Réforme est en rébellion.

— En rébellion ?

— Oui, ils ont déclaré la guerre civile ce matin

même. L'État est en pleine crise. C'est la pagaille, si on en croit les images. Et il semblerait que ça dure depuis longtemps. Personne ne s'insurge de cette façon du jour au lendemain.

— Où est-ce que ça a lieu ?

Il me dévisage comme si je venais d'une autre planète et je m'en veux aussitôt d'avoir posé la question.

— En Sovietskaïa, bien entendu !

— À quelle distance d'ici cela se trouve-t-il ?

Il hausse les épaules.

— En voiture ? Une heure trente au maximum, c'est au sud-est, je crois. Je vous déconseille d'y aller, ma petite dame, si c'est ce à quoi vous pensiez. Ce n'est pas vraiment l'endroit idéal où passer ses vacances ! s'esclaffe-t-il en prenant une longue rasade de son café, qui sent drôlement l'alcool pour une heure si matinale.

Je secoue brièvement la tête. Je m'approche de l'écran, où le journaliste rapporte l'événement. À environ deux mètres de l'image, j'arrive enfin à entendre :

— ... *au cœur d'une révolte qui ne fait aucun quartier. On recense déjà au moins un millier de morts et le double de blessés. La population du côté sud du mur s'est mise en marche cette nuit, aux petites heures, semble-t-il. Leur intention est claire : ils veulent détruire la barrière entre les deux côtés et quitter cette ville dictatoriale. Les images qui suivent pourraient vous choquer, nous préférons vous en avertir.*

« *Une République divisée comme on n'en a jamais vu. Un peuple réclamant une liberté que le gouvernement se refuse d'une main de fer à lui donner. C'est d'ailleurs pourquoi la liste de décès ne cesse de s'allonger. Aucune force militaire ne soutient les rebelles, à l'exception des soldats déjà présents du côté où le mouvement est en marche et qui ont rallié leur cause.*

« *De toute évidence, c'est un exploit de pouvoir diffuser la rébellion en direct. Les caméras de surveillance ont été connectées sur nos ondes, très tôt ce matin, sans possibilité de contrôle de notre part. Toutes nos ondes sont dirigées par ce pirate soviet qui, manifestement, souhaite montrer à la face du monde ce qui se produit à l'heure actuelle. À en croire nos collègues des autres secteurs réformés, toutes leurs ondes sont également piratées par cet individu. La planète entière est rivée sur ce coin du monde.*

« *Nous assistons aujourd'hui à la plus grande révolte de l'histoire envers un gouvernement totalitaire qui n'admettait aucune opposition. Ce dernier a d'ailleurs résolu de répliquer par la force à l'intention de sa population, qui s'acharne au pied du mur. Les bombes explosent, les incendies sont gigantesques et les tirs pleuvent sur les civils. Il semblerait que... »*

Je ne prends déjà plus garde à ce que le reporter peut dire. Je n'ai d'attention que pour l'écran. Un paysage de feu et de flammes. En son centre, un homme couvert d'adrénaline, de sang et d'espoir.

Je bouscule quelques personnes au passage pour me faufiler plus près de la télévision. Le garçon de mes souvenirs : c'est lui, dans cette télé. Lui, au cœur de cette rébellion.

C'est lui. C'est lui. C'est lui.

Mon cœur manque un battement, puis un deuxième. Il s'étouffe dans le cri qu'il pousse à la vue du jeune homme sur l'écran. Puis, l'image change. Autre angle sur la révolte : combats entre militaires et civils ; on voit tout de suite qui a l'avantage. Une salve de balles s'abat en direct sur les révolutionnaires. Les cris et les hoquets d'horreur emplissent le café à la vue de ces dizaines d'innocents assassinés là.

Je me jette près du propriétaire du café qui, tout comme ses clients, s'arrime à l'écran sans savoir quoi faire.

— Vous pouvez faire reculer l'image ?

Il arrête ce qu'il fait et grimace.

— Non, c'est en direct, mademoiselle, lâche-t-il d'un ton âpre.

J'étouffe un juron et recule de quelques pas. Il faut que je revoie le garçon rebelle, il faut que…

Le garçon s'impose de nouveau sur l'hologramme grâce à une autre caméra de surveillance. Le journaliste tient soudain à dire qu'il ne contrôle pas les changements de prise de vue et que toute perturbation est le fruit du pirate informatique. Je n'en ai rien à faire de ce qu'il raconte et de qui contrôle quoi : je n'ai d'attention que pour cette image de quelques secondes à peine, mais suffisamment longue pour que je me sente bousculée de souvenirs. J'ai l'impression d'être projetée dans un kaléidoscope où chaque image se fractionne, se superpose à la précédente et s'enchaîne à une vitesse effroyable.

Je me souviens.

Son nom à lui, c'est Nayden. Nayden Prokofiev Keyes. Et je suis amoureuse de lui.

Je n'ai pas rompu ma promesse.

Je l'aime toujours autant. De cet amour qui m'a poussé à me battre pour lui, pour eux, pour nous.

Mon nom à moi, ce n'est pas Daria Rostov. C'est Emma Kaufmann.

Oui, je m'appelle Emma Kaufmann et je suis une Insoumise. JE SUIS UNE INSOUMISE !

Mon cœur s'affole, l'air me manque. Je n'aurais pas assez de tout l'air de cette planète pour combler mes lacunes en oxygène.

On pose une main sur mon épaule. Je crois que j'ai crié tout au haut ce que je hurlais déjà en moi.

— Tout va bien, mademoiselle ?

Je me tourne vers la dame d'une quarantaine d'années qui m'étudie d'un air inquiet par-dessus ses lunettes tandis que je deviens le centre d'attention des passants.

— Mademoiselle ?

— Il faut… il faut que je rentre chez moi.

Je la repousse d'un geste. Je pensais avoir à écarter tout le monde pour m'éloigner, mais tous reculent d'un bond en me voyant passer. Je suis au beau milieu de la rue, plus affolée que jamais, assaillie de mille souvenirs d'une vie trop longtemps laissée derrière. *J'entre enfin dans la danse.*

Je regarde de tous bords tous côtés. Je n'ai aucune idée d'où aller et ni comment, mais je sais qu'il faut que je m'y rende.

Je cours vers chez Idriss sans porter attention aux gens qui s'agglutinent autour de moi. Je rejoins le stationnement de son appartement. Il ouvre la portière de sa voiture au moment où je crie son nom.

— Daria, mais qu'est-ce qui se passe ?

— Ta bagnole elle est automatique ou manuelle ?

— Quoi ?

— Ta bagnole ! Elle est...

— Oui, oui, ça va, j'ai compris cette partie du hurlement strident. Elle est automatique, pourquoi ?

— Je te l'emprunte.

— Tu ne sais même pas conduire !

Je contourne la voiture au pas de course et prends place derrière le volant.

— J'apprends vite et puis, si elle est automatique, je sais conduire : je l'ai déjà fait une fois. À moins, bien sûr, que tu viennes avec moi ?

— Où ça ?

Je claque la portière, descends la vitre après qu'il ait furieusement cogné dedans.

— Daria, tu ne sais pas...

— Mon nom n'est pas Daria, claqué-je. Je m'appelle Emma. Emma Kaufmann. Je le sais, je m'en suis souvenue !

Il se redresse, l'air hagard.

— Où est-ce que tu vas comme ça, au fait ? De là à vouloir voler ma voiture...

— Je ne te la vole pas, je te l'emprunte. Et puis tu es témoin de mon «vol», donc ça n'en est pas vraiment un.

— Tu n'as pas répondu à ma question! s'insurge-t-il tandis que j'avance le banc.

— Je rentre chez moi.

Il agrée, comme s'il savait que ce jour viendrait. Qu'est-ce que je raconte – bien sûr qu'il savait que ce jour viendrait.

— Dans ce cas… bon retour à la maison.

Il n'a pas l'intention de me retenir.

— Tu ne viens pas avec moi? fais-je après un petit moment, les mains serrées sur le volant.

Il fait signe que non.

— Je ne retourne pas là. Je préfère ne plus jamais revoir ma voiture plutôt que retourner là-bas.

Je laisse retomber mes mains contre mes cuisses d'un mouvement lâche.

— Tu veux dire que…

— Moi aussi je viens de *là*. Mais, contrairement à toi, je n'ai ni raison ni envie d'y retourner. Je suis parti de mon plein gré… ou presque. Je détenais un renseignement, et ils m'ont offert deux options: la mort ou la vie en dehors de leurs frontières. Alors j'ai fait mon choix et je suis parti. Je n'avais jamais aimé cette ville de merde, de toute façon. Pour tout te dire, je m'appelle Henry Junior, pas Idriss. C'est… le nom qu'on m'a donné avant de m'effacer la mémoire, comme je l'ai demandé. Je savais que, tôt ou tard, je le dirais à quelqu'un. Une fois oubliée cette information confidentielle – d'ailleurs tout ce dont je me souviens, c'est qu'elle était confidentielle –, je pouvais vivre en exil sans problème. Le hic, c'est que j'ai fini par me souvenir d'une partie de ma vie d'avant. Comme toi. Et ça m'a terrifié de savoir tout ce que j'avais vécu. Deux vies dans un même corps, c'était trop pour moi.

Sa présence à mes côtés se ralentit à une image par seconde. J'ai connu quelqu'un du nom d'Henry qui avait cette même couleur de peau. Cette même chaleur, cette même aisance caractéristique d'un pianiste formidable, avec qui je travaillais.

Idriss est le fils d'Henry, le pianiste du bar où je travaillais clandestinement.

— J'ai… j'ai connu ton père, Idriss.

Ses yeux s'écarquillent.

— C'est un musicien. J'ai travaillé avec lui. C'est peut-être ta raison de rentrer, tu ne penses pas ?

Il hésite un temps avant de se raviser.

— Non, je ne veux pas. Je n'en ai aucun intérêt. Toi, par contre, tu as toutes les raisons du monde d'y retourner.

Il me désigne la route d'un geste :

— Vas-y, qu'est-ce que tu attends ? Tu n'as qu'à appuyer sur ce bouton et demander l'itinéraire, il apparaîtra tout seul au-dessus du tableau de bord.

— Henry…

— Va-t'en. Vas-y, allez !

Il claque la portière et recule de plusieurs pas.

— Ramène-la-moi en un morceau… Emma.

— Je vais essayer.

Je referme la vitre d'une simple pression du doigt et fais rugir le moteur. Je bondis vers l'avant en même temps que la voiture, non sans lâcher un petit cri. Mes mains se crispent d'elles-mêmes dès le premier virage.

Une fois que la route est plus droite, je me hasarde à enlever une main du volant pour appuyer sur le bouton qu'Henry m'a désigné. Une voix synthétisée jaillit des haut-parleurs.

— Destination ?

— Sovietskaïa.

— Un moment, je vous prie.

Douze secondes plus tard, une carte en hologramme illumine le dessus du tableau de bord, identifiant le véhicule d'un point bleu clignotant. Je suis les instructions à la lettre jusqu'à rejoindre une autoroute qui m'a l'air abandonnée – la voix m'informe que je n'ai qu'à la suivre.

Je sais conduire parce que je l'ai déjà fait... une fois. J'ai conduit la voiture de Nayden, tout juste après l'avoir sauvé.

Peu à peu, chaque kilomètre que je franchis me secoue d'un souvenir. Certains plus douloureux que d'autres, comme la mort de ma petite sœur.

Puis je me souviens de mon frère Noah, autiste, et que j'ai protégé autant que j'ai pu de sa passion pour les trains qui aurait pu le tuer.

Je me souviens enfin de mon autre frère, Adam, que j'ai laissé partir en compagnie de ce qu'il restait de notre famille. De ma mère et de mon père qui se sont battus des années durant...

Je me remémore ma vie d'avant. Ce que je faisais, ce que j'ai vécu, qui j'ai aimé.

Caleb.

C'est lui qu'on a retrouvé mort à mes côtés dans la ruelle. Entre les souvenirs, ce sont des larmes qui me submergent.

Ma gorge se noue, et j'étouffe un gémissement de douleur. À chaque rideau qui se lève, une douleur lancinante me saisit. On ne veut pas que je me souvienne. On ne veut pas que je redevienne celle que j'étais.

Qu'ils essaient.

Je suis plus forte que leur puce. Je suis plus forte que leur programme. Je suis plus forte que tout ça parce que je suis une Insoumise.

Je suis habitée d'une étincelle qui ne demande qu'à s'embraser.

Après quelques kilomètres, je demande à la voiture de me trouver une chaîne radio qui diffuse en direct ce qui se produit en Sovietskaïa. La voiture en passe plusieurs avant d'enfin syntoniser une station sans parasites. Je monte le volume.

— *Les explosions retentissent et l'indignation de la population réformée commence à se faire sentir. On demande que la Réforme aide les insurgés en se joignant à eux. Ceux-ci réclament un soutien militaire de la part non pas de leur République, mais de la Réforme elle-même. D'après les réactions que nous avons captées depuis l'annonce de cette Révolte, des membres de notre société souhaitent leur venir en aide.*

« *Il est important de savoir, chers citoyens, que la Réforme a envoyé des trains sans cargaison, depuis des années, au cœur même du commerce de la République, passant outre la surveillance de plusieurs pour laisser sortir les citoyens du périmètre. Plusieurs républicains ont rejoint nos territoires de cette façon, mais ils se comptent par poignées : la plupart des Soviets auront continué de craindre le sort qu'on leur réserverait. La Ré… Oh ! Il semble qu'on ait perdu le contact visuel avec la ville auprès de nos collègues des réseaux de télévision. On m'avise que la communication a été interrompue par les services de sécurité de la République. Nous ferons tout ce qui est en notre pouvoir pour rétablir le contact et nous vous tiendrons au courant des prochains développements. Vous écoutez…*

J'éteins. J'en ai assez entendu. Je sais déjà ce qui se passe : ils ont coupé la communication parce qu'ils veulent non seulement nous exterminer, mais le faire en catimini.

Les trains – ils ont envoyé des trains. C'est pour ça qu'il n'y avait aucune marchandise dans la plupart des trains sur lesquels je suis montée. C'est tellement plus logique, maintenant.

Je roule ainsi près d'une heure durant, submergée de souvenirs. Des morceaux de ma première vie me sont restitués chaque seconde que je passe à rouler sur cette voie à une vitesse beaucoup trop rapide pour une conductrice de mon calibre.

La frontière de la République d'où je viens, bordée de clôtures et de fils barbelés, se dessine enfin au bout de la route déserte.

J'arrête la voiture et en sors. Face à l'est, au sommet d'une toute petite colline, j'arrive à entrevoir l'endroit où se trouve le mur que je connais si bien. Mais plus encore, je vois les combats qui font déjà rage. Les explosions, les colonnes de fumée, les avions qui survolent le périmètre et larguent des bombes. Ce n'est pas une rébellion, c'est un massacre.

Le massacre d'une société dont on a toujours voulu la fin.

Je cours vers la clôture, la longe comme un animal en cage jusqu'à apercevoir une petite ouverture par laquelle je pourrais me faufiler, bien qu'elle soit large d'à peine vingt centimètres. J'hésite : et si elle était chargée ?

Je regarde autour, prends le trousseau métallique d'Henry Junior et le lance sur le barbelé. Rien, pas même une étincelle. Cette clôture de près de trente mètres de haut de fils de métal et de barbelés, qui au fond était censée nous protéger d'une menace extérieure, n'était en réalité conçue que pour nous garder prisonniers. Je récupère les clés, qui ont rebondi au sol, et les enfonce dans la poche de mon jean.

Je me penche vers la petite faille et tente de l'agrandir. La douleur me déchire les mains en une fraction de seconde à peine. Une fois que l'ouverture m'apparaît suffisamment grande, j'y pénètre, m'écorchant les bras au passage. Et c'est juste à temps que je rejoins l'autre côté. Je recule aussi vite que je peux en entendant l'électricité parcourir chaque centimètre de métal qui constitue la clôture. On vient tout juste de la charger, comme si on savait que quelqu'un traversait à l'instant même, coupant du même coup toute l'électricité alimentant ce côté de la ville. Je vois d'ici les lumières s'éteindre et l'énorme bruit qui assourdit la Basse République d'un seul coup après que l'alimentation est rompue.

Je cours, je dévale le terrain vague qui me sépare de la ville. À peine ai-je atteint une première rue que je suis assaillie par des gens qui fuient vers leur liberté si chèrement acquise, sans savoir où se diriger. J'ignore comment j'ai fait pour passer la frontière, mais aucun soldat ne m'a barré la route, alors que maintenant, ils semblent être partout à la fois pour empêcher la population de fuir.

Me voici qui nage à contre-courant d'un tsunami de liberté et d'espoir comme il n'en a jamais existé.

Je redouble d'efforts. On me roue de coups sans le vouloir, on me piétine par inadvertance. Ça m'est égal ; je suis, moi aussi, nourrie par un espoir qui dépasse l'entendement : celui de retrouver le garçon que j'aime et la famille que j'ai laissée derrière.

Je cours dans ces rues que je connais comme le fond de ma poche. Je reconnais chaque détour, chaque ruelle, chaque quartier bien que la ville en compte près d'une centaine. Je devine chaque pierre au sol, chaque brique au mur, chaque affiche de propagande qui prend feu.

Bousculée de part et d'autre, j'évite les balles.

Je manque de me buter à une vingtaine de rebelles armés de fusils.

Ils lancent des grenades de fortune en direction des soldats qui font feu sur nous. À peine me suis-je cachée derrière un mur qu'une salve de balles s'abat sur les révolutionnaires, dont je fais maintenant partie. Quelques-uns, aussi rapides que moi, arrivent à se protéger des tirs dans les ruelles perpendiculaires. Les autres tombent sous la pluie de balles. Je sonde les environs, le cœur prêt à jaillir de mon thorax et le souffle plus court qu'une fraction de seconde. Il me faut une arme, quelque chose pour me défendre et aider ces Insoumis.

L'époque où je me terrais derrière mon grand frère, puis derrière Nayden, est révolue. L'heure de ma propre audace, la minute de mon propre courage, la seconde de ma propre volonté de vivre a sonné. Il faut que je me batte pour ce en quoi je crois, pour ceux en qui j'ai foi… pour moi, en qui je dois aujourd'hui avoir confiance. Je dois croire en cette étincelle qui m'habite et la faire flamber du feu de la liberté.

Je constate l'étendue des dégâts dans la rue adjacente à la mienne. Les soldats remettent leurs armes en joue, prêts à tirer au moindre mouvement de notre part. Parmi les rebelles tombés, quelques armes gisent éparses entre eux, dans leurs mains ou près d'où ils sont morts. Seulement, si les soldats ne partent pas, je ne pourrai jamais récupérer ces armes au sol: les rebelles avec qui je suis l'ont deviné. Je ne suis pas une menace à leurs yeux, mais une alliée.

Alors qu'ils discutent entre eux et tâchent d'échafauder un plan, je ne suis pas certaine de la langue qu'ils parlent… l'allemand sans doute, mais il y a si longtemps que je l'ai parlé que la moindre syllabe de cette langue me semble tapie sous des kilomètres de souvenirs. Je ne tenterai pas de me joindre à leur discussion.

Je regarde de nouveau autour, en quête d'une solution. En hauteur : il faut grimper si l'on veut atteindre l'ennemi sans se faire toucher.

Je fais signe à un jeune homme d'une vingtaine d'années qui se trouve sur le mur d'en face et qui discute avec les autres. Je lui désigne le bâtiment derrière moi. Il plisse le front parce qu'il n'arrive pas à saisir ce que je m'échine à lui faire comprendre – j'ignore quelle langue employer, mais en plus, je dois me faire discrète. Je fais le mime encore un moment jusqu'à ce qu'enfin il voie ce que je veux dire. Il demande à quatre autres personnes de le suivre.

Ils trouvent un moyen de grimper après quelques minutes d'observation et de tirs risqués en direction des soldats pour leur faire croire que nous sommes toujours ici.

Quant à moi, restée en bas, je continue de faire diversion : je prends une brique de la ruelle et la lance dans leur direction. Je sors à peine le bras que les tirs reprennent.

Ces soldats ont l'air de véritables automates. Insensibles et inhumains, ils tirent sur tout ce qui bouge. C'est probablement leur puce : elle ne doit pas fonctionner de la même façon pour tout le monde. Et puis, le gouvernement, en voyant la menace venir cette nuit, a probablement déclenché une partie de leur programme visant à faire d'eux de parfaits soldats de la République. Ce n'est qu'une hypothèse, mais elle me semble plausible pour le moment. Je me penche encore une fois vers les militaires quand une balle se fiche directement dans le mur de briques où je me tiens. J'étouffe un cri dans mon épaule, espérant me protéger des débris qui virevoltent. L'écho de leurs pas se rapproche.

Je commence à me dire qu'ils vont m'atteindre et je m'éloigne un peu. Soudain, cet écho change pour celui des tirs et des corps qui tombent au sol. Je jette un énième coup d'œil: les militaires sont morts.

Je cours à découvert pour me précipiter vers leurs armes, sans me poser de question. Je me crispe pour ne pas m'émouvoir devant ces soldats morts à qui je dérobe les fusils. Je me tiens droite, un semi-automatique en main et un pistolet coincé dans ma ceinture. Heureusement que j'ai mis un jean ce matin ainsi qu'un chandail confortable. On croirait que je me suis habillée en prévision de la rébellion.

Je ne porte pratiquement que du noir.

Je me tourne vers la petite escouade à qui j'ai donné l'idée de grimper, qui redescend justement. Je lève un pouce en l'air à l'intention du garçon, qui m'adresse un hochement de tête.

Je reprends ma course.

De l'audace, Em. De l'audace et du courage. Deux choses qui m'ont toujours terriblement manqué. C'est aujourd'hui que je dois y faire appel plus que jamais. Je peux être brave si je m'en donne la volonté.

Et c'est sans hésitation que j'abats le premier soldat qui me barre la route. D'une balle, rien qu'une, en pleine poitrine. Je me dissimule dans l'ombre d'un bâtiment et refais feu dès que j'en vois la nécessité. Je dois parvenir au mur.

Les colonnes de fumée continuent de s'épaissir et les flammes ont déjà pris possession de plusieurs rues.

J'arrive finalement au mur, laissant dans mon sillage plus d'une dizaine de soldats tombés. Leur puce fonctionne peut-être, mais la mienne aussi. Je ne me suis jamais sentie aussi forte et intrépide. Pour le moment, je n'ai pas le temps de penser à tous ces morts qui s'empilent : je dois courir vers le mur, près duquel au moins mille personnes se sont rassemblées dans le but de le faire tomber. Et parmi ce millier de têtes, j'en cherche une seule : celle de Nayden.

Jouant du coude, je cours entre les rebelles qui lancent des dizaines de projectiles à la seconde. Il faut que je retrouve Nayden. Je cours dans tous les sens. Il faut que je le trouve. Je zigzague entre les rebelles. Il faut…

Le mur explose.

Je me retrouve projetée, comme bon nombre de ceux qui se trouvaient trop près. Je lâche au passage le fusil que je tenais toujours. Le souffle coupé, je heurte le sol couvert de boue et de gravats, me blessant le front et les bras au passage. Mon chandail est déchiré à la hauteur de mes côtes : j'ai atterri sur des pierres. Dans le mur, une crevasse gigantesque. La poussière flotte comme un nuage et les morts de cette explosion se comptent déjà par dizaines.

Oh, mon Dieu. Oh, mon Dieu, faites que Nayden n'en soit pas.

Je me relève, couverte de poussière et plus courbaturée que jamais, un sifflement dans l'oreille gauche et la vue brouillée. Je recommence à avancer parmi les gens qui hurlent victoire alors que rien n'est encore gagné : les bombes continuent de tomber, les morts de s'accumuler et la résistance, de combattre. Nous ne sommes pas la résistance. *Ils* sont la résistance. Nous, nous ne sommes que les rebelles, les Insoumis en quête de liberté ; les livres d'histoire sauront nous attribuer une appellation. Tout ce qui m'importe, c'est que les générations à venir sachent que nous ne sommes pas les agresseurs, mais les victimes d'un gouvernement qui nous a trop longtemps asservis. À l'heure qu'il est, je cherche parmi ces victimes le visage de celui qui m'a ramenée à moi, et hurle son nom aux quatre coins de l'étendue décimée, couverte de poussière, de pierres, d'armes et de corps.

Je suis gorgée d'adrénaline... Et soudain, j'entends mon nom hurlé à pleins poumons.

— EMMA !

Je fais un tour sur moi-même. Je scrute la foule, guidée vers cette voix qui continue de crier mon nom. Ce nom qu'il me semble que personne n'a prononcé depuis des lustres.

Ce n'est pas Nayden qui se tient devant moi, entre tous ces gens qui luttent encore pour leur vie. C'est mon frère.

Adam.

Je me jette vers lui et lui saute dans les bras pour qu'il m'enlace de toutes ses forces.

— Oh, mon Dieu, Emma! Ma petite sœur, ma Coccinelle. Tu vas bien, tu es en vie. Tu es en vie! ne cesse-t-il de répéter.

Il m'étreint à m'en rompre le souffle, mais rien ne pourrait surpasser la joie que je ressens à le voir ici, en dépit de toutes les circonstances désastreuses.

— Tu m'as tant manqué! dit-il en mettant fin à notre étreinte pour me regarder, comme si à tout moment j'allais disparaître. Je croyais ne jamais te revoir, je…

— Adam, calme-toi, je t'en prie. Où sont papa et maman?

Ses yeux s'arrondissent. C'est une des premières fois que j'affiche un tel flegme, une telle assurance. Cette attitude le déstabilise, mais il se ressaisit vite.

D'autres soldats approchent pour empêcher notre progression. Je dois faire vite si je veux avoir une chance de traverser.

— Ils sont toujours avec Lauren, je crois.

— Tu crois? Comment ça, «tu crois»? Adam, c'est important: le général Prokofiev savait où vous étiez!

— Il doit déjà les avoir avec lui! s'emporte-t-il.

— Et Nayden, où est Nayden? Il est venu vous rejoindre, pas vrai?

— Oui, bien sûr, il était avec moi. Il m'a dit qu'il avait quelque chose à faire avant de partir.

— Quoi? Faire quoi, Adam?

— Tuer son père.

L'information n'a même pas encore été traduite par tout mon système nerveux que je me dirige déjà vers la faille dans le mur.

Mon frère m'attrape aussitôt un bras.

— Emma, tu ne peux pas y aller. Et je refuse de te perdre une seconde fois !

— Adam, il faut que j'y aille !

— Si tu pars, je viens avec toi !

Je fais un signe négatif, pose une main sur son épaule, l'autre sur sa joue.

— Non, il faut quelqu'un pour les aider, eux. Assure-toi de les faire décamper d'ici. Tu *dois* le faire et tu *peux* le faire. Les trains, Adam ; ce sont les trains qui nous feront sortir.

— Coccinelle, je ne te laisserai pas partir encore une fois.

— Je reviendrai ! C'est promis !

Je doute de ma propre parole. Rien ne me garantit que je reviendrai. Ma promesse tient à de légères paroles et j'ignore combien de temps elles resteront en l'air.

— Les trains. Tu m'as bien entendu, n'est-ce pas ? S'ils sont presque toujours vides, ce n'est pas pour rien : la Réforme, les gens en dehors des frontières, ils voulaient qu'on sorte d'ici ! Dis-leur, à eux, dis-je en désignant la foule tout autour. Il faut qu'ils franchissent le mur avant que d'autres gens ne meurent, c'est la seule solution.

— Emma…

Une grenade explose un peu plus loin, des débris virevoltent. Nous nous plaquons tous deux par terre.

— Fais-le, Adam ! Fais-les monter dans ces trains !
Je reviendrai à temps pour le prochain.

— Je t'attendrai près des rails.

Je pivote aussi rapidement que possible. Voyant
que la grande crevasse est inaccessible, je cours en
direction de *ma* faille. Celle qui, manifestement, n'a
jamais été rebouchée, et ce, simplement parce qu'elle
est quasiment impossible à voir. J'espère ardemment
qu'elle y sera toujours.

Alors que je cours vers cette ouverture si souvent
franchie, un soldat m'intercepte et je fais feu sans
même réfléchir – je n'en ai pas eu le temps. L'homme
tombe à genoux et je lui dérobe ses armes en un
claquement de doigts, tandis qu'un filet de vie
s'accroche toujours à lui.

Je comprends bientôt que *ma* faille n'est plus là. Il
me faudra trouver un autre moyen de traverser, mais
escalader le mur n'est pas envisageable. Je reviens sur
mes pas, toujours aussi bourrée d'adrénaline. Je m'arrête derrière la foule, qui repousse ce qui forme à
présent un mur de soldats.

Il faut que je traverse ce flot parce que ma famille
est peut-être en danger, que l'homme que j'aime l'est
forcément aussi et que je n'en aurai le cœur net qu'en
traversant cet océan de révolutionnaires déchaînés.
Un tour sur moi-même me confirme que c'est le seul
moyen viable et que mon frère a accepté de faire ce
que je lui demandais. Il court vers les différents
groupes et les informe de l'unique porte de sortie.
Cacophonie générale.

Je passe en bandoulière le fusil de pointe que j'ai dérobé au soldat. Mes poings s'ouvrent et se referment compulsivement tandis que je pèse le pour et le contre de ma tentative.

J'arrête de réfléchir et j'agis.

Je cours, bouscule au moins une vingtaine de personnes, soldats y compris, dans la frénésie de ce marathon vital. Les tirs me frôlent, l'un m'atteint d'ailleurs à la hanche. Mais je n'ai pas le temps d'avoir mal, de penser au sang qui s'écoule de ma plaie. L'adrénaline m'empêche aussi de penser à la douleur. Et je chéris d'autres objectifs plus importants.

Je continue de courir.

Je cours en sachant que demain ne viendra peut-être jamais. Je cours en sachant que je veux vivre aujourd'hui et maintenant.

Je cours en sachant que la destination qui m'attend en fera sans doute mourir plus d'un, mais j'ai la ferme intention de ne pas faire partie des sacrifiés.

Trente-deux

NAYDEN
À l'instant où le mur saute, je me précipite de l'autre côté en disant à Adam que j'ai quelque chose à faire avant de partir.

Tuer mon père.

Je ne le laisserai plus faire de mal à personne. D'autant plus qu'il a coupé la communication que j'avais établie avec les réseaux de la Réforme grâce à Ezra.

Mon plan fonctionnait jusque-là à merveille : je me servais du système de diffusion intérieur, des pare-feu de la République et, le plus important, de ses caméras de surveillance. En gros, j'exploitais le système à cent pour cent et les connexions de la République sans croire qu'on pourrait m'atteindre. J'ai ainsi pu brancher le monde sur notre rébellion. Seulement, il semblerait que mon utilisation de ce système informatique n'ait pas maintenu une liaison stable – principalement parce que les instances gouvernementales ont découvert que quelqu'un les avait piratées et que des images de leurs caméras de surveillance se retrouvaient maintenant sur tous les écrans de la Réforme. Naturellement, ce petit jeu de ma part ne leur a pas beaucoup plu…

Particulièrement pas à mon père : je l'ai tout de suite su quand la communication a été coupée. Ils m'ont traqué comme jamais et, finalement, ils ont fait exploser mon ordinateur. Cette réaction ne pouvait venir que de lui. Il n'avait jamais aimé Ezra de toute façon.

Quoi qu'il en soit, tout le temps que les départements cherchaient à identifier une menace extérieure et à mettre fin à la communication, l'espoir d'avoir rejoint Emma, quelque part en dehors des frontières, a continué de faire battre mon cœur même lorsque j'ai vu s'envoler avec Ezra mes derniers souvenirs d'elle, nos dernières photos, ses dernières volontés. Étrangement, je regrette déjà la perte de cet ordinateur.

Je franchis au pas de course les mètres qui me séparent du parlement : là où je sais que mon père se trouvera. C'est le siège de la République et le centre de contrôle des puces de tous les résidents de l'Autre Côté.

Il ne peut qu'être là, à orchestrer le massacre. Il n'aurait pas pris la peine d'aller ailleurs pour se cacher. Il se croit trop indétrônable pour me laisser en douter.

Cet endroit, j'y mettrai le feu après m'être assuré que mon paternel soit bel et bien mort de ma main.

Je cours toujours, assailli par des dizaines de soldats qui n'aspirent qu'à me faire la peau. J'ai la chance d'être entraîné et d'avoir une détermination sans bornes. Rien ne peut m'arrêter et rien ne m'arrêtera.

Je suis suivi de milliers d'hommes et de femmes de tous âges – cela dit, pour la plupart trop jeunes pour mourir – qui n'aspirent qu'à réduire en cendres ce côté du mur. Je ne leur porte plus attention. Je n'ai qu'un seul but : le parlement, au loin, qui se découpe avec arrogance sur le ciel bleu.

Cette course est l'accomplissement de toute chose, de mon destin et du leur ; c'est la fin et le commencement, la vie et la mort.

Je fais feu dès que j'en vois la nécessité, mais tente de tuer le moins de soldats possible. Mon but n'est pas de contribuer au bain de sang, mais seulement de me frayer un chemin. J'enchaîne combat rapproché et tirs éloignés. La plupart des militaires contre qui je me bats me connaissent, et leur mission est claire : m'éliminer avant que j'atteigne le parlement.

Il est déjà trop tard.

Je commence à gravir les marches. Trois balles me suffisent à maîtriser les gardes postés à l'entrée. J'en profite pour refaire le plein de munitions. Me rendre jusqu'à mon père ne sera pas chose aisée : il doit être flanqué des meilleurs soldats que la base connaît. J'ai bien l'intention de lui montrer qu'il en manque un à son escadron d'élite.

J'entre sans me faire annoncer. Je peux très bien le faire moi-même. Aussitôt, on fait feu sur moi, mais j'avais prévu le coup et il se trouve que je connais ce bâtiment aussi bien que si j'y avais vécu toute ma vie.

Je roule au sol et me cache derrière une grande colonne. Je dégoupille une grenade et la lance en direction de l'administration. Je m'accroupis et profite de l'explosion pour recharger mon arme. Selon mon estimation, je devrais avoir éliminé une dizaine de personnes rien qu'avec cette grenade. Peut-être ne sont-elles pas toutes mortes, mais qu'elles soient inconscientes me satisfait.

Un pas à gauche suffit à ce que je ressurgisse et fasse feu. Le garçon tombe au sol, les yeux rivés sur moi. Je suis aux aguets, chaque centimètre de mon corps vibrant d'adrénaline.

Je longe la colonne, jette un coup d'œil, tire. Quatre pas et j'ai rejoint l'autre colonne. Fusil à l'épaule, mire à l'œil, cinq autres soldats tombent à terre et aucun ne m'a encore atteint.

Je couvre la pièce du regard. Où serait mon père ? Certainement pas dans les bureaux à l'étage ; il faut plutôt descendre. Il doit s'être terré sous terre. La porte la plus près est à environ cent mètres, au bout du couloir, où encore une vingtaine d'hommes me barrent la route.

Bilan de mon équipement : il me reste une grenade et deux recharges. Je pourrai refaire le plein auprès des morts. En avant.

Je tire et atteins toutes mes cibles, même ce garde qui s'approchait pour me combattre au corps-à-corps – je le maîtrise en deux temps trois mouvements. Les autres ont ensuite pour ordre de tirer, et je me sers du corps de leur camarade en guise de bouclier.

J'avance vers la porte, exécute avec précision les deux soldats qui la gardent et subtilise la carte magnétique d'un des deux hommes. Je la scanne aussitôt que je l'ai en main et m'insinue au sous-sol, seul contre une centaine d'hommes.

Trente-trois

EMMA

Mes pieds n'ont jamais foulé autant de terrain en si peu de temps. Il faut que je rejoigne le parlement, la base où on m'a séquestrée et où Nayden travaillait. C'est certainement là que son père sera; c'est là où toutes les décisions se prennent concernant cette bataille.

La gorge sèche et la langue comme du papier sablé, je cours depuis terriblement longtemps et la température monte en flèche. Coûte que coûte, il faut que je continue, zigzaguant entre les débris et les échauffourées, avec ma blessure à la hanche qui commence à se faire sentir. J'appuie dessus tous les cent mètres pour stopper l'hémorragie. Seulement, à cette allure, c'est comme vouloir endiguer le cours d'une rivière. J'ai mal, mais je dois continuer d'avancer.

Au détour d'un bâtiment, on me harponne par la taille et m'attire hors de la route. Je hurle, frappe dans l'air et sur mon assaillant. J'arrive enfin à mettre la main sur mon pistolet et frappe ses poignets à l'aide de la crosse.

Il pousse un cri et me lâche en me traitant de «salope d'Insoumise». Ça tombe bien: c'est exactement ce que je suis. Je l'affronte et tire sans même le regarder. Quelque chose s'est muté en moi. Quelque chose qui fait en sorte que je me sers de la peur pour progresser.

Mon agresseur tombe à la renverse, une balle au centre du front. Je ne le connaissais pas, ne le connaîtrai jamais. Je chasse l'image de son corps inerte et me focalise sur le parlement, duquel j'approche.

Je recule de plusieurs pas avant d'être en mesure de m'élancer entre tous ces hommes et ces femmes qui ne savent plus où donner de la tête. Je fonce malgré moi dans un homme à l'aspect familier.

Henry.

Il me prend par les épaules, le visage ruisselant de sueur, les yeux agrandis par la peur.

— Emma! Qu'est-ce que tu fais ici?!

J'élude sa question.

— Les trains, Henry. Il vous faut prendre un train!

Ses yeux se réduisent à deux fentes. Je m'explique:

— Votre fils vous attend, il est en vie. Sortez de la République, allez-vous-en! Partez!

Il ne se fait pas prier, tandis que je souhaite de toute mon âme qu'il puisse se rendre à temps.

Quant à moi, j'y suis presque.

Je pousse tous les civils qui s'interposent en tentant de fuir les Insoumis qui envahissent leur côté de la ville. Des pluies de balles s'abattent sur les rebelles; on meurt sans même avoir pris conscience de ce qui se tramait. J'essaie d'en faire abstraction pour arriver le plus rapidement possible au parlement pour faire cesser le massacre. Si toutes les puces étaient désactivées, nous pourrions tous partir d'ici.

Je monte les marches quatre à quatre, le souffle court. Au sommet, je dois immédiatement me servir de mon semi-automatique contre les soldats qui affluent. Je réussis à en éliminer trois sur cinq. Pour ce qui est des deux autres, il faut croire que c'est de près que l'issue de notre confrontation se réglera. Mais avant, je dois leur faire vider leur chargeur et pour ça, il faut me placer à découvert.

Je cours d'une énorme marche à l'autre, en parallèle avec l'entrée du parlement, me tenant penchée pour éviter les balles. Je les vois soudain fondre sur moi et redescends illico.

Leurs chargeurs ne seront peut-être pas vides, mais largement diminués. C'est le mieux que je puisse faire.

J'ai l'avantage d'être petite et peut-être un peu plus rapide que ces hommes. Je feins de vouloir frapper le premier au visage avec la crosse de mon fusil, mais passe plutôt sous son bras levé pour parer un coup et lui en asséner un dans les côtes. Il se replie sur lui-même, la respiration entravée. L'autre s'empresse de passer à l'attaque et je tire à bout portant. Je manque ma cible. Il en profite pour me désarmer et me faire un croche-pied.

Je tombe au sol, légèrement sonnée.

Je vois des étoiles en plein jour. Mon crâne a vraisemblablement percuté le béton. J'ai tout juste le temps de rouler sur le côté pour éviter que sa botte ne s'écrase sur mon visage. Je dégaine mon pistolet et lui tire dans la jambe. Il tombe à terre.

Je me relève et lui assène un rapide coup de crosse au visage. Il s'affale, inconscient. Quant à l'autre, il revient à la charge. J'esquive tout juste son premier tir. Je sens la balle siffler tout près de mes côtes. Je tente un tir à mon tour, mais je n'ai plus de balles.

Je lui lance mon pistolet au visage en croisant les doigts pour l'atteindre. Malheureusement, j'ai échoué. Il n'a eu qu'à se pencher pour l'éviter, et me tient de nouveau en joue.

Ça y est, j'ai perdu avant même d'être à destination et je peine à saisir l'étendue de ce qui se produit. Je ne me suis jamais battue ainsi de toute ma vie. Je n'ai jamais exécuté qui que ce soit aussi froidement. Alors pourquoi ce qui m'inspirait jadis une frousse à en faire trembler le ciel ne me remuet-il même plus ? Pourquoi est-ce que cette arme pointée vers moi ne me fait plus peur ?

Il me tient en joue, mais ne tire pas.

— Vas-y. Qu'est-ce que tu attends ? que je lâche.

Il ne répond pas, continue de me garder dans son viseur. Je monte une marche.

— Ne bouge pas ! hurle-t-il.

Il resserre sa prise sur la gâchette, sans pour autant appuyer. Peut-être que j'ai de la chance et qu'il ne lui reste aucune balle.

Je monte encore une marche.

— Tire. Ce n'est pourtant pas compliqué. À ta place, je l'aurais fait depuis longtemps.

Je pose le pied sur une autre marche. Je me retrouve à la même hauteur. que lui, le canon de son semi-automatique à deux doigts de mon cœur.

— Je t'ai dit de ne pas bouger ! beugle-t-il.

— Tu ne tireras pas. Tu ne tireras pas parce que tu sais tout comme moi que tu n'as plus aucune balle dans ce chargeur.

— Tu veux parier ? dit-il d'un ton perché dans les aigus qui dénote une extrême nervosité.

Il doit avoir le même âge que moi, le pauvre. À la différence que la fille qui se trouve devant lui irradie d'insoumission.

— S'il n'y en a pas, tu me laisses passer. S'il y en a une, tu tires.

— T'es une malade ! lâche-t-il.

— Tu es gagnant dans tous les cas. À ta place, j'accepterais. Tu veux que je fasse un décompte ? O.K. Trois… Deux…

La sueur perle sur son front. Son pouls bat à ses tempes et moi, je n'ai jamais été aussi confiante et débile à la fois.

— Un.

Je retiens mon souffle. Il n'y a qu'un *clic*. Pas de balle. Pas de détonation. Rien qu'un tout petit *clic* inoffensif et un air effrayé sur son visage.

— J'ai gagné.

J'avance d'un pas rapide, profite de sa stupeur pour lui prendre le pistolet qu'il a dans le holster à sa jambe et le frapper à la nuque. Il tombe sans s'être aperçu de rien. Je lui prends le semi-automatique des mains et tire sur la gâchette. Cette fois, il y a bel et bien une détonation et une balle… qui se loge dans le ciment, au sol. J'ai eu une chance immense que le canon se soit enrayé.

Je soupire de soulagement et jette le fusil par terre. J'ouvre la porte à la volée, m'attendant à me faire prendre par une dizaine de soldats. Je tombe plutôt sur une dizaine de soldats *morts*. Nayden est clairement passé par ici avant moi.

Je me tourne à droite, puis à gauche. Localise aussitôt la porte menant au sous-sol. Je n'ai qu'une chose à suivre pour le moment: mon instinct. En espérant qu'il ne me trompe pas.

Je franchis un corridor au pas de course et tente d'ouvrir la porte. Verrouillée. Je me penche vers le cadavre le plus près. On lui a arraché sa carte magnétique. Je me tourne vers le second et entreprends de fouiller ses poches.

Je me répète qu'il est simplement endormi, et pas mort. Que ce corps encore chaud n'a pas de balle dans la tête et que cet orifice au centre de son front n'est que le fruit de mon imagination. Je trouve enfin sa carte, au fond de la poche intérieure de sa veste. Je me redresse et scanne la carte devant le détecteur. Il y a un déclic électronique et la porte s'ouvre. Je me précipite dans la cage d'escalier et dévale les marches au plus vite. J'ouvre la seconde porte en un mouvement brusque. Ici, il y a un peu moins de morts.

J'ai toujours trouvé que cet endroit ressemblait à un labyrinthe. Et encore plus à cette minute où je m'exhorte au calme. Il faut que je me concentre, sinon je vais courir dans tous les sens pour rien.

Je m'engage dans un premier couloir, puis un deuxième sur ma droite. Je ralentis le pas comme j'entends quelqu'un approcher.

Je me plaque au mur, pistolet en main, et compte jusqu'à cinq avant de me dévoiler à celui qui venait inévitablement à ma rencontre. Il m'a dans son viseur et je l'ai dans ma ligne de mire aussi, mais personne ne fait le moindre mouvement.

Le général Tchekhov.

— Lena! Quelle agréable surprise! ironise-t-il d'un ton acerbe. Oh, pardon, c'est vrai, tu t'appelles Emma. Ou serait-ce Daria, maintenant? Pardonne-moi, je suis un peu mêlé dans toutes ces fausses identités. Je suis content de te voir.

— Désolée de ne pas partager votre enthousiasme.

— Ça me fait plaisir de te savoir toujours aussi directe.

— Poussez-vous de mon chemin, Tchekhov.

Il s'esclaffe et passe une main dans ses cheveux, l'autre tenant toujours fermement son fidèle Beretta pointé vers moi.

— Oh, non, Emma. Je sais où tu veux aller et je ne veux pas que tu t'y rendes. J'étais contre l'idée de seulement t'exiler, mais Prokofiev a fait preuve d'un peu d'humanité à ton égard. Trop, si tu veux mon avis. S'il m'avait écouté, tu serais en train de pourrir sous trois mètres de terre.

Je resserre les doigts sur la crosse et sur la gâchette, après avoir armé le canon.

— Non, non, non! me réprimande-t-il. Tu ne tireras pas. Pas vrai, Emma? Tu ne tireras pas, parce que tu es trop faible. Exactement comme dans cette cellule où j'aurais dû te laisser…

Il n'a pas le temps d'achever sa phrase avant que je lui tire dessus.

Une balle dans l'épaule qui le force à reculer d'un pas et lui fait échapper son arme. Je réduis la distance qui nous sépare et enfonce le canon de mon arme dans sa plaie vive. Une grimace de douleur déforme ses traits. Je continue d'appuyer et le force à s'agenouiller.

— Vous allez me conduire là où Nayden s'est rendu. Tout de suite.

— Plutôt mourir.

— Ne me faites pas ce plaisir, Général. Je compte vous exploiter un peu plus avant de vous éliminer pour de bon.

— Sale traînée, tu crois avoir le dessus sur moi de cette façon ?

Il frappe le dessous de mon avant-bras. Mon pistolet vole au plafond et il me frappe du revers de la main directement au visage. Je tombe à la renverse, un filet de sang au bord des lèvres et du nez. Violemment, il tire ma nuque et mes cheveux.

— Nous irons voir ton cher Nayden, mais uniquement pour une jolie réunion de famille. Tu te souviens ? Je t'ai fait une promesse du temps où tu étais encore l'une de nos invitées ici. Que dirais-tu de la voir prendre forme ?

— Je vous déteste, grogné-je les dents serrées.

— Oh, mais c'est réciproque, ma chère. Ne t'en fais pas pour ça, on s'habitue assez rapidement à la haine.

Il se penche vers son Beretta, qu'il me plaque sur le crâne, l'autre main contre ma gorge, où ses doigts s'enfoncent.

— Avance.

Je ne bouge pas d'un centimètre. Il resserre sa prise sous mon menton. Je m'étrangle sous ses doigts fourchus.

— J'ai dit *avance*, me crache-t-il à l'oreille, si près que je peux sentir la chaleur putride de son haleine sur ma peau.

Je n'ai d'autre choix que d'abdiquer et d'avancer. Une trentaine de mètres plus loin, il ouvre une porte, le canon glacé de son pistolet toujours braqué sur mon crâne à m'en faire mal. Il me pousse à l'intérieur de la pièce et je m'effondre face contre terre.

— Comment se déroule la réunion de famille? demande Tchekhov en m'enfonçant son pied sur la colonne pour m'empêcher de me relever.

Je relève les yeux sur une grande salle blanche. Sur chaque mur, des écrans nous offrent divers angles de vue de la Basse République – donc, des caméras de surveillance, contrairement à tout le reste, fonctionnent encore. Des caméras et une frontière de barbelés électrifiée. Je ne m'attendais à rien de moins.

Contre le mur du fond, immobiles, il y a mon père et ma mère, dont les yeux se remplissent immédiatement de larmes à ma vue. Puis, voilà Noah qui fixe ma mâchoire. Il commence à s'agiter. À sa gauche se tient la petite sœur de Nayden, Juliette. Assise sur une chaise derrière toute la série d'ordinateurs à droite, il y a Lauren.

Elle a aussi interrompu ce qu'elle faisait pour me regarder. C'est elle qui contrôle tout le système. Elle a un air désolé. Elle s'en veut de ne pas avoir pu protéger ma famille comme je le lui avais demandé et de devoir contrôler tout ça aujourd'hui. Je ne lui en veux pas. Il n'en allait pas de sa responsabilité et ce n'est pas non plus de sa faute, tout ce qui arrive. Elle n'est qu'un pion dans l'immense jeu d'échecs de son ex-mari.

Je voudrais épier plus à gauche, là où je sais que se trouvent Nayden et son père, mais le général Tchekhov m'en empêche en me poussant du pied derrière la nuque.

Il claque de la langue, légèrement agacé par mon gémissement de douleur.

— Alors ? Quelqu'un va me répondre ?

— Emma ? Emma, c'est toi ?

Nayden. *Oh, Nayden ! Oui, c'est moi ! C'est moi, mon amour. Je me souviens de toi, de nous, de tout !*

Il court dans ma direction, mais un coup de feu retentit. Je vois la balle perforer le plancher d'ivoire juste devant ses pieds. Je sursaute contre le sol malgré la botte qui m'écrase toujours. Juliette sursaute et étouffe un cri sous sa main.

— Nayden… Reprends ta place, s'il te plaît. Allez, au mur. Ton père devrait mieux te surveiller.

Nayden se retrouve plaqué contre la paroi de béton par son père. Je le sais simplement au bruit que fait son corps en heurtant le mur.

— Dmitri ! Laisse-le tranquille ! s'écrie Lauren en se levant de sa chaise.

— La ferme, Lauren ! Si tu tiens à rester en vie, continue de faire ce que tu fais de mieux, c'est-à-dire ton job ! lui crache Tchekhov en avançant vers elle, ce qui me donne un court moment de répit.

Je lève la tête vers Nayden. Ses yeux m'ont tant manqué. Cet amour dont j'ai tant rêvé, il me le témoigne d'un coup d'œil. Il prononce mon nom du bout des lèvres. Je me cambre, probablement trop pour Tchekhov, qui revient à la charge en m'assénant un coup de pied dans les côtes. Je roule sur le dos, estomaquée, une main où il m'a atteint. Je toussote, incapable de reprendre de l'oxygène. Le général s'apprête à me donner un autre coup – là où on m'a tiré dessus – mais, cette fois, je retiens sa cheville juste avant que le bout de sa botte ne me frappe.

— Ne me touchez pas.

Il ricane et s'accroupit au-dessus de moi. Sur ma droite, Nayden se débat contre le mur. *Arrête, Nayden, c'est inutile.*

— Je te touche *où* je veux et *quand* je veux.

Il longe ma mâchoire de son index. Je chasse sa main d'une claque sèche. Il n'apprécie pas du tout. Il me prend à la gorge et me soulève. Je referme les mains sur son poignet. Plus j'y enfonce mes ongles, plus il resserre son emprise. Je ne touche même plus le sol.

Il m'étrangle et y prend plaisir. Je le vois dans ses yeux de fou.

— Lâchez ma fille ! hurle mon père derrière moi.

Non. Papa, non... non, non, non. Le général tire et, cette fois, ce n'est pas aux pieds de mon père

376

qu'il vise. Au hurlement que lâche ma mère, je sais que c'est bien plus grave encore. Au son de son corps contre le sol, je sais qu'il l'a tué.

— Et de un, lâche le général beaucoup trop près de mon visage.

Il me projette loin de lui et je me retrouve à quelques mètres à peine de mon père inerte, ou presque. Il respire à peine.

Ma vue s'emplit de larmes. Je respire, une main à mon cou. Je rampe jusqu'au corps de papa. Il suffoque. La balle l'a atteint à l'abdomen. Il mourra dans peu de temps, mais assez pour que j'y assiste.

À deux mains contre sa plaie, j'appuie pour que le sang arrête de s'écouler aussi abondamment. Mon père tend la main vers mon visage. Je lui facilite la tâche et la presse contre ma joue.

La même scène d'horreur que j'ai vécue avec Effie se répète.

— Respire, papa… Respire, tout va bien aller. D'accord ? Regarde-moi.

— Emma…

— Chut, ne dis rien. Tout ira bien. N'est-ce pas ? Regarde-moi, papa.

— Ma petite fille. Ma chérie. Ma belle Emma.

— Je suis là, murmuré-je. Je resterai là, avec toi. C'est d'accord ?

Il acquiesce faiblement. Une larme roule sur sa tempe.

— Je t'aime, souffle-t-il.

Mes mains papillonnent au-dessus de son abdomen. Je ne sais pas quoi faire : j'ignore si je dois appuyer sur sa plaie pour stopper l'hémorragie ou si je dois laisser la plaie telle quelle. Dans un cas comme dans l'autre, je sais que mon père n'en réchappera pas. Je tente de m'agenouiller. Le plus lentement possible pour ne pas trop attirer l'attention de Tchekhov, qui semble avoir la gâchette facile. Il me tient en joue, immobile. Il veut savoir ce que je vais faire.

— *Imagine there's no heaven. It's easy if you try...* Les lèvres de mon père se soulèvent aux commissures alors qu'il tente de formuler la suite pour chanter cette chanson qu'il m'a apprise. La toute première chanson. Ma première et sa dernière. Je presse ses doigts dans ma main.

Je poursuis en chantant à sa place :

— *No hell below us... Above us only sky,*

Il ferme doucement les yeux. Sa main se ramollit, se refroidit dans la mienne tandis que ces derniers mots s'éteignent au bord de ses lèvres ensanglantées et que je termine le premier couplet en solo.

— *Imagine all the people... Living for today...*

Je me tourne vers ma mère, qui s'est laissée tomber à genoux, secouée de lourds sanglots. À sa gauche, mon petit frère s'agite. Il sait que notre père est mort – il n'y est pas insensible ; il le sait. Juliette serre sa main, des flots de larmes silencieuses coulent le long de ses joues.

Je me penche vers le visage de mon père et pose mes lèvres sur son front une dernière fois avant de lui murmurer que je l'aime.

Je me ressaisis et m'éloigne doucement. Le sang de mon père colore d'écarlate le sol blanc et une bonne partie de mon bras gauche.

Je tourne un visage ruisselant de larmes vers le général Tchekhov.

— À qui le tour ? Le débile ou la veuve ? lance-t-il comme s'il s'agissait d'un jeu.

Je me lève dès qu'il esquisse un pas vers ce qui reste de ma famille entre ces murs. Je m'interpose de pied ferme, plus droite que je ne l'ai jamais été. Le canon de son pistolet il y a quelques secondes à peine, glacé sur mon crâne est maintenant chaud de la balle qui a tué mon père.

Que je m'interpose si vite fait danser une lueur cruelle au fond de ses pupilles.

— Commençons par l'Insoumise, alors, dit-il d'un ton tellement nonchalant qu'il accompagne même sa déclaration d'un haussement d'épaules désinvolte.

Pour lui, tuer n'est rien. Rien de plus qu'un jeu auquel il ferait participer volontiers même un gamin, ne serait-ce que pour satisfaire ses propres envies perfides. Je le déteste, l'ai toujours détesté et le déteste plus encore maintenant qu'il a tué mon père.

Il charge le canon. Ma mère, derrière moi, soupire mon nom avec une tristesse à en crever. Elle vient de voir son mari s'éteindre, elle n'est pas prête à me voir mourir également. Sur ma gauche, Lauren serre les poings pour ne pas trembler. Du coin de l'œil, je crois la voir faire un signe de tête en direction de son fils.

Pour ma part, je dévisage le général Tchekhov, sachant qu'il tirera sous peu, que je mourrai probablement dans peu de temps aussi.

Une balle, rien qu'une ; et faites qu'elle soit gagnante.

Respire, Emma.

Sois brave.

Sois audacieuse.

Sois Insoumise.

Trente-quatre

NAYDEN

Ma mère me fait signe : il est temps d'agir. Je lui réponds d'un unique clin d'œil.

Je ne laisserai mourir ni elle ni Emma.

Je passe à l'attaque, frappant mon père d'un coup de coude à l'abdomen, puis d'un crochet sur la tempe. Échange imprévu qui ne le déstabilise qu'un moment. Il revient à la charge avec un coup de genou avant de me faire reculer contre le mur pour mieux m'immobiliser.

Je riposte en parant son bras, et enchaîne les prises une après l'autre. Le problème, c'est que mon père est le seul adversaire contre lequel j'aie une chance de perdre. Ce qui signifie que chaque technique que j'emploie s'avère inutile ou se retourne contre moi. Je me bute à un mur. Lui, par contre, me blesse à plus d'une reprise au mépris de toute mon expérience accumulée en arts martiaux et en combat rapproché.

Ma mère vient d'engager le combat contre Tchekhov, libérant ainsi Emma de sa dangereuse ligne de mire.

Je me suis laissé déconcentrer.

Mon père me projette au sol d'une torsion du bras et d'un transfert de poids astucieux. Mon dos percute violemment le sol. Je manque d'air, il faut que je me relève. Impossible, il me plaque sa botte sur la poitrine de tout son poids, comme pour faire céder ma cage thoracique.

— NAYDEN!

Emma. Je la toise. Elle court vers moi, Tchekhov referme sa main sur sa gorge et la projette le plus loin possible. Elle percute le sol, s'effondre, dégringole vers l'inconscience.

Son crâne a percuté le bureau.

Du sang. Je vois du sang qui s'écoule de sa tête. Tchekhov l'a tuée.

Je ne suis que rage à présent. Je suis gorgé de vengeance, d'horreur et de colère. Je frappe mon père derrière le genou, le forçant à fléchir, puis lui assène un coup de coude sur le fémur en espérant le rompre. Je me libère de tout le poids qu'il exerçait sur mon torse en entendant le cri de douleur qu'il ne peut retenir en sentant son os se briser; je me relève alors en un éclair, pistolet en main – le sien.

Je le braque sur sa tempe qui sue.

Il lève les mains en l'air, vaincu.

— Tue-moi, Nayden. Depuis le temps que tu attends ce moment.

Il a raison. Je veux mettre fin à ses jours depuis que j'ai été nommé lieutenant-général par sa faute. Je n'ai jamais voulu ce poste, je n'ai jamais voulu tuer des gens pour être promu à ce titre. Six personnes, très exactement. Tous des Insoumis. On m'y a forcé, *il* m'y a forcé.

Cinq balles, toutes dans le crâne.

J'ai déjà tué – trop souvent. Seulement, maintenant qu'il est devant moi et que j'ai l'avantage, quelque chose m'empêche de le faire, de faire ce que j'ai toujours ardemment souhaité. Je ne veux pas lui ressembler. Je ne veux pas exécuter quelqu'un aussi froidement qu'il l'a fait toute sa vie et comme il m'a appris à le faire.

Je vaux plus que ça.

— Tu ne tueras pas ton propre père. Tu es trop lâche pour ça. Trop faible et dégonflé. J'ai élevé un bon à rien ! crache-t-il.

Mes doigts se resserrent sur le pistolet, ce qui l'amuse plus qu'autre chose.

— C'est entre toi et moi, Nayden. Ça l'a toujours été. À la différence qu'aujourd'hui, c'est toi qui tiens le fusil. Et tu n'as même pas le cran de faire feu. Tu es pitoyable. J'aurais dû t'étouffer quand tu n'étais encore qu'un bébé : ça m'aurait évité toute la honte que j'ai en te regardant aujourd'hui.

— Nayden, tire !

Maman. Elle a raison, il faut que je tire. Il a tué beaucoup trop de gens. Il mérite de mourir. Je ferme le doigt sur la gâchette.

Il y a une détonation, puis une seconde, mais je ne suis l'auteur d'aucune d'entre elles.

Ma mère chancelle. Ma vision se trouble, une image à la seconde. Mes oreilles sifflent et m'empêchent d'entendre autre chose que ma propre respiration. Par-derrière, Tchekhov brandit un couteau sous la gorge de ma mère. Mais ce n'est finalement pas elle qui chancelle, c'est lui.

Le général considère Emma, qui se tient sur sa gauche les bras convulsés, le Beretta de Tchekhov en main : cette même arme qui a provoqué les coups de feu qui ont tué le général. Il passe une main en coupe sous sa blessure et tombe à genoux, les paupières battantes.

Emma se relève et s'avance, un côté du visage en sang, l'arme toujours brandie vers le militaire. Elle la plaque contre son crâne. Sa main se met à trembler, je la vois serrer les dents pour rassembler son courage.

Tire, Em. Tire ! Fais ce que je n'ai jamais été en mesure de faire. Il a tué ton père, il t'a fait du mal. Tue-le. Tue-le. Tue-le.

Elle lâche le pistolet.

Le simple écho de l'arme au sol suffit à me ressaisir.

Juliette court vers Lauren pour se jeter dans ses bras. La mère d'Emma s'agenouille près de son mari pour pleurer sa mort. Et Noah, paralysé au fond de la pièce, disparaît complètement dans le décor.

Je fais quelques pas, le sang bat à mes tempes à un rythme effréné. J'ai chaud et froid. Je suis survolté. Mes sens sont en alerte. Dans mon dos, j'entends mon père qui reprend pied.

Je réagis en un quart de tour : il a un fusil braqué sur moi, lui aussi. Non, c'est impossible. Je tire d'abord. Oui : je tire sur mon père avant qu'il ne le fasse lui-même pour m'achever ; moi, son fils dont il a toujours eu tellement honte. Et voilà qu'il toussote et que le sang s'accumule au bord de ses lèvres, et je soupire de soulagement, de peine et de dégoût pour ma propre personne. Je l'ai fait.

J'ai tué mon père.

— Tel père, tel fils.

Il s'écroule. Juliette se tourne vers lui, le visage couvert d'un océan de larmes que je ne saurais faire taire. Un sanglot lui échappe à la vue de notre père gisant au sol. Ma mère s'empresse de détourner son visage de cette vision d'horreur et m'adresse un hochement de tête.

C'est fait.

Je me détourne à mon tour pour fondre vers Emma.

Je la prends dans mes bras et l'étreins fort; à la façon dont elle répond à mon étreinte, je sais qu'elle ressent la même chose, cette même envie de m'entourer de ses bras pour ne plus jamais me laisser partir. J'ai si souvent rêvé de ce moment que je ne peux croire qu'il soit réel.

Elle se détache, mais ce n'est que pour saisir mon visage entre ses mains qui tremblent encore.

Elles sont si froides.

— Je t'ai vu, Nayden.

— Tu m'as vu?

— Sur les écrans. J'ai choisi de me souvenir, grâce à toi. Pour toi, parce que je t'aime. Je t'aime, Nayden, répète-t-elle encore et encore.

Je l'embrasse de toute ma fougue, de tout mon amour, de toute la passion que j'ai pour elle, pour sa force, pour ce qu'elle est. Je l'aime plus qu'il est possible d'aimer. Elle m'a tellement, tellement manqué. Plus jamais je ne la laisserai partir.

— Emma ! Attention !

Ma mère se jette devant nous. Une balle se loge dans son cœur.

— MAMAN ! hurle Juliette.

Je me précipite vers ma mère, qui ne manifeste déjà plus aucun signe de vie. Ses paupières battent encore un coup devant mon visage avant de s'immobiliser pour toujours. Il l'a tuée sans un mot, sans rien d'autre qu'un silence de mort. Elle se ramollit dans mes bras tandis que je répète que ce n'est pas possible. Pas réel. Ça a tout d'un cauchemar.

Juliette se jette sur elle. Je repose doucement ma mère sur le sol et recule. *Non, non, non, non, non. Ce n'est pas possible. Ma mère ne vient pas de mourir.*

Juliette s'affole auprès d'elle :

— Maman ? Maman, je t'en prie ! Maman, réveille-toi, allez ! S'il te plaît ! Ouvre les yeux, maman, je t'en prie, regarde-moi ! Réponds-moi ! Maman ! MAMAN !

Elle crie, passe ses mains sur son visage. Je tente un geste vers elle, mais elle me repousse aussitôt. Ce que Juliette ignore, c'est que ma mère savait qu'il y avait une chance qu'elle meure aujourd'hui. Nous en étions tous conscients, d'ailleurs. Elle l'a su dès que son regard a croisé le mien dans cette pièce, quand j'ai défoncé la porte pour les retrouver. Lauren a toujours cru qu'il y avait du courage dans le fait de se sacrifier. Ce que j'espérais, par contre, c'est qu'elle ait tort ;

mais plus encore, j'espérais que ce sacrifice ne fût pas nécessaire. Elle s'est sacrifiée pour la fille que j'aime.

Emma avance pour se jeter sur Tchekhov. Je la retiens d'une main de fer. Qu'elle le laisse mourir, c'est tout ce qu'il mérite. Elle se soulève entre mes bras, dans toute sa fureur qu'elle voudrait faire déferler sur lui. Et je n'en doute pas le moins du monde, mais je refuse de la voir devenir le monstre qu'il espère qu'elle devienne. Je murmure à son oreille. Il faut qu'elle se calme.

Tchekhov éclate de rire, ce qui ne réussit qu'à la frustrer davantage. La vie s'accroche à lui comme une sangsue.

— JE VOUS DÉTESTE !

— Emma, calme-toi. Arrête ! C'est inutile… Laisse-le mourir, c'est tout ce qu'il mérite.

— ALLEZ AU DIABLE !

Elle continue de crier et de lui balancer des injures. Elle s'en veut qu'il ne soit pas mort des deux balles qu'elle lui a logées dans le corps. Elle s'en veut probablement de ne pas l'avoir tué plus tôt. De ne pas avoir eu la force nécessaire pour le tuer avant qu'il enlève la vie à son père puis à ma mère.

Le général ricane et se met à lorgner le plafond. Non, il ne ricane plus, il s'étouffe dans sa propre monstruosité. Il s'étrangle dans le sang qui remonte à sa bouche. Enfin, il meurt dans sa légendaire absence d'humanité.

Emma ne se calme qu'après que les poumons du général ont cessé de se soulever et qu'elle le voit bel et bien mort, les yeux rivés au plafond.

Elle soupire, mais cette expiration a tout d'un sanglot. Entre mes mains, je ne l'ai jamais sentie aussi chancelante. Elle tremble de tout son être, malmenée par les derniers événements et les morts survenues dans cette pièce. Paradoxalement, elle ne m'a jamais semblé si courageuse.

Je la fais pivoter entre mes bras pour qu'elle y enfouisse ses larmes.

Le menton contre le sommet de son crâne, je jette un coup d'œil aux alentours. Trop de morts.

Je presse mon front contre le sien, respire le même air qu'elle et me contrains à m'éloigner après avoir savouré ces quelques minutes en sa présence.

— Ça va aller. Tout ira bien. O.K. ?

Elle fait oui, faiblement, les joues souillées de larmes, que j'essuie avec les pouces.

— O.K.

J'embrasse l'espace entre ses sourcils. Ce qui a pour effet de la faire arrêter de trembler.

Ce n'est pas encore la fin, elle le sait.

— Va voir ton petit frère, mon amour. Il est tout seul, murmuré-je en jetant un coup d'œil à Noah au bord de la panique.

Elle consent, soudainement consciente de ne pas être la seule à souffrir. Je la laisse s'éloigner pour rejoindre le petit.

Je m'attarde : les ordinateurs. Il faut arrêter les puces et détruire tous les programmes.

Maintenant.

Trente-cinq

EMMA

Je marche, aussi rapidement que ma blessure à la hanche me le permet, jusqu'à mon frère, passant d'abord derrière ma mère accroupie près de papa, lui donnant un peu de réconfort l'espace d'un câlin.

— Je vais aller voir Noah, d'accord ?

— Oui, bonne idée, approuve-t-elle entre ses larmes.

Je rejoins Noah, qui lorgne ma mâchoire comme il le fait toujours.

Il tremble. *Oh, mon poussin…*

— Emma.

Sa voix d'habitude monocorde est fébrile. Il joint les poings à la hauteur du sternum. Sa respiration est rapide. Il ne va pas bien. Tout ça, c'est trop pour moi – je n'ose imaginer ce que cela représente pour lui.

— Tout ira bien, Noah. Je suis là, maintenant.

— Emma ne partira pas ? Elle va rester ? Pour toujours ?

Il parle de moi comme si je n'étais pas présente, mais je sais que la question m'est destinée. Il veut savoir si je vais mourir aussi, pas si je vais m'en aller encore une fois. Je secoue la tête.

— Je ne vais nulle part où tu ne seras pas, mon poussin. C'est promis.

Il opine, plus de fois que nécessaire. Il tremble encore.

— Tu te souviens, dit-il tout bas.

— Oui. Parce que j'ai choisi de me souvenir, Noah.

— Tu as choisi de te souvenir, répète-t-il.

— C'est toi qui m'as dit qu'on pouvait le faire.

— Oui. Effie n'a pas pu se souvenir à temps.

— Tu as raison.

Je m'agenouille, il me suit du regard. Je crois que le fait de me voir le calme davantage que la vue de tous les corps qu'il y a autour.

— Je pense savoir pourquoi on se souvient, mon poussin.

— Ah… Penser et savoir sont deux choses différentes. Penser, c'est quand on doute de la réponse. Savoir, c'est en avoir la certitude en étant conscient de son exactitude. C'est une hypothèse ou tu connais la réponse ?

J'esquisse un faible sourire. Mes yeux voguent un moment sur le sol avant de revenir vers lui.

— J'ai découvert la réponse.

— Quelle réponse ?

— Qu'on se souvient parce qu'on aime.

— On aime ? Aimer qui ?

— Ceux qui nous entourent. Effie s'est souvenue parce qu'elle m'aimait. Pas à temps, je te l'accorde. Et moi, je me suis souvenue parce que je vous aime tout aussi fort. Parce que je t'aime, *toi*, tout aussi fort. Tu comprends ça ?

Ses lèvres se soulèvent aux commissures tandis que ma vision se voile d'humidité. Mon frère ne comprendra jamais tout ce qu'il peut y avoir dans les mots « je t'aime », mais je suis persuadée qu'il peut tout de même le ressentir. Je serais tentée de le toucher, de le câliner, mais il y a tellement longtemps que j'y pense ; je ne suis plus certaine de savoir comment faire. Alors je reste là, à contempler la distance qui me sépare de Noah, me disant qu'en dépit de tous mes efforts de la réduire, elle subsistera toujours.

Je soupire, avec l'impression de regarder dans un miroir déformant. Comme si cette réflexion se défilera toujours un peu, comme une part de moi que je ne connais pas tout à fait et qu'il me reste encore à découvrir.

— Prêt à prendre train ?

— Il faut prendre le train ?

— Oui. Nous avons un long voyage à faire.

Je me relève et lui fais signe de me suivre. Je caresse le dos de ma mère.

Il faut qu'ils partent. Je ne veux pas qu'ils restent ici, avec ces morts, ce sang et cette haine qui planent autour.

— Maman, lève-toi, s'il te plaît.

Elle secoue la tête, s'attarde auprès de mon père, que je n'ai pas eu le temps de pleurer. Sa mort m'est trop insensée pour que j'y croie tout de suite.

— Il faut que tu t'accroches, maman. Nous avons besoin de toi.

Sofia saisit mes doigts sur son épaule. Elle est anéantie. Je le sens à la faible pression qu'elle exerce sur mes jointures, aux tremblements qui secouent son corps, à la peine qui roule sur ses joues.

J'insiste un peu, voyant mon frère qui s'agite à la vue de papa.

Sofia se lève, mais ce n'est que pour s'effondrer dans mes bras. Je l'étreins, lui témoigne tout mon amour pour elle afin qu'elle sache que je partage sa peine, qui est aussi la mienne.

Je mets fin à notre étreinte et la force à me regarder en face.

— Maman, attends-nous dans le couloir avec Juliette et Noah. Je vous y rejoins avec Nayden. Je ne veux pas que vous restiez ici, dis-je en jetant un regard aux alentours.

Elle fait oui et pose ses mains sur mes poignets. Elle continue de me fixer. Elle ne va pas bien.

— Tu m'as compris, n'est-ce pas, maman? Tu nous attends dans le couloir; garde les enfants avec toi.

— Oui, ma chérie. Nous sortons.

Sofia tend la main vers mon petit frère pour lui prendre la sienne. Il se laisse faire, légèrement tendu.

Je m'approche de Juliette, m'agenouille en passant un bras autour de ses épaules.

— Juliette? Regarde-moi, ma belle.

Elle tourne vers moi un visage peint des mille couleurs de la douleur. Je glisse une main sur sa joue barbouillée. Ce n'est plus seulement la sœur de Nayden que j'ai devant moi, mais aussi un peu la mienne.

— Ça va aller, d'accord ? Tout ira bien, je te le promets. C'est fini.

Je la prends dans mes bras. Elle s'accroche à moi comme à une bouée, comme au seul arbre qu'il resterait sur Terre. Et je réponds à son appel : je deviens cette bouée, cet arbre parce qu'elle a besoin de moi et qu'au fond, j'ai besoin d'elle.

Sans mettre fin à notre étreinte, je me lève et la détache du sol du même coup. Je caresse ses cheveux tandis qu'elle s'enfouit dans mon épaule. Je recule d'un demi-pas et glisse un doigt sous son menton humide pour qu'elle me regarde.

— Ne reste pas ici, Juliette. Nous vous rejoindrons, Nayden et moi ; nous avons quelque chose à faire avant.

Juliette est d'accord. Elle regarde le corps de sa mère une dernière fois tout en lui envoyant un baiser, avant de quitter la pièce.

Je rejoins Nayden aussi rapidement que possible et consulte les écrans sans trop savoir par où commencer.

Pour sa part, il s'affaire déjà auprès de l'ordinateur de contrôle.

— Nayden, qu'est-ce que tu fais ?

— Je veux mettre fin aux programmes…

— Tu sais comment faire ?

— Non. J'espérais demander à Lauren, mais…

Il s'éclaircit la gorge. Il essaie de ne pas avoir l'air affecté par la mort de celle-ci. Plus difficile qu'il n'y paraît. Sa mâchoire se contracte et sa respiration est moins régulière. Ses yeux qui clignent frénétiquement ratissent la vingtaine d'écrans devant nous.

Il ne cesse de passer une main dans ses cheveux.

— Ça va, dis-je. Essayons de trouver un moyen. Tu peux te servir d'Ezra, peut-être ?

— Elle a explosé.

— Oh… je vois. Julyan, alors ?

— Je n'arrive pas à me connecter à son système d'exploitation.

Je fronce les sourcils et continue de consulter les écrans. Ça va de mal en pis : il doit y avoir des dizaines de milliers de morts. Ce qui me rassure, c'est que certains tâchent de rejoindre la voie ferrée plutôt que de continuer à se battre, mais les autres semblent complètement incontrôlables.

Nayden continue d'appuyer sur diverses touches, ouvrant et refermant des fenêtres où défile un charabia qui n'a de sens que pour lui.

— Nayden, et si on ne pouvait pas les arrêter ?

— Je suis sûr que c'est possible, il suffit juste de trouver comment.

— Nous n'avons pas le temps de trouver comment !

— J'y suis presque, je le sais. Donne-moi juste…

— Nayden, il faut partir.

— Plus qu'une petite seconde…

Ses doigts courent à toute vitesse, les boîtes s'enchaînent par-dessus les images des caméras. Du texte et des séries de chiffres défilent.

— Nayden, m'impatienté-je. Nayden il faut…

— Je l'ai ! s'exclame-t-il.

D'un seul coup, les combats cessent. À l'écran, je vois les gens laisser tomber leurs armes au sol et regarder autour, incrédules, ébahis et terrorisés par ce qu'ils étaient en train de faire.

— Nayden, je ne crois pas que c'était une bonne idée.

— Qu'est-ce que tu racontes ? Les combats ont cessé, regarde !

— Ils ne comprennent pas ce qui se passe ! Le programme les empêchait de voir ce qu'ils faisaient et de considérer tout ça comme un massacre. Ils sont au bord de la panique !

— Je ne vais pas remettre le programme en marche : ils se remettraient à se battre.

— Alors, comment allons-nous arriver à leur faire comprendre que tout ça est normal ?

— Il faut leur faire confiance.

— Ils n'y arriveront pas seuls.

Pour donner un répit à ma hanche, je prends place sur la chaise qu'il a laissée vide.

— Qu'est-ce que tu as l'intention de faire, Em ?

— Est-ce qu'il y a une commande vocale sur ce machin ? Je n'ai aucune idée comment ça fonctionne !

— Oui, bien sûr, Donne-moi une minute.

Par-dessus mes épaules, il se met à appuyer sur diverses touches, faisant défiler une série de fenêtres devant moi.

— Il a un nom, cet ordinateur ?

— Oui, c'est Siaa.

— Siaa ? que je répète.

— Oui, pour Système d'Intelligence Artificielle Autonome. C'est l'ordinateur le plus puissant que ma mère ait créé, plus encore que Julyan et mille fois plus qu'Ezra. Elle est...

— Ça va, ce n'est pas important, le coupé-je. Siaa ?

— Je suis là, mademoiselle Kaufmann.

— Comment se fait-il qu'elle me connaisse ?

— Elle associe ta voix aux données qu'elle a dans son système, comme tous les ordinateurs qui possèdent une intelligence artificielle, s'empresse-t-il de me dire.

— Oh, bien sûr. Bon. Siaa, je voudrais que tu me ressortes les fichiers concernant notre expulsion de la Réforme.

— Je tiens à apporter une précision à votre demande, mademoiselle : votre République n'a pas été expulsée de la Réforme parce qu'elle ne devait jamais en faire partie. À moins, bien entendu, que vous comptiez dès aujourd'hui changer cette formule administrative. Or, vous n'en avez pas l'autorisation.

— Peu importe. Je veux que la population le sache. Je veux que tu trouves un moyen de diffuser cette information partout dans la République. Montre notre histoire – la véritable histoire, pas celle qu'on nous raconte en classe.

— Emma, qu'est-ce que tu cherches à faire ? me demande Nayden.

— À exposer la vérité. Je veux savoir, et les gens doivent savoir. Leur puce a été désactivée ? Parfait, mais ils doivent connaître la vérité avant de décider vers quoi ils courent hors de leur ville.

Il fait la moue.

— Nayden, tu ignores tout comme moi les raisons de notre exclusion du monde. Je ne partirai pas d'ici sans en avoir eu le cœur net. Siaa, exécution.

— Vous n'avez pas l'autorisation d'accéder à ces renseignements. Ils sont strictement confidentiels, s'oppose-t-elle.

Je grogne d'exaspération, bien plus fort que nécessaire. Non, en fait c'est parfaitement nécessaire.

— Qu'est-ce qu'ils ont tous, ces ordinateurs, avec leurs histoires de confidentialité ? !

— C'est dans leur protocole, Em, ajoute Nayden dans mon dos.

— Je n'en ai rien à faire, de leur protocole ! Ce que je veux, c'est accéder à ces renseignements, un point c'est tout ! À quoi bon avoir des règles si on ne peut jamais les enfreindre ?

Je me tourne vers Nayden, qui se prend la nuque d'une main en grimaçant.

— Le problème avec ces règles-ci, c'est qu'elles sont inviolables. Elles sont implantées à tous les systèmes expressément pour ça : parce qu'il n'y a que les humains pour les transgresser.

— Il doit bien y avoir un moyen !

— Ce dont j'ai besoin, c'est d'un mot de passe, monsieur Prokofiev.

Je lève les mains en l'air, rejetant la tête vers l'arrière. *C'est vraiment n'importe quoi.* Même Nayden se met à jurer, puis s'approche pour appuyer sur quelques touches. Sans résultat. Il recommence. Absence de réaction de la part de l'ordinateur.

Je commence à m'énerver. Je jette un coup d'œil à la porte, tout en sachant que ma mère est toujours avec Noah et Juliette. Il faut nous dépêcher. Nous avons déjà suffisamment perdu de temps.

— Il me faut le mot de passe de mon père... le mien ne fonctionne plus, ils m'ont retiré mes droits d'administrateur du système.

— Votre mot de passe n'aurait jamais fonctionné, monsieur Prokofiev. Ces documents ne peuvent être ouverts que par un des généraux du conseil intérieur – en l'occurrence, votre père ou l'un des six autres membres.

Je me tourne vers Nayden.

— Quel genre de mot de passe ton père aurait-il choisi ?

Nayden pouffe de rire. Rien qu'à l'entendre, je sais qu'il n'y a aucune joie dans cette exclamation sourde. Il recommence à frapper les touches, toujours sans résultat apparent.

— Tu cherches peut-être quelque chose de trop compliqué ; au fond, c'est sûrement terriblement simple.

Nayden pince les lèvres.

— Il n'y a qu'une seule chose que je n'ai pas encore essayée, lâche-t-il. Lauren, Nayden et Juliette.

— Mot de passe confirmé.

Nayden titube vers l'arrière, incrédule. Il jette un coup d'œil vers sa mère et son père, tous deux gisant au sol.

Je tends la main vers la sienne et la presse chaleureusement.

Il se raidit à mon contact. Son torse se soulève à intervalles qu'il ne contrôle plus. Il s'éloigne pour me tourner le dos. Il a besoin de voguer seul un moment, j'imagine, entre toutes ces vérités qui malmènent notre navire.

Siaa enchaîne, complètement insensible à l'état de choc de Nayden:

— Accès aux dossiers confirmés, monsieur Prokofiev.

J'inspire calmement. Je lève la main vers l'écran pour faire défiler les dossiers.

— Parfait.

— Je n'ai jamais eu accès à ça avant... bredouille-t-il derrière moi.

— Ce sera donc une première pour toi comme pour moi, dis-je en faisant défiler plusieurs dossiers avant qu'un d'entre eux attire l'attention de Nayden.

— Qu'est-ce que c'est?

Nayden s'avance, pose la main sur le bureau. Sa chaleur si près de la mienne, sa passion est si ardente qu'un brasier directement sous mes pieds ne pourrait m'enflammer davantage.

— C'est une vidéo.

Une vidéo?

— Diffuse ça, Siaa.

— Souhaitez-vous connaître le contenu du dossier d'abord, mademoiselle?

— Non, ça ira. Fais-le. Maintenant.

— Un moment, je vous prie.

J'inspire terriblement fort. Je suis nerveuse – en réalité, je suis terrifiée. Nayden pose sa main sur mon épaule, doucement. Je glisse mes doigts dessus. Peut-être qu'à son contact, ils arrêteront de trembler.

Je vais enfin connaître la vérité.

Nous allons *tous* la connaître.

La dévoiler au grand jour, qu'elle soit glorieuse.

Trente-six

NAYDEN

Encore dépassé par tout ce qui a lieu, je vois s'ouvrir le dossier dont le message est diffusé sur tous les écrans de la ville, et même à l'échelle planétaire. Pour que *tout le monde* puisse savoir ce qui se déroule, il n'y avait que Siaa qui puisse faire ça. Et si nous avons Siaa, nous avons le contrôle de la ville et du reste de la planète. C'est aussi simple que cela.

Un homme en tenue militaire fait face à la caméra. Il se tient derrière un bureau de verre, sur fond blanc, le dos droit, le menton fièrement relevé. Il joint ses mains robustes sur la surface devant lui.

Il ouvre la bouche et commence d'un ton solennel :

— *Mesdames et messieurs, je me présente : Général Reagan. J'ai été nommé porte-parole auprès de vous, résidents de la République et sujets du Projet Pandore, afin de vous expliquer la raison de ce message. Plusieurs années se sont écoulées et je serai certainement mort le jour où vous ouvrirez ce message, mais là n'est pas la nature de cette communication.*

« *Au lendemain de la guerre et de la Conférence pour la Paix, qui dura près d'un an, nous en sommes venus à un consensus final et irrévocable. La face du monde a changé. Ce que vous avez connu hier n'existera plus demain. En dehors de vos frontières se trouve autre chose : une paix. Nous l'avons appelée* Réforme. »

Le militaire prend une lente inspiration et poursuit :

— *Il n'est plus question de pays ni d'États, mais de secteurs, à présent. Ces secteurs sont tous maintenus sous une seule et même tutelle, mais également dirigés de l'intérieur par un sous-groupe responsable du bon fonctionnement de la société. Il n'est pas non plus question de cultures différentes ou de religions, bien trop souvent responsables de guerres, de tyrannie ou de dictature. Nous formons maintenant un grand État laïque et homogène à l'exception des différences ethniques historiques auxquelles nous ne pouvons rien.*

La main d'Emma commence à trembler. Elle se concentre sur l'écran, j'en fais de même.

— *Vous devez également savoir que lors de cette même conférence, nous avons décidé de votre sort.*

« *Tous ceux qui ne souhaitaient pas faire partie de la Réforme ont formé une part de votre République, que nous avons nommée Haute République ou République Supérieure. Ces gens seraient chargés de la gouvernance de votre État indépendant. À eux, nous avons effacé la mémoire afin qu'ils ne sachent pas ce qu'ils laissaient au-dehors, mais avons fait en* sorte qu'un jour, progressivement, ces gens se mettent à se souvenir.

« De l'autre côté du mur, il a été convenu que les criminels de guerre et les responsables du bris de la paix mondiale formeraient la Basse République ou République Inférieure. À eux, nous avons laissé le souvenir d'un monde meilleur dont ils rêveraient par-delà un mur. Une peine qu'ils devraient purger deux siècles durant. En d'autres mots, une ville-prison. Reclus et soumis, ils paieraient le prix de leurs fautes. Les autres ne connaîtraient la raison de votre exclusion qu'ainsi: vous étiez trop différents. Ce processus porterait le fameux nom de Projet Pandore. Comme le veut la légende, d'un côté nous enfermerions les maux du monde et de l'autre, nous maintiendrions l'espoir jusqu'à ce qu'il vous gagne également, résidents de la Basse République. Nous vous avons donné une langue, une culture, une identité et un passé qui n'ont jamais été vôtre, dans le but de vous éloigner de ce que vous avez été jadis. À présent, le temps est venu pour vous, chers concitoyens, de suivre notre exemple et de vous joindre à nous. »

— Quoi ? s'étrangle Emma.

Je suis abasourdi, mais attentif. Bouche bée, mais offusqué. Plus encore, estomaqué et furieux.

Le général Reagan poursuit:

— Résidents de la République Inférieure, votre sentence est levée. Vous avez passé deux siècles hors de la Réforme en paiement de votre responsabilité dans cette troisième guerre dévastatrice. Le dernier *demi-siècle durant, des trains se sont mis à entrer dans votre territoire afin de, graduellement, vous rappeler qu'un jour vous seriez à nouveau libres. Peu à peu, ces circonstances auront possiblement ravivé l'espoir que nous avions volontairement étouffé pendant les deux siècles précédents. Le jour de votre libération est venu. Seulement, il vous faut savoir que la langue ou les langues que vous parliez, et celle dans laquelle je m'adresse à vous, n'existent plus. Ce sera donc une toute nouvelle adaptation.*

— Ce qu'ils n'avaient sûrement pas prévu, c'est que la Haute République formerait une dictature contre la Basse... à moins, bien sûr, qu'ils n'aient formé la République en toute connaissance de cause, sachant qu'un jour les gens de ce côté du mur voudraient s'élever et affirmer leur suprématie sur un groupe de criminels, dis-je à Emma.

Je suis incrédule et dégoûté par ce que je viens d'entendre. Ils ont reclus une nation, ont enfermé ses habitants derrière des barbelés, des clôtures et des peurs afin qu'ils paient le prix des actes de leurs ancêtres. Pour que les générations à venir soient à leur tour responsables d'un crime qu'ils n'ont pas commis.

Emma a payé, pendant dix-sept années, pour une guerre qui n'était même pas la sienne.

— L'enfer des morts n'existe pas, soufflé-je sur ces entrefaites. Il est ici et l'a toujours été, chez les vivants. L'enfer *est* vivant: il l'a été pendant deux cents longues années auprès de dizaines de générations qui se sont succédé sans jamais pouvoir élucider leur sort et la raison de cette prison qui était aussi leur ville.

— *Ce jour est venu*, répète le général. *Rejoignez-nous. Fiers, forts et unis. Une seule nation, une seule mission. Réformés dans l'unité. Rejoignez les rails, sautez dans les wagons et quittez cet endroit. Vous êtes libres.*

L'image du général se brouille légèrement avant de disparaître complètement et de nous laisser avec les caméras de surveillance.

C'est complètement absurde, insensé. Sous ma main, Emma se décompose. Elle est aussi estomaquée que je le suis, sinon plus. Puis, sans avertissement, Siaa commence à s'affoler. Les images se superposent, plus rien ne va. Je tire la chaise à roulettes sur laquelle se trouve Emma. Brusquement, l'ordinateur et tous les écrans explosent, me forçant, ainsi qu'Emma, à m'accroupir.

Elle plaque ses mains sur ses oreilles en étouffant un cri contre mon bras passé devant son visage pour l'épargner des débris qui virevoltent.

— Il faut sortir d'ici! Allez, viens! crié-je par-dessus les explosions.

Nous nous penchons de concert pour échapper à une énième explosion. J'aperçois alors Juliette dans l'embrasure de la porte, qui tente de comprendre ce qu'il advient. Nous courons vers la sortie. Emma jette un dernier coup d'œil par-dessus son épaule, en direction de tous ces morts que nous laissons là. Elle couve son père d'un regard tendre et referme la porte pour limiter les dégâts, mais je sais que c'est inutile.

Siaa est connectée à tout le bâtiment. Si cette pièce explose, toute la République en fera de même.

Les membres encore vivants de nos familles se protègent entre eux, secoués par les tremblements de l'infrastructure. Ils ont aussi assisté au message du général Reagan et nous n'avons même pas la chance de nous en remettre qu'il faut à nouveau nous enfuir.

— Allons-y !

D'un geste, je les encourage à courir pour se dégager avant que tout s'effondre. J'attrape la main d'Emma au passage pour lui offrir mon soutien et nous franchissons près de trois cents mètres de couloirs. Tout à coup, une partie du plafond s'effondre.

Je tire rapidement Juliette vers moi pour éviter qu'un énorme bloc de béton ne s'abatte sur elle. Il faut faire demi-tour. Nous rebroussons chemin, parcourons un autre couloir, malmenés de part et d'autre par toutes les secousses que provoque l'explosion.

Nous sommes tout près de la sortie quand j'entends un pan du mur tomber derrière nous en même temps qu'un cri s'élève. Emma lâche ma main d'un seul coup et fait volte-face en criant. Elle court vers sa mère, qui repousse *in extremis* Noah avant que le mur et le plafond ne dégringolent. C'est tout juste si elle a le temps d'appeler sa fille, de tendre la main vers elle avant d'être ensevelie sous les gravats.

Ce n'était pas un sauvetage pour Noah, ni même un sacrifice. C'est carrément un suicide. Sofia n'a jamais eu l'intention de sortir d'ici après qu'elle a vu mourir son mari, et sa fille bien avant. Je l'ai vu.

— MAMAN !

Un nuage de poussière s'élève. Juliette s'empresse de rejoindre Noah pour l'écarter de l'effondrement, et j'en fais de même avec mon Flocon de neige. Son monde s'effondre, dégringole dans un ravin où elle ne peut plus rien rattraper.

Je murmure à son oreille qu'elle doit rester courageuse, qu'elle doit demeurer forte à tout prix, pour ses frères. Puis je la tire hors de cette cave de malheur. Je gravis les marches sans qu'elle n'y touche une seule fois et la repose par terre une fois au sommet.

— Emma...

Je la saisis et la force à me faire face.

— Pourquoi, Nayden ? Pourquoi est-ce qu'autant de gens doivent mourir ? Pourquoi est-ce que ça doit faire si mal d'être libre ?

Je voudrais pouvoir lui donner une réponse. Pouvoir la regarder en face, lui dire : Je sais que c'est injuste, que cette vie est injuste, que cette guerre l'est également. Mais je perçois que tout ça ne pourrait en rien atténuer sa douleur. Alors je garde le silence et presse mon front contre le sien, dans un instant suspendu, avant de saisir sa main pour que nous nous remettions à courir.

Trente-sept

EMMA

Je cours vers mon destin, sa main dans la mienne, à laquelle je m'accroche comme si ma vie en dépendait. Tout près, mon frère talonne Juliette. Derrière nous, le parlement en flammes, la ville complètement réduite en poussière : symboles ultimes de notre liberté acquise.

Je peine à soutenir le rythme : ma blessure me fait de plus en plus souffrir, sans oublier que les effets de l'adrénaline s'estompent à la vitesse du son. Je ne sens plus une once d'énergie dans mon corps et c'est tout juste si j'arrive à progresser, à poser un pied devant l'autre jusqu'aux rails qui nous mèneront enfin là où nous nous devons d'être. Je ne regarde plus derrière moi, parce que la douleur de le faire m'en empêche.

Ma puce est inactive et mon instinct – ou tout ce qui faisait de moi une héroïne – est mort, complètement éteint. Je me sens vide.

Ma mère et mon père sont morts aujourd'hui, à quelques minutes d'intervalle, entre lesquelles j'ai bataillé pour ma propre vie.

J'ai honte de n'avoir pu les sauver, d'avoir cru être en mesure de les protéger tous les deux. Honte d'avoir espéré que tout irait pour le mieux lorsque nous gagnerions cette liberté. Tout ce que j'ai réussi à faire, c'est causer la mort de milliers de gens. Pour un jardin de rébellion qui me rendrait ma liberté et l'unique homme que j'aime. Était-ce le prix à payer ?

Nayden me jette régulièrement des œillades, voyant que je faiblis. Je prends la main de Noah dans la mienne tandis que Nayden aide sa petite sœur à rester debout. Nous rejoignons les rails et attendons notre train comme des centaines d'autres, maintenant et avant nous.

Parmi les visages, je cherche celui de mon grand frère.

Un premier convoi approche. Je ne partirai pas sans Adam : je le fais savoir à Nayden, qui opine. Nous laissons donc une majorité de personnes sauter dans un convoi de près de quarante wagons et attendons le prochain en compagnie d'une dizaine d'autres.

— Où est-il ? fais-je.

— Il ne t'a pas dit où exactement ?

— Non.

Nayden entrelace mes doigts avec les siens. Le chemin de fer se remet à trembler. Un autre train approche et le soleil décline à l'horizon. La dizaine de personnes avec qui nous sommes approchent du chemin de fer, prêtes à sauter au moindre instant. Je me tiens légèrement en retrait. Je ne veux pas sauter sans mon grand frère. Je jette un coup d'œil à Noah, qui contemple le train d'un œil attentif. Le premier wagon cahote sur les rails à une vitesse plus que raisonnable pour que nous embarquions. Un wagon, puis un deuxième. Et c'est au douzième que je vois une chevelure blonde émerger et que j'entends Adam crier mon nom.

Je réagis un peu trop tard, car son wagon commence à s'éloigner. Nayden me fait signe et nous nous remettons tous les quatre à courir. Entre les fenêtres éclatées du convoi, je vois mon grand frère se diriger vers nous. Il se penche par une porte et tend le bras à Noah pour le faire grimper à bord. Puis vers Juliette, qui maintient la cadence à la perfection ; Adam arrive à la hisser dans le wagon sans effort.

Quant à Nayden, il saute sur le bord du convoi dans un geste souple ; il s'accroche en passant le bras à travers une poignée et me tend l'autre en se penchant dans le vide vers moi. Une main sur ma taille, il me soulève pour me faire monter.

Je respire fort, bruyamment, et l'avoir si près de moi après tant de semaines ne m'aide en rien à dominer mon cœur, qui part déjà au galop malgré la gravité de la situation.

Nayden se laisse doucement tomber, m'entraînant dans sa chute. Nous voici front contre front, hanche contre hanche ; son visage est tourné vers le mien, mon nez glisse sur sa joue à mesure que mes lèvres se remettent à explorer sa peau, dont je me suis languie en rêve.

Je lorgne le reste du wagon. Mes deux frères sont assis côte à côte et sur l'épaule de Noah repose le visage d'une Juliette épuisée. C'est alors qu'Adam me regarde. Aux larmes que je vois glisser avec lenteur sur ses joues, je réalise bien assez tôt qu'il est inutile de dire que j'ai laissé mourir nos parents derrière.

Mon monde est tombé.

À mes yeux, ce n'est pas que leur ville qui soit tombée.

Mon univers a sombré dans un abysse rempli d'êtres chers que j'ai laissés tomber et d'un temps dont j'ai toujours eu terriblement peur.

Moi, c'est mon univers, ma famille, ma mémoire et ma vie. Tout ça parce que j'étais – et suis toujours – une Insoumise.

Je glisse ma main dans celle de Nayden et laisse mes yeux suivre le paysage qui se dessine sous le rayon de soleil couchant.

Je file droit vers notre liberté, à tous, sans un regret – sauf mes parents – pour ces dix-sept années que je laisse derrière, dans un livre de contes marqué par la guerre. Je les ai passées à chercher une liberté gagnée à bien des dépens, et que je peux enfin saisir à cette heure, à cette minute, à cette seconde vers ce temps que je n'ai plus raison de craindre.

Nayden effleure délicatement ma joue des doigts, puis des lèvres, pour capter mon attention. Ses cils taquinent mon épiderme. À mesure que les secondes s'écoulent, je me rappelle qu'un mystère reste encore à éclaircir avant que j'aie définitivement la conscience tranquille.

— Que savait le fils d'Henry ?

— Quoi ?

— Le fils d'Henry, le musicien du Blues Haus. Il m'a dit qu'il savait quelque chose, un renseignement confidentiel. Qu'est-ce que c'était ?

— D'où est-ce que tu connais le fils d'Henry, Em ?

— Je l'ai rencontré là où j'étais, et c'est tout juste si j'ai pu croiser son père pour le lui dire. Henry m'a aidé à me souvenir et, quand je suis partie pour te rejoindre avec les autres, il m'a avoué venir d'ici, lui aussi, et qu'il était parti parce qu'il savait quelque chose. Quelque chose d'important, de confidentiel même. Tu sais ce que c'est ?

Nayden soupire.

— Il a appris pour les puces, plus particulière-ment sur l'intention de la Haute de faire mourir tous ceux de la Basse un jour ou l'autre. Il travaillait avec un groupe d'autistes à l'élaboration des nou-veaux programmes et il est tombé sur les dossiers de ma mère. Pas tout à fait par hasard : elle avait piraté son ordinateur pour qu'il le découvre, dit Nayden, pince-sans-rire. Elle s'est arrangée pour qu'il découvre la vérité sur la République. Elle n'en savait pas autant que le général Reagan, du moins je crois, mais elle en savait assez pour perturber l'ordre établi par le conseil de généraux. Et en mettant cette information entre les mains d'un des informaticiens de l'ordre, en l'occurrence Henry Junior, elle mettait en péril l'opération. Alors Junior est parti.

Je fronce les sourcils. Il les effleure du bout de l'index.

— Qu'est-ce qui te tracasse, Em ?

— Je ne crois pas qu'il y ait eu que ça… je veux dire, on finit tous par se souvenir un jour ou l'autre. Ta mère, entre autres, a créé les Insoumis pour qu'on se révolte et qu'on acquière notre liberté plus rapidement. Et si au fond tout cela avait été prévu dès le départ ?

— Tu veux dire qu'ils se seraient préparés à l'éventualité qu'on veuille sortir de là un jour ?

— Oui.

— C'est plausible.

Je poursuis sur ma lancée, sans même porter attention à ce qu'il vient de dire :

— Sinon, nos ancêtres seraient sortis plus tôt, tu ne crois pas ? Peut-être que nous ne serions même pas ici, dans ce train, pour en parler. Peut-être qu'ils avaient prévu que les gens se mettraient à se souvenir petit à petit et à s'intéresser à une vie hors-les-murs. Peut-être que ta mère a choisi de se souvenir, elle aussi, et que…

— Emma, me coupe Nayden en levant une main entre nos deux visages. Arrête, c'est inutile. Ça n'en vaut pas la peine. L'important, c'est que nous nous en soyons sortis.

— Ce n'est pas tout le monde qui s'en est sorti, Nayden… ce que je veux, c'est pouvoir me dire que tous ces gens ne sont pas morts pour rien.

— Ils ne le sont pas.

Je baisse les yeux et passe une main tremblante dans mes cheveux. Il l'attrape au vol et y presse ses lèvres.

— Pourquoi ce n'est pas moi qui suis morte aujourd'hui ?

— Parce qu'il te fallait vivre, et ce n'est pas pour rien. Tout comme ces gens qui sont morts, Em, toi, il te fallait vivre. Vivre pour moi, pour eux, pour nous, mais avant tout pour toi-même.

— Qu'est-ce qu'il va arriver à la République, tu crois ? Maintenant que nous nous en sommes tous sortis ?

— Nous n'avons qu'à l'oublier. Je crois que c'est quelque chose que nous pouvons tous laisser derrière nous.

Un trait sur notre histoire à tirer.

Oui. Je suis d'accord.

Au fond, je me fiche bien de ce qu'il peut arriver à la République. Tout ce que j'ai toujours voulu faire, c'est en sortir. Seulement, j'aimerais me dire que la mort de mes parents n'était pas vaine, mais elle l'a été. J'essaie de me dire que j'ai fait le bon choix, mais j'en doute encore. J'essaie de me dire que je suis encore forte, mais je n'y crois plus. J'essaie de me convaincre d'un millier de choses qui ne me disent plus rien.

Alors je pose la question qui brûle mes lèvres parce que j'ai besoin que Nayden me confirme ce en quoi j'ai besoin de rêver, qu'il me redonne ce courage que j'ai perdu dans les sous-sols d'un bâtiment en flammes.

— Tu crois qu'on y arrivera, Nayden ?

Il repousse doucement les mèches qui sont tombées sur mon visage.

— À quoi, mon amour ?

— À vivre.

Il pouffe doucement, comme une expiration sèche et brève qui s'apparente à une sensation de bonheur qu'on a peur de saisir. Une expiration qui monte dans la poitrine à nous en couper juste assez le souffle, ne serait-ce que pour nous rappeler que chaque seconde compte.

La sienne est comme l'éclat d'un rire qu'on échappe au fond d'un puits et qui résonne longtemps encore dans l'air entre deux corps à la suite d'un espoir qui se concrétise, d'un souhait qu'on exauce, d'un bonheur qu'il faut saisir coûte que coûte. Elle est pleine d'une promesse que je suis prête à prendre, que je suis prête à chérir à condition qu'il m'y accompagne et m'aide à en prendre soin.

Il m'enlace.

— Et si nous commencions par aujourd'hui, Flocon de neige ?

Je lui souris.

Oui, commençons par aujourd'hui.

Remerciements

D'abord, merci à la maison Guy Saint-Jean Éditeur. Merci d'avoir cru en moi dès les premières lignes de l'histoire d'Emma. Merci d'avoir cru en moi et en ma plume tout au long de cette belle série qu'est *Insoumise*. Cette trilogie qui voit aujourd'hui son point final se poser n'en serait pas où elle est sans votre fabuleuse équipe. Alors merci à Sara, Lydia, Eva, Émilie, Geneviève et Marie-Claire, qui ont pu faire de moi une auteure publiée à l'âge de dix-huit ans.

Merci à vous, merci pour tout.

Merci, maman, d'être la meilleure vendeuse de tous les temps et de me lire avec toujours autant d'enthousiasme. Merci d'être là ; je ne sais pas ce que je ferais sans toi.

Merci à ma sœur Maud pour toutes les folies qu'on peut faire ensemble, mais aussi, et surtout, pour tous ces moments où tu me ramènes sur terre lorsque je m'emporte un peu trop.

Merci à mes grands-parents ; que dire de plus que : je vous aime à la folie ?

Merci à mes amis, ma deuxième famille. Des gens que j'aime à l'infini, des gens qui me rappellent un peu plus chaque jour à quel point j'ai de la chance de côtoyer des personnes aussi extraordinaires que vous l'êtes. Je suis la personne la plus choyée de l'univers grâce à vous. Merci à Flavie, Laurence, Matthew, Sandrine, Frédérique, Émilie, Justine, Li-Anne et bien d'autres !

Vous êtes formidables, tous autant que vous êtes.

Enfin, comme toujours, merci à mes lecteurs et lectrices. Merci à vous. Vous qui, dans le confort de votre intimité, avez laissé mes mots vous transporter ailleurs. J'espère que vous aurez aimé Insoumise tout comme j'ai aimé chacune de ces phrases que j'ai eu le plaisir d'écrire. Ces successions d'images et de sentiments enchevêtrés qui m'ont longtemps habitée et qui ont enfin pris la forme de lettres ont d'abord été créées pour moi-même, je dois bien l'admettre. Au bout du compte, tout cela aura peut-être pris son sens pour vous aussi.

C'est donc la fin d'une histoire, mais, je l'espère, pas la fin de mon passage dans le monde des livres.

À vous tous et toutes, je vous dis : merci.

MARQUIS

Québec, Canada

Achevé d'imprimer le 3 février 2016

RECYCLÉ
Papier fait à partir
de matériaux recyclés
FSC® C103567

Imprimé sur du papier Enviro 100% postconsommation
traité sans chlore, accrédité ÉcoLogo et fait à partir de biogaz.